Patrick Bourgeois

Le Canada, un État colonial!

En guise de réplique à André Pratte

Éditions du Québécois

Éditions du Québécois
2572, rue Desandrouins
Québec, Québec
G1V 1B3
Tél. : (418) 661-0305
www.lequebecois.org

Conception et réalisation de la couverture: Cocorico Communication.

Photographie de la couverture: Presse Canadienne.

Suggestions de classement :

Bourgeois, Patrick (1974 -)
        Le Canada, un État colonial!

Politique Québec - Canada, Autonomie et mouvements indépendantistes,
Québec, Souveraineté, colonialisme, fédéralisme, Canada.

Distributeur : Prologue

Diffuseur :

DLL Presse Diffusion
1650, boulevard Lionel-Bertrand
Boisbriand, Québec
J7H 1N7
(450) 434-4350
www.dllpresse.com

ISBN-10 : 2-923365-09-7
ISBN-13 : 978-2-923365-09-1

Dépôt légal – Bibliothèque et Archives nationale du Québec, 2006
Dépôt légal – Bibliothèque et Archives Canada, 2006

Avertissement

Plus souvent qu'autrement, il est préférable de laisser les démagogues sans véritable importance répandre leurs inepties sans y répondre, puisque le simple fait de le faire procure un rayonnement accru aux propos fallacieux de ceux-ci. Dans le cas d'André Pratte et de son livre *Aux pays des merveilles* publié chez VLB en 2006 et vendu à environ 4000 exemplaires, il nous semblait que l'on ne pouvait agir de la sorte, que l'on se devait de répliquer à pareille charge contre l'idée du pays du Québec. Pourquoi? Parce que Pratte abreuve jusqu'à plus soif le public québécois de ses litanies anti-indépendantistes au jour le jour dans les pages de *La Presse* sans qu'il ne soit à peu près jamais possible de lui répliquer. Il faut en convenir, les fédéralistes contrôlent fort efficacement les médias au Québec. Mais dans le cas présent, il s'agit d'un livre. Un simple livre. Et sur ce terrain, force est de constater que les *Éditions du Québécois* sont maintenant suffisamment outillées pour combattre à armes à peu près égales (sauf pour les budgets de publicité, bien entendu) les publications les plus fédéralistes qui sont lancées sur le marché québécois. On se devait donc de faire quelque chose pour combattre le discours unique qu'implantent lentement mais sûrement les fédéralistes au Québec. Grâce aux *Éditions du Québécois*, il est possible pour les indépendantistes de le faire en s'exprimant librement, sans contrainte aucune. La libération du peuple québécois ne saurait s'effectuer sans préalablement libérer la parole. Le présent livre se veut une nouvelle pierre placée dans cette œuvre d'affranchissement combien importante.

Les Éditions du Québécois

NOTE

La photo de la couverture a été prise le 7 septembre 1967, lors d'une manifestation des Chevaliers de l'Indépendance au Carré Dominion, à Montréal. Les Chevaliers de l'Indépendance s'insurgeaient alors contre le « Train de la confédération » qui avait été envoyé au Québec pour les 100 ans de la confédération canadienne. Les Chevaliers se seraient entre autres battus contre l'équipe de football de l'*Université Sir George Williams*. Les footballeurs auraient reçu une sévère correction. Il est vrai que les Chevaliers étaient en très grande majorité des boxeurs.

AVANT-PROPOS

La politique de la petitesse

> « L'histoire ne se répète jamais, il n'y a que les
> journalistes qui se répètent entre eux. »

> - Anonyme

En 1937, à l'âge de vingt ans, dans le premier et seul numéro de *À nous la liberté*, une revue qu'il vient de fonder, le jeune Guy Frégault écrit : « L'autre génération n'a pas une "âme perverse"; elle a une "âme habituée". Ces gens n'ont jamais eu l'idée de rajuster le monde à la taille de l'homme […]; ils ont su pieusement s'en accommoder, tout en débitant des quantités massives de rhétorique pleurnicharde. […] Le grand secret de notre misère c'est que nous avons perdu la faim et la soif de la liberté. […] Il fut un temps – il y a mettons deux siècles – où les Canadiens […] étaient le peuple le plus libre de la terre, mais arrive 1760, […] il faut se soumettre. Nous nous soumettons. On finit par vivre comme on pense, n'est-ce pas? Alors la soumission devient un esclavage intérieurement accepté […], nous avons fini par troquer notre esprit de créateur contre celui de quémandeur[1]».

Je ne sais pas pourquoi, mais en lisant ces lignes du grand historien qui écrira plus tard *La Guerre de la Conquête*, ce livre majeur, j'ai pensé immédiatement à André Pratte. Pour moi, le célèbre relationniste de presse de l'empire Power Corp. représente à la perfection le descendant-type de cette génération de morts-vivants, de vaincus heureux, de soumis satisfaits dénoncés par Frégault il y a presque soixante-dix ans. En fait, je vous raconte des peurs; si j'ai pensé à l'attaché de presse de mononcle Paul, ce n'est pas du tout un hasard. Les camarades des *Éditions du Québécois* m'ont demandé un avant-propos au livre de Patrick Bourgeois. Pour supposément me mettre dans l'ambiance, ils m'ont notamment envoyé une copie du dernier livre du petit Frère Pratte. Ah! les affreux! Ils m'ont gâché une partie de mes vacances. Des vrais sadiques! Me faire ça à moi, un ami qui ne leur a jamais fait de mal. Quelle horreur!

Je suis pourtant un habitué de la prose tordue de l'éditorialiste en chef de l'organe de presse quasi officiel du gouvernement canadien. Je lis régulièrement le bon Frère Pratte, question de suivre au jour le jour le point de vue du grand patronat, et, même à petite dose, c'est dur à avaler. Mais là en concentré, à forte dose, ça devient carrément de la violence psychologique, du harcèlement mental, de la torture cérébrale. Je ne comprends pas Graveline qui a publié le livre chez VLB. Il n'a jamais lu le manuscrit? Il a voulu faire un canular? On l'a forcé avec un couteau sur la gorge? Il se cherchait une job?

Quand on lit du Pratte, on a l'impression de lire un catalogue des vieux éditoriaux moisis de Renaude Lapointe ou de Solange Chaput Rolland. Après Roger Lemelin et le Frère Untel, le Frère André! Il nous ressert au goût du jour, sous une mince couche de vernis intellectuel, les vieux arguments délirants de Réal Caouette, les farces plattes de Camille Samson, les grossièretés démagogiques de Jean Chrétien, les raisonnements spécieux et les sophismes éculés de Pierre Elliott. Et tout ça se prend pour Claude Ryan. Beurk!

Pour bien comprendre le travail de cet employé modèle de l'empire Desmarais, de cet employé du mois de Gesca, il faut le regarder penser ou du moins faire semblant de penser. Cet admirateur de Robert Bourrassa pratique avec un art consommé la vieille technique du cul entre deux chaises, chère à son mentor. Mais tout ça n'est que de la poudre aux yeux parce que son siège est fait depuis toujours. C'est le vieux siège du pouvoir. Un bain de siège en fait! Pratte excelle à faire semblant. Il pratique l'art du faux en véritable professionnel de l'information. Il se pose toujours en analyste neutre et objectif. L'air de rien, il donne l'impression de s'intéresser aux deux côtés de la médaille et pose au juge impartial. Mais au bout du compte, à chaque fois, on s'aperçoit qu'il n'y a qu'un seul côté à cette médaille, le côté de ses boss. Le raisonnement est toujours truqué, les dés pipés d'avance. Jour après jour, la pièce retombe continuellement du même côté, le côté du plus fort, le côté du plus riche, le côté le plus payant.

Quand je lis les publireportages d'André Pratte dans les pages éditoriales de la grosse *Presse*, j'ai l'impression de me farcir une commandite de Patrimoine Canada. Ça ressemble aux balles de golf et aux boules de Noël de la grosse Copps, aux cravates à feuille d'érable du Parti libéral, mais sans feuille d'érable. En fait, le drapeau à feuille d'érable est bien là, en filigrane, camouflé entre les lignes. Plus scandaleux encore que les commandites! Payé avec l'argent sale de l'oncle Paul, en plus!

Mais le plus fascinant chez ce spécialiste du « damage control » au service du néocolonialisme canadien, c'est sa constance dans l'à-plat-ventrisme et la soumission. On finit même par ressentir une certaine gêne à regarder ramper, jour après jour, cet intellectuel organique de la bourgeoisie canadienne. La même gêne en fait qu'on éprouve à regarder s'enfoncer ce roi des abrutis dans *Le dîner de cons*. À chaque fois, en ouvrant le journal, on se demande jusqu'où notre champion va oser descendre. Et il s'abaisse chaque fois un peu plus bas, ce roi de la génuflexion prêt à justifier tout et son contraire, même à justifier l'injustifiable. Semaine après semaine, ce petit monsieur nous convie à la petitesse. Notre statut de minoritaires braillards, il le célèbre, en fait la promotion, le porte comme un étendard avec des trémolos orwelliens : « La dépendance, c'est l'indépendance ». « La soumission, c'est la liberté ». « La provincialisation, c'est la vraie souveraineté ». « La petitesse, c'est la grandeur ». Pour lui, un demi-strapontin à l'Unesco est une immense victoire pour notre peuple. C'est la seule politique étrangère qu'il arrive à imaginer pour le peuple québécois. Mais cet intellectuel colonisé type n'est pas seul. Power Corp. et Radio-Cadenas en engagent à la poche.

Et ces gens-là, figés dans leurs certitudes rétrogrades et leurs idées minuscules, osent dénoncer le présumé immobilisme du peuple québécois. Faut le faire non… quand on défend depuis toujours un *statu quo* politique absolument inacceptable, bien au chaud assis dans sa marde, les deux pieds pris dans le ciment constitutionnel canadien. On reproche au peuple son immobilisme parce que le peuple a refusé un projet de casino financé avec son argent pour le profit du Cirque du Soleil. En fait de développement, tout ce que ces ardents défenseurs du patronat, de la bourgeoisie canadienne et du capitalisme anglo-américain ont à proposer, c'est un peu plus de pain Weston et un peu plus de jeux de loto. Plus de steppettes lasvegassiennes. Plus de shows de boucane. Plus de boulevards Taschereau. Plus de machines à sous. Plus de Wall Mart *made in Quebec*. Plus de Tim Horton avec des bols en pain à marde. Plus de ti-criss de moulins à vent privatisés, dénationalisés et ontariens pour exploiter encore et toujours notre Gaspésie. Plus de jobs de cul et de salaires de crève-faim.

« Tout va bien… car tout pourrait être pire ». Malheureusement, cette phrase n'est pas tirée de l'œuvre du commissionnaire de l'oncle Paul, mais elle reflète assez bien, je crois, ce qui lui tient lieu de vision de l'avenir du Québec : se contenter du *statu quo* politique et économique. Je n'en puis plus de cette mauvaise pièce qu'on dirait écrite par Ionesco. Dans les gazettes de ce presque pays, des critiques minables parlent de l'humour absurde. Mais personne ne parle de l'absurdité du réel mis de l'avant par tous ces intellectuels à gages. Pour parler plus clairement : « chu pu capable d'en prendre! ». Avec les années, c'est devenu physique. Ces gens-là me donnent mal au cœur. J'ai envie de vomir, de me renvoyer les tripes, de me cracher les boyaux, de me vider par les deux bouts. Ras la bole de tous ces petits intellectuels provinciaux. Tout en eux est provincial. Leurs idées sont provinciales, leurs visions sont provinciales, leurs ambitions sont provinciales. Tout en eux est petit. Petit, petit, petit! Ils se présentent comme des fédéralistes fatigués. Mais ces gens-là sont nés fatigués et vont mourir de fatigue à 80 ans comme le père de Stéphane Dion. Ils sont venus au monde vaincus, écrasés, soumis et ils prennent cela pour une vertu. Ils ne savent que prêcher le bonententisme à tout prix, le petit pain, la joue tendue et le plaisir masochiste du coup de pied au cul. Ils ne servent qu'à nous réduire, nous ratatiner, nous rapetisser. Et si on refuse la petitesse de ces vendeurs de petits pains, on devient de dangereux extrémistes.

Dans son livre, le petit chien savant des Desmarais dénonce les dialogues haineux de mon film sur les Patriotes. Quoi? Les colonialistes brûlent nos villages, violent nos femmes, emprisonnent nos combattants, assassinent notre peuple et ce sale cabot voudrait en plus qu'on les aime, qu'on les remercie, qu'on leur élève des monuments. Personnellement, je ne pardonnerai jamais aux bourreaux de notre peuple. Je plaide coupable. Je suis rempli de haine. Une haine dévorante, incommensurable. La haine du colonialisme britannique et du néocolonialisme canadien. La haine des exploiteurs, des assassins, des bandits, des tyrans, des impérialistes, des voleurs, des tortionnaires, des oppresseurs et de leurs collabos. La haine de tous ces intellectuels en service commandé et autres vendeurs de salades couverts de bourses et de médailles prêts à justifier toutes les écoeuranteries.

Et il y a aussi l'amour. L'amour ardent de mon peuple, le peuple québécois. L'amour de tous les peuples qui souffrent. L'amour des combattants, des résistants, de tous ceux qui refusent de s'agenouiller. L'amour aussi du « monde en bottes de rubber », comme disait mon ami Bernard Gosselin. L'amour de la culture populaire. Voilà! Il y a la haine, mais il y a aussi l'amour de la vie. Et c'est justement parce qu'il y a cet amour qu'il y a la haine de toute cette saloperie.

Et je crache sur tous ces minables mercenaires qui gagnent leur vie du côté du manche. Toujours du côté des gros bras. Le côté des gras durs, le côté du cash. C'est peu de chose le crachat, mais c'est tout ce qui me reste… avec le mépris.

« Tenir, tenir, à force de volonté, ne pas accepter le désespoir… »

- Henri Alleg
Les chemins de l'espérance

« Extrémistes, les Canadiens français? Je ne connais chez eux qu'une forme d'extrémisme : l'extrémisme dans la candeur et la bonasserie; l'extrémisme dans l'aplatissement devant l'Anglais. »

- Lionel Groulx

Pierre Falardeau

[1] Cité par Denis Vaugeois, dans *Monuments intellectuels québécois*, Québec, Le Septentrion, 2006.

À ceux qui furent un jour ou l'autre diffamés, sans possibilité de se défendre, par *Gesca* et ses serviles soldats de plomb.

En guise d'introduction
Un bref portrait d'André Pratte

Il y a de ces œuvres qui vous marquent pour la vie. En ce qui me concerne, je ne pourrai jamais oublier l'émotion qui m'habita lorsque je parcourai frénétiquement les pages du livre remarquable de Francis Simard *Pour en finir avec Octobre*. Cette même émotion, je l'ai ressenti pleinement (et à plus d'une reprise) en visionnant le percutant document *Le Temps des bouffons* de Pierre Falardeau, en lisant les œuvres éclairantes de Fanon ou Memmi ou les trois magnifiques tomes de la biographie de Pierre Duchesne portant sur Jacques Parizeau. Les œuvres admirables savent nous imprégner à jamais! Mais les œuvres ratées aussi. Il est de fait toujours attristant de contempler l'étendue d'un échec quelconque qu'a connu un artiste talentueux, respecté et apprécié. Comme pour les œuvres de génie, malheureusement, on se rappelle longtemps de ces fiascos que les créateurs aux carrières fécondes ne peuvent à peu près pas éviter. Et il y a finalement les œuvres qui nous frappent de plein fouet, nous déstabilisent, nous jettent par terre même, non pas parce qu'elles sont extraordinaires ou médiocres, mais tout simplement parce qu'elles existent! Ces œuvres aux idées perfides qu'on considère malhonnêtes et démagogiques nous dérangent au plus profond de notre être parce qu'elles violent tout ce en quoi l'on croit. Elles nous poussent à agir, à dénoncer, à frapper. Encore plus que les œuvres géniales ou médiocres, ces œuvres réalisées par l'ennemi savent nous marquer au fer rouge! Les nausées qu'elles nous ont « savoureusement » procurées, jamais on ne les oublie. La seule façon de s'en sortir, c'est dans l'agir. Salvateur est donc de faire payer celui qui nous a ainsi fait vivre de si mauvais moments. Lui enfoncer sa félonie dans le fond de la gorge, voilà l'objet de nos désirs les plus ardents! Le dernier ouvrage d'André Pratte (*Aux Pays des merveilles*) est l'incarnation parfaite de ces livres qu'on voudrait jeter aux orties!

André Pratte, c'est ce petit bonhomme haut comme trois pommes à l'allure inoffensive (jamais un mot plus haut que l'autre) qui promène sa bouille de chevrette à l'œil larmoyant sur les tribunes radio-canadiennes, qui lui sont toujours ouvertes. S'il ne semble nullement dangereux avec sa petite barbe de frère capucin, il faut comprendre que tel n'est qu'illusion. En tant qu'éditorialiste en chef de *La Presse* et donc de grand commandeur de la propagande / désinformation gescaïenne, il a une influence considérable au Québec. Dans le cadre de ses fonctions, Pratte commet des textes qui sont lus par des centaines de milliers de Québécois, ce qui constitue toute une prise sur l'opinion publique.

Le malheur est que le message qu'il véhicule est à peu près toujours le même et purement liberticide : bien que la souveraineté du Québec soit un projet légitime, celui-ci comporte trop de risques pour qu'on puisse raisonnablement l'envisager ne serait-ce qu'une seule seconde (avec Pratte, une caresse prépare toujours l'arrivée de la gifle qu'il veut foudroyante, tactique habile s'il en est une). Préférable est ce beau et grand Canada, respecté de par le monde, le plus beau des monuments en fait qu'on puisse ériger à la réussite « nationale ». Pourquoi en sortir alors, pose-t-il comme question ? S'il y a du changement à apporter dans notre société distincte qui n'en a que l'étiquette, il faut bien se l'avouer puisque dans les faits nous ressemblons tellement aux Canadiens (c'est ce que prétend Pratte), c'est dans le registre droite / gauche qu'il doit se situer, et pas pour aller plus à gauche, loin s'en faut. Selon le petit valet de service, le modèle québécois gauchissant a bien suffisamment vécu, l'heure est maintenant venue d'adapter notre petit coin du monde au discours développé par les « lucides », ce groupe de droite qui soutient que, pour faire face aux défis posés aujourd'hui par la démographie québécoise et par la crise des finances publiques, il faille encore davantage miner les prérogatives de l'État québécois tout en demandant aux simples citoyens de payer encore plus pour obtenir des services réduits comme peau de chagrin, parce que sous-financés par un État qu'on a sciemment poussé à la déliquescence. Il ne viendrait jamais à l'esprit de ces cabotins dits « lucides » que l'État québécois, le plus grand d'entre nous comme le disait René Lévesque, est loin d'être le pire ennemi des Québécois, que l'obstacle principal à leur développement en tant que collectivité se campe plutôt de l'autre côté de la rivière des Outaouais. Mais quand on est payé grassement pour tenir des propos fédéralistes de droite, peu nous importe de jauger la pertinence et l'efficience de la liberté *made in Quebec*… En fait, une telle fonction impose plutôt de la dissimuler par tous les moyens possibles et imaginables! En cela, Pratte est un maître sans conteste… Il faut bien remettre ce qui revient à César!

Dès son entrée en fonction à titre d'éditorialiste en chef de *La Presse* en 2001, André Pratte, faisant pour une rare fois preuve d'honnêteté intellectuelle, a bien annoncé ses couleurs à ses lecteurs :

> Aussi, nous insisterons [dans le cadre de cette chronique] pour que le Québec participe activement au projet canadien, plutôt que de rester sur la ligne de touche comme il a trop eu tendance à le faire ces dernières années. Il est vrai que l'expérience canadienne a parfois été frustrante, voire cruellement décevante pour bon nombre de Québécois. Le tort historique de 1982 reste à redresser. Mais, au bilan, la Confédération s'est révélée enrichissante pour le Québec, socialement autant qu'économiquement. Humainement, aussi, étant donné la nécessité de côtoyer nos voisins, l'obligation de surmonter les préjugés et les intérêts particuliers pour arriver aux fins communes[1].

Pour rendre un peu plus acceptable sa position aux yeux des lecteurs de *La Presse*, après tout, ils sont majoritairement indépendantistes puisque francophones[2], Pratte a poursuivi en affirmant sans gêne que le Canada évoluait, et que cette évolution permettrait enfin aux Canadiens –qu'ils sont donc bons pour le Québec - de répondre favorablement aux demandes historiques des gens d'ici : « Bien que les Québécois en soient peu conscients, le Canada est aujourd'hui en train de se redéfinir. Le Québec peut bouder ce processus. Mais nous pensons qu'il ferait mieux d'y investir toute son originalité[3] ». Assez particulier était de tenir alors un tel discours. Pourquoi? Parce que le Canada avait atteint à peu près tous ses objectifs dans le cadre du plan B, cette offensive hargneuse menée depuis 1995 par le gouvernement fédéral contre l'État du Québec, l'outil dont usent les indépendantistes pour obtenir gain de cause. Dans ce même contexte, la Cour suprême avait jugé que c'était le fédéral qui devait décider ce qui constituait une majorité et une question claires à l'issue d'un exercice référendaire et que l'intégrité du territoire québécois devrait être soumise à la négociation postréférendaire entre le Canada et le Québec. Le Canada venait également tout juste d'adopter l'union sociale (1999) qui consacrait le pouvoir de dépenser du fédéral au détriment des compétences du Québec[4]. Le constitutionnaliste André Binette affirma d'ailleurs que:

> L'entente constitutionnelle de 1981 et l'entente sur l'union sociale forment la majeure et la mineure d'une proposition : le Canada ne peut plus coexister avec l'identité du Québec. Le Canada est de plus en plus incapable de se définir en tenant compte des aspirations et de la volonté d'autonomie du Québec. Quoique l'entente sur l'union sociale ait été réalisée dans des circonstances moins dramatiques que le coup de force constitutionnel de 1981, ses effets sont en réalité plus concrets, plus dommageables pour les aspirations du Québec[5].

Qui plus est, Ottawa et ses sbires de *Bay Street* poursuivaient avec une énergie renouvelée leur oeuvre de vampirisation des richesses du Québec alors que le déséquilibre fiscal laissait l'État québécois à peu près exsangue et sans moyens pour assurer sa défense face à un État fédéral qui pataugeait dans les surplus (ce qui est toujours le cas) et qui viola les prérogatives du Québec à plus d'une occasion. Entre autres, on vit le gouvernement fédéral mettre sur pied les horripilantes bourses du millénaire, imposer une philosophie répressive eu égard aux jeunes contrevenants au détriment des idées dites de réhabilitation qui sont historiquement défendues au Québec, créer un poste de Secrétaire d'État aux Affaires municipales, et ce, malgré que les villes soient des créatures relevant uniquement des provinces, mettre sur pied des allocations directes aux parents telles que promues par les conservateurs, court-circuitant ainsi Québec, et développer divers programmes en Santé tels que les allocations d'aide aux proches de personnes atteintes de maladies incurables ou en fin de vie, etc. Comme le disait Jean-Marc Léger :

> Dans un système de type fédéral, il est à la fois anticonstitutionnel, malsain et dangereux que l'un des deux ordres de gouvernement doive, en permanence, faire appel à l'autre pour pouvoir faire face à ses propres responsabilités, pour en assumer le coût[6].

Toutes les chroniques qu'a depuis commises André Pratte dans les pages de *La Presse* sont à l'avenant de son message politique originel et démontrent qu'à cette vaste entreprise de redéfinition du colonialisme canadien, il applaudit à tout rompre, tout comme le ferait un singe de cirque qui voit son dresseur lui lancer des cacahuètes. Et tout comme l'on a incommensurablement plus de respect pour un primate sauvage qui refuse de se plier aux lois des hommes comparativement à celui qui fait la pirouette pour faire plaisir à son maître, il est bien difficile de respecter un chroniqueur qui est bien tenu en laisse et qui se fait le propagateur des idées *canadians* afin d'éviter d'être envoyé au panier par celui qui le dresse en lui distribuant de généreux chèques. Toujours, on préférera les libres penseurs, denrée qui se fait de plus en plus rare en cette société québécoise, aux chroniqueurs programmés de Gesca.

Si André Pratte est un individu dangereux à cause de la tribune de propagande fédéraliste qu'il possède depuis 5 ans maintenant, il ne faudrait pas pour autant croire qu'il ne commet pas régulièrement des maladresses. Défendre le Canada, cet État qui possède tous les attributs d'un État colonial, n'est jamais une tâche aisée, ce qui fait que, pour ce faire, l'éditorialiste formule par trop souvent maintes inepties. Quelques exemples parmi tant d'autres : selon Pratte, il ne servirait à rien qu'Ottawa en donne davantage aux provinces puisque cela ne « soulagerait le système pour quelque temps [seulement]. Après quoi les premiers ministres provinciaux recommenceraient à quêter auprès d'Ottawa, pour ne pas avoir à faire les choix difficiles qui s'imposent[7] ». Il a aussi écrit qu'il était impossible de résoudre le déséquilibre fiscal tel que le prévoit le rapport Séguin, et ce, parce que « les propositions de la commission souffrent d'un petit côté "rapport Allaire", c'est-à-dire qu'elles sont d'un irréalisme patent. Si on les appliquait à court terme, elles mettraient Ottawa dans le rouge de quelque 10 milliards par année [NDLR : mieux vaut que ce soit Québec qui demeure dans le rouge plutôt qu'Ottawa!?!]. En outre, la démonstration dépend de projections sur 20 ans, un exercice toujours périlleux ». L'éditorialiste croit aussi que Bernard Landry se plaignait le ventre plein :

> Furieux à sa sortie de la conférence des premiers ministres sur la santé, Bernard Landry a dénoncé le « fédéralisme prédateur ». Après analyse des textes et des chiffres, il faut conclure qu'on n'a plus les prédateurs qu'on avait! Ottawa transfère aux provinces 12 milliards pour les trois prochaines années, au-delà des augmentations déjà prévues. Cela signi-

fie qu'en 2003-2004, le transfert fédéral frôlera les 23 milliards, 4,5 milliards de plus qu'il y a deux ans, 7 milliards de plus qu'en 2000-2001. Il faut ajouter à cela un fonds de 1,5 milliard pour l'achat d'équipements médicaux[8].

Afin de miner les chances de succès des indépendantistes, Pratte soutient fort régulièrement que le Canada vogue sur une mer qui permet une saine collaboration, tout prêt au changement qu'il serait (NDLR : mais ce changement favorable au Québec, on l'attend depuis 40 ans!): « Dans ce ciel nuageux, on trouve quelques percées d'espoir pour MM. Martin et Charest. Partout au Canada, une meilleure collaboration entre les gouvernements fédéral et provinciaux figure parmi les priorités des citoyens. L'approche pragmatique prônée par les deux hommes jouit donc d'un préjugé favorable[9] ». Ce faisant, de dire Pratte, il serait combien préférable qu'au lieu d'appuyer le Bloc à cause d'un détail comme les commandites, les Québécois fassent enfin preuve d'ouverture et de bonne foi et donnent une vraie chance au Canada: « D'abord et avant tout, un vote massif pour le Bloc québécois serait la manifestation d'une indignation profonde des Québécois à la suite de l'affaire des commandites. Cette indignation est parfaitement compréhensible. Pourtant, il serait dommage que du coup, les électeurs québécois laissent filer une occasion de procéder aux ajustements requis au fonctionnement du fédéralisme canadien[10] ». Pratte a ensuite tenté de diverses façons de prouver que le référendum de 1995 n'a pas été volé : « La thèse contraire est commode (que le référendum a été volé), car elle évite aux souverainistes de se poser des questions de fond sur la pertinence même de leur option. C'est sans doute ce qui explique qu'ils préfèrent le mythe du référendum volé à la réalité du référendum perdu[11] ». Bien sûr, aux yeux de Pratte, Jean Charest est fort talentueux quand il défend avec amour et fierté le fédéralisme *canadian* :

> Le discours de M. Charest était solide, convaincant, fidèle aux voeux d'une majorité de Québécois: « Je suis venu vous dire qu'il est nécessaire que le Canada renoue avec l'esprit du fédéralisme et se détourne de ses tentations centralisatrices. Je suis venu vous dire que l'avenir de la fédération canadienne, c'est... le fédéralisme. Ce qui nuit à la fédération, ce n'est pas que le Québec veuille faire les choses à sa manière. Ce qui nuit à la fédération, c'est quand on veut que les provinces et les territoires soient tous identiques ». Ce discours devrait faire réfléchir ceux qui, par réflexe, s'étaient empressés de dénoncer le fédéralisme asymétrique. Il faudra que d'autres Canadiens, qui partagent les vues de M. Charest et ne peuvent pas plus que lui être soupçonnés de sympathies souverainistes, fassent à leur tour la pédagogie du fédéralisme[12].

Dans la même veine, Pratte soutient énergiquement que le scandale des commandites ne permettra jamais au PQ de réaliser la souveraineté :

L'affaire des commandites a rendu bien des gens furieux, au point de les faire passer au OUI. Cela pourrait être un saut définitif. Cela pourrait aussi être une simple saute d'humeur. Quoi, les Québécois voteraient en faveur de la souveraineté parce que quelques organisateurs et entrepreneurs, tous Québécois, ont dérapé? Ils quitteraient le Canada pour protester contre un scandale à 100 % québécois?[13]

Et finalement, il ne ménage pas André Boisclair en l'accusant d'avoir « le don des formules belles à entendre et vides de sens. Mais en ce qui concerne leur avenir, les Québécois ont besoin de franchise et de clarté[14] »; bref, tout ce que Pratte dit et écrit à tous les jours dans les pages de *La Presse*, c'est que la souveraineté, c'est mauvais… et Vive le Canada!

Mais André Pratte ne fut pas toujours le mercenaire démagogique qu'il est devenu avec les années. Avant de devenir éditorialiste en chef de *La Presse*, André Pratte était capable de critiquer autre chose que le mouvement indépendantiste. Il faisait alors preuve d'une honnêteté intellectuelle qui l'honorait, de même que la profession journalistique qu'il exerçait. En fait, en 1994, il s'est même permis de critiquer vertement son patron Paul Desmarais, et ce, parce qu'il jugeait (et ce n'est pas nous qui allons le contredire là-dessus) que son influence politique était trop importante au Québec (rappelons-nous que Desmarais possède un empire médiatique qui diffuse tout au long de l'année autant de propos fédéralistes qu'il le désire) pour que cela soit sain pour la démocratie québécoise. En effet, dans un article publié dans *La Presse* en 1994 et intitulé « Tout est pourri », Pratte affirmait, en reprenant les commentaires d'un de ses lecteurs, « que tout est dirigé par Power Corporation, tout le monde sait ça. Chrétien, Johnson, c'est Power Corporation[15] ».

Un tel article n'eut toutefois pas l'heur de plaire au président de Power Corporation, Paul Desmarais. Pratte perdit donc ses fonctions de *columnist* et se retrouva tout simplement responsable d'un pupitre, là où il ne devait plus avoir la chance de répandre de tels propos « révolutionnaires ». Devant des journalistes de *La Presse*, Claude Masson, vice-président et éditeur adjoint de *La Presse,* a alors admis que M. Desmarais était intervenu personnellement (c'est comme ça qu'on traite la liberté d'expression chez Power?) et qu'il avait exigé une « sanction beaucoup plus lourde » à l'égard de M. Pratte qu'une simple critique (la potence, pour crime de lèse-majesté?). « Quand on mord la main qui nous nourrit, il y a des conséquences », avait dit Masson à l'époque[16]. Et tac! Voilà ce qu'on en pense du métier de journaliste chez Power… Rien ne doit jamais être dit contre la direction, et encore moins contre l'unité canadienne. Tous ceux qui s'y risquent auront toujours à en payer le fort prix! À la suite de maintes pressions exercées par ses collègues journalistes de *La Presse*, mais aussi affiliés à d'autres médias, André Pratte fut, heureusement pour lui, réintégré dans ses fonctions. Mais il devait en retenir la leçon pour longtemps.

Pour l'y aider et pour revenir dans les bonnes grâces du patron, André Pratte dût réciter un convaincant acte de contrition. Et la période référendaire qui approchait alors à grands pas devait lui en fournir l'occasion rêvée. C'est alors que l'idée géniale lui vint à l'esprit de casser du sucre – et au moins une bonne tonne – sur le dos du chef des indépendantistes, Jacques Parizeau. Par exemple, à la suite du discours prononcé par M. Parizeau le soir de la défaite référendaire alors qu'il avait – à juste titre – identifié l'argent et des votes ethniques comme sources de l'échec des indépendantistes, Pratte écrivit ce qui suit :

> Quelle image le Canada et le monde, qui nous observaient lundi et dont nous espérions, en cas de OUI, respect et reconnaissance, garderont-ils du nationalisme québécois? Celle d'un raciste rageur et revanchard. Pour paraphraser René Lévesque, je n'ai jamais eu aussi honte d'être Québécois que ce soir-là[17].

Après une période d'essai au cours de laquelle la direction de Power Corporation se convainc que Pratte ne récidiverait plus jamais en se laissant aller à dire ce qu'il pensait vraiment, il fut convenu de le faire progresser dans l'empire Gesca. On en vint même qu'à lui accorder une promotion pour ses vils mais loyaux services en 2001. C'est ainsi qu'il devint éditorialiste de *La Presse*, en remplacement d'Alain Dubuc, autre retors personnage dont les capacités de propagande ne sont nullement moindres.

Malgré que cet épisode soit relativement connu, André Pratte a osé dire, lors de son passage à l'été 2006 à l'émission radio-canadienne *Bons baisers de France* que jamais il n'avait subi de pression de la direction de Gesca dans l'exercice de ses fonctions à *La Presse* pour défendre une position politique ou une autre. Évidemment, tant que l'obséquieux employé joue au roquet soumis, le maître n'a nullement besoin de sortir le rouleau de papier journal pour le corriger, les pressions sont alors inutiles. Tel est le cas depuis 1995. Mais la seule fois où Pratte a eu l'outrecuidance, en 1994, de s'écarter de la ligne officielle établie chez Power, il fut durement remis à sa place. Prétendre le contraire comme il le fit publiquement sur les ondes de la SRC, c'est mentir effrontément! Comment fait-il pour se regarder dans la glace après ça?

Avec la publication de son tout dernier livre *Aux Pays des merveilles*, André Pratte poursuit la même mission que celle qui lui fut confiée à titre d'éditorialiste en chef de *La Presse* : casser du séparatiste. En fait, les deux missions sont tellement connexes que Pratte n'a pas même hésité un seul instant avant d'utiliser la page opinion de *La Presse* dans son entièreté (!), le 5 février 2006, pour y publier un extrait de SON opuscule! Il faut avoir du front quand même et ne point craindre les conflits d'intérêt!

L'objectif poursuivi par l'auteur avec ce nouveau titre publié chez VLB (!) est, ni plus ni moins, que de démolir les arguments des indépendantistes tout en préparant le discours fédéraliste en vue du troisième référendum sur l'indépendance du Québec, référendum que devrait tenir dans les prochaines années un

Parti Québécois qui sera parvenu à débarrasser les Québécois des libéralo-conservateurs de John James Charest. À l'instar de tous les fédéralistes du Québec, Pratte est conscient que si le mouvement indépendantiste joue bien ses cartes, il est vraiment possible qu'il accomplisse dans les prochaines années son objectif qui est de faire du Québec un pays en bonne et due forme. Si rares sont les fédéralistes, aux dires de Pratte, qui semblent prêts à se mobiliser vraiment pour empêcher un tel dénouement qui lui apparaît rien de moins que cataclysmique, lui se dévoue... Et il n'y va pas avec le dos de la cuillère, c'est le moins que l'on puisse dire. De fait, son dernier ouvrage suinte la démagogie fédéraliste, peut-être même plus que les éditoriaux qu'il signe dans *La Presse*. C'est dire!

Grosso modo, Pratte tente plus mal que bien dans son livre *Aux Pays des merveilles* (p.13) de démolir les mythes québécois qu'ont façonnés au fil des ans une « clique » d'intellectuels, eux qui sont ainsi parvenus à manipuler la masse comme nul autre. Même mieux que *La Presse*!. La raison qui a motivé André Pratte à écrire ce livre est donc à la base même d'un mépris révoltant. Comme si 200 ou 300 penseurs et politiques machiavéliques étaient parvenus, au Québec, à flouer un peuple dans sa plénitude. Le croire, c'est avoir une bien piètre opinion de ses concitoyens. Cela consiste ni plus ni moins qu'à les percevoir comme un troupeau de moutons bêlant attendant le passage du prochain train pour se divertir un peu... En affirmant une telle chose, Pratte se fait l'émule de Diane Francis, la rédactrice en chef du *Financial Post* de Toronto. On se rappellera que cette dernière avait dit que seulement une centaine de séparatistes manipulaient les Québécois et qu'il suffisait de les éliminer pour rétablir la paix au Canada. Rien de moins!

Afin d'étayer sa thèse à l'effet que des intellectuels indépendantistes manipulent le peuple québécois, André Pratte a recours aux pires pratiques de la rhétorique fédéraliste. Plus souvent qu'autrement, il effectue une sélection et un néo-façonnement éminemment malhonnêtes des événements politiques ayant ponctué le cheminement du Québec en Amérique, de façon à prouver que ce qu'il dit n'est que pure vérité d'évangile, et ce que les indépendantistes soutiennent, par le fait même, ne sont qu'autant d'hâbleries! Petit exemple puisé parmi tant d'autres : à la page 21, Pratte souligne que la Cour suprême a été historiquement bonne pour le Québec, contrairement à ce que prétendent les disciples de Maurice Duplessis, premier ministre du Québec qui la dénonçait parce qu'elle, affirmait-il, « penchait toujours du même côté ». Pratte avance comme preuve ultime :

> que les souverainistes trouvent aujourd'hui avantage à citer le jugement de la Cour sur une éventuelle sécession [le jugement de 1998]! Et pour cause : il ne doit pas y avoir beaucoup de pays où le plus haut tribunal conclut non seulement à la légitimité d'un vote clair en faveur de la séparation d'une de ses composantes, mais à l'obligation du reste du pays de reconnaître ce résultat et de négocier les modalités de la sécession.

Mais ce qu'omet bien de préciser la plume mercenaire de Gesca, c'est que les juges de la Cour suprême du Canada ont aussi dit que la tâche d'établir ce qu'étaient une majorité claire et une question claire revenait au politique. Belle façon de dire que c'est Ottawa qui décidera ou refusera un résultat de 50 % + 1. Stéphane Dion, alors ministre fédéral des Affaires intergouvernementales, a bien compris les possibilités que lui offrait ce simple énoncé. En concoctant la *Loi sur la clarté référendaire* (l'immonde loi C-20), il s'est bien gardé de préciser ce que le fédéral accepterait comme étant une majorité claire. Aussi bien dire que si les forces indépendantistes obtiennent 55 % lors du prochain référendum, le fédéral dira, en s'appuyant sur C-20, que ce n'est pas suffisant, car une majorité claire aurait dû être de 60 %. Si le Oui obtient 60 %, le fédéral dira que ça aurait pris 65 %, et ainsi de suite. Même chose en ce qui a trait à la clarté de la question posée dans le cadre de ce même référendum portant sur l'indépendance du Québec. Bien qu'il sache pertinemment que ces aspects totalement antidémocratiques faisaient partie du jugement rendu par les juges de la Cour suprême en 1998, Pratte tente tout de même de nous vanter les mérites de la « démocratie » canadienne. Nul doute, Pratte essaie vraiment de faire passer aux yeux des Québécois des vessies pour des lanternes…Mais nous ne sommes pas tous dupes!

Dans son condensé d'inepties, André Pratte a également recours à une méthode propre à un certain personnage qui s'est complètement discrédité lors de son passage à l'émission de Guy A. Lepage, *Tout le monde en parle*, à l'automne 2005. On se rappellera que le doc Mailhoux avait alors affirmé sans gêne que les personnes de race noire étaient moins intelligentes que les blancs, et ce, parce qu'au temps de l'esclavage, les propriétaires des plantations éliminaient les esclaves trop bien dotés en neurones, car ils représentaient une menace pour le système. Ils préféraient ne conserver que les plus musclés, eux qui étaient fort utiles aux champs. L'évolution naturelle aurait fait le reste et donner naissance à une race à l'intellect pauvre. Évidemment, le doc Mailhoux disait qu'il n'inventait là absolument rien, que toutes ces informations se retrouvaient dans « des études américaines ». Le hic, c'est qu'il n'a jamais pu produire ces dites études. Tout comme Pratte qui dit très sérieusement dans son voyage au pays de la démagogie qu'il a puisé ses renseignements dans « beaucoup de travaux historiques [lesquels?](p. 33) »; que des « sondages [lesquels?] ont démontré plus de similitudes que de différences [entre Canadiens et Québécois] (p.44) »; « Charles Castonguay décortique ensuite tout cela de multiples façons pour tenter de démontrer, selon ses habitudes, que tout va mal [comment? Dans quelles études?] (p. 60) »; « C'est à l'aide de cette grille bancale qu'il [le sociologue Stéphane Kelly] analyse le cheminement de La Fontaine, Cartier et Étienne Parent [en quoi cette grille est-elle bancale, on ne le saura jamais…] », etc.

Bref, le nouveau livre qui devait servir à André Pratte à démontrer que l'indépendance, contrairement aux mythes véhiculés par une clique d'intellectuels d'obédience péquiste, ne permettrait jamais autre chose que de fragiliser l'économie du Québec, qu'elle provoquerait une chute importante du niveau de vie des gens d'ici et rendrait encore moins efficaces les relations que se devrait malgré tout d'entretenir avec ses voisins un Québec libre, ce livre donc, quand on connaît un tant soit peu la politique d'ici, est n'importe quoi. C'est une logorrhée émanant d'un homme qui tremble devant la perspective que ne survienne une révolution qui donnera naissance, pour le Québec, à un monde nouveau.

Pratte a tellement peur de la liberté qu'il en perd, dans ce livre, toute attitude relevant d'une prudence dite élémentaire. En effet, il est facile de prendre l'auteur à son propre jeu et de trouver les failles et les contradictions qui se dissimulent de ci de là dans son propos. Hilarant est de penser que durant l'affaire Michaëlle Jean qui se produisit il n'y a que quelques mois quand même, Pratte devrait donc s'en souvenir, ce dernier nous affublait des pires épithètes. À ses yeux, les militants du *Québécois* étaient, tout simplement parce qu'ils avaient osé critiquer la madame qui joue à Sa Majesté, un « commando souverainiste, des guérilleros de l'indépendance, des ayatollahs, des ceintures fléchées, des chargeurs mesquins et absurdes, des terroristes intellectuels, spécialistes du procès d'intention ». Il a aussi dit que nos motifs étaient « vils et vénaux », et j'en passe… Tous ces gentils qualificatifs se sont retrouvés sous la plume de Pratte dans les pages de *La Presse*, alors que la tourmente de la GG battait son plein. Si l'on conserve en tête toutes ces **ÉTIQUETTES** élogieuses et que nous plongeons tête première dans le livre de Pratte, le tout devient alors d'un ridicule consommé. À la page 131, le petit bonhomme écrit: « Quiconque ose contester leur point de vue [les indépendantistes] est ostracisé, dénoncé comme ennemi de la nation. Cela doit changer. Une société ne peut pas avancer s'il n'est pas permis de critiquer l'ordre établi. On me traitera de néolibéral, de vendu, de colonisé; les **ÉTIQUETTES** sont l'arme des faibles »… Qui dit mieux!?! Pratte accuse ses adversaires du comportement qu'il adopte lui-même dans le cadre de ses fonctions à *La Presse*! Ce qu'il ne dit pas par contre, c'est que ses adversaires, pour dénoncer l'ordre établi, n'ont en rien les mêmes moyens que lui pour se faire entendre, ce qui fait que le maître de l'étiquette et de la défense obstiné du *statu quo*, c'est Pratte et personne d'autre…Et le faible aussi par conséquent!

* * *

Lorsque j'ai fait part de ma volonté de répliquer au torchon du pante qu'est André Pratte, certains de mes frères et sœurs d'armes m'ont demandé si je désirais vraiment consacrer autant d'énergie à un type que nous exécrons tous et investir une partie des ressources de l'organisation du *Québécois* pour produire un livre destiné à répondre à son ramassis d'insipidités. Il leur semblait que pareille entreprise consistait à accorder beaucoup trop d'importance à un scribouilleur de la trempe de Pratte et qu'il serait préférable de regarder ailleurs pendant que la mascarade passe dans tous les médias trop heureux de faire de la publicité à un livre qui n'en méritait décidément pas tant. Je repensai alors à Benoît Dutrizac qui m'avait dit, lors d'une entrevue que je lui accordai à TQS, que j'entretenais une « obsession tout à fait malsaine à l'égard des Pratte et Dubuc de ce monde ». Bien que je savais que j'allais, via la présente entreprise livresque, nourrir abondamment cette obsession, je ne pouvais tout de même pas me résoudre à laisser agir impunément le mercenaire de Gesca. Pourquoi? Parce que ce faisant, j'aurais agi exactement comme les péquistes que je critique tout aussi fraternellement que régulièrement pour leur faire comprendre qu'il faut combattre à tout prix la propagande fédéraliste et qu'il faut développer les outils pour ce faire. Dans mon esprit, il n'a jamais paru acceptable de se laisser écraser par nos ennemis, sans coup férir. Considérant que l'organisation du *Québécois* s'est dotée d'une maison d'édition pour mieux accomplir la mission qui est sienne, c'est-à-dire contribuer pleinement à la diffusion des idées indépendantistes tout en dénonçant les pratiques liberticides du Canada, je n'aurais plus été en mesure de me regarder dans le miroir si je n'eus pas monté aux barricades, en utilisant les outils de mon organisation, pour contredire la poutine indigeste qu'a imaginée et conçue le petit personnage gescaïen pour discréditer le mouvement indépendantiste. Il me fallait donner, en quelque sorte, l'exemple, à la hauteur de mes moyens et de mes talents… Ce que je fis de bon cœur en m'imposant de passer de nombreuses heures à lire et relire les déclarations insipides que Pratte a colligées dans son livre *Aux Pays des merveilles*. Cela est garanti, il faut un estomac solide pour passer à travers.

Mais il y avait également une autre motivation qui me poussait à écrire le présent essai. Étant donné qu'André Pratte a profité de la tribune qu'ont généreusement mise à sa disposition les éditions VLB pour préparer le discours fédéraliste en vue du prochain référendum, tout en déboulonnant les mythes des indépendantistes, il fallait contre-attaquer et fournir un lot d'arguments en faveur de l'indépendance. Il y a tant de militants indépendantistes qui réclament un condensé d'arguments indépendantistes qu'il fallait bien leur répondre positivement d'une façon ou d'une autre, le mieux étant bien évidemment sous forme de livre. Alors, voilà mon humble contribution, elle qui tente de démontrer quelle est la nature même de la personnalité canadienne, c'est-à-dire une personnalité éminemment coloniale. Pour y parvenir, j'ai ici effectué maintes incursions dans le passé pour ainsi mieux comprendre le présent qui se caractérise toujours par la sujétion québécoise au sein du Canada.

Il ne reste plus qu'à espérer que tous les indépendantistes prendront la même résolution. Plus jamais ils ne doivent accepter de se laisser diffamer par nos ennemis sans mot dire. L'époque est à la prise de parole, alors gueulons! C'est à ce prix que ce vend la liberté dans ce pays en devenir…

Chapitre I
Le Québec, historiquement martyrisé?

Nul doute possible. Le dernier brûlot du journaliste André Pratte ne présente pas le bon titre. En lieu et place d'*Aux pays des merveilles*, il aurait mieux fallu accoler le titre *Au pays de la démagogie* à cet écrit qui suinte la malhonnêteté intellectuelle, malhonnêteté que l'on s'est certes habitués à fréquenter dans les éditoriaux du groupe Gesca, mais très certainement pas dans les publications de VLB.

Afin de défendre le projet politique de celui qui met du pain sur sa table (Power Corporation) et de tous ceux qui voient le Québec comme quelque chose de trop petit pour prendre son envol, André Pratte n'y va pas par quatre chemins. Pour lui, tous les raccourcis intellectuels sont pertinents s'ils lui permettent de démontrer toujours plus fallacieusement que le projet d'indépendance du Québec n'est nullement souhaitable dans le contexte actuel. *Grosso modo*, Pratte prétend dans son livre que la liberté politique doit être rejetée du revers de la main par le peuple québécois parce que celui-ci a trouvé, depuis la Conquête de 1759, mais surtout depuis l'établissement du fédéralisme canadien en 1867, une oreille vraiment attentive du côté de ses tortionnaires d'hier, eux qui sont devenus depuis des *Canadians* que l'on voudrait bien lui faire percevoir comme des compatriotes. Malgré les tensions et les différends récurrents, le fédéral contrôlé par les *Canadians* et par leurs valets de service canadiens-français aurait, de tout temps, répondu favorablement à l'ensemble des demandes émanant du Québec, cette province « qui en fait toujours à sa tête » et qui n'en finit pourtant jamais de geindre, au grand dam de tous. C'est enfin ce que prétend Pratte

> Les Québécois, fédéralistes comme souverainistes, ne se questionnent guère sur le bien-fondé et sur le sens de leurs exigences relatives au fédéralisme canadien. Ils sont tellement habitués à être quémandeurs qu'ils ont l'impression de n'avoir rien obtenu au fil des décennies. Et pourtant le bilan à cet égard est fort positif. Si le Québec revendique toujours quelque chose du Canada, ce n'est pas qu'il n'a jamais gain de cause; c'est plutôt que, dès qu'une victoire est enregistrée, nos représentants passent à une nouvelle exigence. Dans le grand livre des gains et des pertes que tiennent les leaders politiques québécois, les requêtes satisfaites ne sont jamais consignées dans la colonne des actifs; elles sont tout simplement effacées. Ne restent donc que les échecs, soigneusement compilés, soulignés en rouge, et les demandes restées en plan[18].

Prenant en considération un tel bilan pour le Québec, bilan qui n'existe que dans la tête des fédéralistes les plus obtus (a-t-on besoin de le préciser), Pratte se demande obséquieusement pourquoi quitter un tel système qui nous sert si bien?

Aux yeux de celui-ci, il est plus que temps que les Québécois cessent d'écouter les élites nationalistes qui les manipulent et leur mentent effrontément quant à la nature même du Canada, ce pays de tolérance qui fait l'envie du monde. Ne manque plus que l'auteur ne reprenne l'expression d'un des mentors des fédéralistes, Jean Chrétien : « le plusse meilleur pays au monde »… Loin d'être un ennemi, ou un « gros méchant », le Canada serait donc un partenaire privilégié du Québec, et non une nation d'origine anglaise qui le colonise depuis que le 1/7 de la population de la Nouvelle-France fut massacré lors de la Guerre de Sept ans, guerre qui connut son paroxysme américain avec notre défaite et celle de la France sur les Plaines d'Abraham, un certain 13 septembre 1759…

En bref, André Pratte soutient dans son livre que le Québec n'a jamais été martyrisé dans la fédération canadienne comme trop de Québécois semblent le croire encore aujourd'hui. En fait, tout ce que dit ce dernier, c'est que « le gouvernement du Québec réussit toujours, d'une manière ou d'une autre, à faire à sa tête[19] » dans le Canada, malgré les bâtons dans les roues, malgré le fait qu'il ne représentera jamais autre chose qu'une minorité subissant les diktats de la majorité.

Le Québec, historiquement bafoué!

André Pratte, l'éditorialiste de la charmante -et Ô combien démocrate- *Presse* déplore que les indépendantistes, tout comme les fédéralistes québécois d'ailleurs, ne réfléchissent pas davantage à la chance immense qu'ils ont de vivre dans un pays tel que le Canada. S'ils se prêtaient honnêtement à l'exercice, croit-il, ils abandonneraient du coup leur volonté d'indépendance, reconnaîtraient le bien-fondé du fédéralisme et rechercheraient des solutions aux différends qui les opposent à leurs « compatriotes » du Canada anglais.

Mais quels sont-ils ces éléments positifs du bilan québécois dans la fédération canadienne? Bien que Pratte soutienne avec énergie qu'ils sont très nombreux, force est de constater que ce n'est pas en consultant le livre *Aux pays des merveilles* qu'on en saura vraiment plus à ce chapitre. Et ce, parce que Pratte se contente de dire dans son livre que le bilan est positif sans identifier en quoi il le fut par le passé. Ce qui est une façon comme une autre de se concentrer uniquement sur les problèmes présents qu'il est impératif, affirme-t-il, que les fédéralistes règlent une fois pour toutes s'ils espèrent sauver le Canada.

Pourtant, il est tout à fait incongru de défendre une telle perception de l'« aventure » canadienne sans apporter des preuves concrètes destinées à appuyer ses dires. Sans produire une vaste synthèse historique, il eut très certainement fallu que Pratte retourne dans le passé pour démontrer en quoi le Québec a habilement tiré son épingle du jeu dans la relation qui l'a uni bien malgré lui aux *Canadians*, ces conquérants d'hier. Pour ce faire, il aurait pu par exemple nous expliquer, reprenant ainsi les propos des fédéralistes les plus entêtés, combien la Conquête de 1760 fut douce pour les habitants d'ici puisque les

Anglais amenèrent avec eux la démocratie, tout en éliminant l'ancien régime français absolutiste qui les asservissait.

1) La Conquête anglaise de 1760

La Guerre de la Conquête, André Pratte n'en dit mot, sinon pour railler les indépendantistes qui s'y accrochent afin d'expliquer la source des déboires des Québécois en 2006. Pourtant, ce conflit en fut un violent et déterminant dans l'histoire du Québec. Il ne fut en rien une série de simples escarmouches opposant les Français et leurs alliés canadiens et indiens à l'envahisseur britannique, conflit que l'on aurait ainsi pu passer sous silence parce que peu important. Dans le cas de la Conquête, il est véritablement question d'une guerre très dure qui fut le prélude aux guerres totales que devait connaître le XXe siècle. En se lançant dans une démarche visant à expliquer la nature des relations entre le Québec et le Canada comme se le propose Pratte, l'on ne peut absolument pas faire abstraction de ce volet historique. Il nous faut donc remédier à la situation en présentant un bref mais précis portrait de ce conflit ayant opposé la France, les Québécois en devenir, les alliés amérindiens, et l'Angleterre au XVIIIe siècle.

Mentionnons tout d'abord que sur une population d'environ 60 000 âmes, la Nouvelle-France disposait de 4 000 soldats de troupes de terre, de 2 000 réguliers coloniaux, et d'une milice canadienne de 10 000 hommes. Quant à elle, la forteresse de Louisbourg comptait 1 050 soldats des troupes du roi, 900 soldats des troupes de la marine et 1 400 hommes de la milice urbaine. En tout et partout, 19 350 hommes en armes, soit environ le tiers de la population de la Nouvelle-France, pour faire face à 44 000 réguliers britanniques et au million et demi de colons anglais qui pouvaient raisonnablement les appuyer[20]. À la vue de ces simples chiffres, on serait en droit de s'attendre à un massacre, les forces de Neuve-France ne faisant tout simplement pas le poids face aux colonies anglaises. Et pourtant, tel ne fut pas le cas. Les Français, les Canadiens et leurs alliés amérindiens sont parvenus à infliger plusieurs cuisantes défaites à l'armée anglaise, désorganisée et divisée et mal supportée qu'elle était par des colonies britanniques qui n'investissaient pas toutes les mêmes énergies dans ce conflit. Même le *London Magazine* s'inquiétait alors de la situation, craignant que le Canada puisse vaincre les armées de Sa Majesté:

> L'union, une bonne position géographique, une solide politique indigène, une meilleure connaissance du territoire et de la suite dans les idées n'auront pas de peine à contrebalancer la supériorité numérique de populations désunies et à rompre un lien de sable[21].

La Nouvelle-France fut victorieuse au fort *Necessity*, infligeant une cuisante défaite à George Washington lui-même, à la rivière Monongahéla, au fort Oswego, au fort William-Henry et au fort Carillon pour ne nommer que ces victoires parmi les plus importantes. L'historien Guy Frégault dira que :

Les Canadiens ne se battront pas en vue d'être et de rester différents des Anglo-Américains, mais avec la détermination de rester maîtres de leur pays, de leur économie, de leur politique, de leur société; non pas pour éviter de devenir « américains » (ils le sont, quoique à leur manière, autant que les autres), mais pour éviter de voir disloqués leur pays, leur économie, leur politique, leur société[22].

De ce simple constat, on est à même de comprendre toute la fougue que ces mêmes Canadiens investirent dans les combats, faisant frémir par leur violence autant leurs ennemis anglais que certains de leurs alliés français, dont Montcalm et Bougainville. D'ailleurs, un écrivain new-yorkais écrivit à l'époque que « les Canadiens sont de véritables sauvages. Ils se délectent dans le sang et leur barbarie dépasse, s'il est possible, celle des sauvages eux-mêmes ». Évidemment, toute cette frayeur et cette détermination donna encore plus d'ampleur à la haine que les Anglo-Américains éprouvaient à l'égard de la Nouvelle-France. *The New York Gazette*, à l'instar de bon nombre d'autres journaux anglais, publia le texte qui suit et qui démontre très bien quels étaient les sentiments qui habitaient alors la Nouvelle-Angleterre :

Si je t'oublie, ô Amérique anglaise, que ma main droite se paralyse; si je perds ton souvenir, que ma langue s'attache à mon palais. Souviens-toi Seigneur, des enfants de France, qui disent de notre patrie : « qu'elle soit abattue, qu'elle soit rasée ». Ô fille du Canada, qui dois être détruite, heureux qui te traitera comme tu voudrais nous traiter! Heureux qui saisira tes enfants et leur brisera la tête contre la pierre!

Évidemment, la Guerre de la Conquête ne fut pas qu'une suite ininterrompue de succès franco-canadiens. Comme on le sait, les troupes franco-canadiennes essuyèrent quelques échecs à Louisbourg et un décisif… à Québec, le centre administratif de la Nouvelle-France. Le 13 septembre 1759, et ce, bien que Wolfe ait commis une erreur stratégique des plus importantes en contraignant les 6 000 hommes en état de lutter qui lui restaient à prendre pied sur les plaines d'Abraham, là où ils étaient en nombre inférieur aux troupes de Montcalm et Bougainville qui les avaient en tenailles et là où ils n'avaient que deux canons pour appuyer leur offensive, les Anglais sont parvenus à mettre en déroute les Français. Ayant reçu des ordres de Montcalm lui-même, de Ramezay remit piteusement le lendemain de la bataille la ville de Québec aux Anglais dont le tiers des bâtiments avaient été détruits par les bombardements de l'été. Le cœur de la Nouvelle-France venait de tomber. Ce n'était plus qu'une question de temps avant que tout le reste de la colonie française passe aux mains des conquérants tout de rouge vêtus.

En tout et partout, c'est près de 10 000 Français, Canadiens et Indiens qui perdirent la vie lors des affrontements les ayant opposés à l'armée de George II. C'est énorme! C'est plus de pertes de vie, proportionnellement s'entend, que l'Allemagne n'eut à en subir au cours de la Deuxième Guerre mondiale. C'est comme si, aujourd'hui, le Québec était plongé dans une guerre à l'issue de laquelle environ 1 000 000 de personnes trouvaient la mort. On ne peut certainement pas parler d'escarmouches. Un peuple au complet était en guerre à cette époque en Amérique. Un peuple dans sa plénitude lutta pour sa survie, mais surtout pour sa liberté. On peut par conséquent comprendre que la Guerre de Sept ans ait eu un impact déterminant sur l'avenir du peuple canadien. Les conséquences de la défaite furent proportionnelles aux énergies investies afin que le Canada ne tombât point aux mains des Anglais.

Antérieurement à cet âpre conflit, les Canadiens étaient de courageux aventuriers, repoussant sans cesse les dernières frontières qu'ils connaissaient pour découvrir de nouveaux territoires où le commerce devait être toujours plus lucratif. L'intendant Jean Talon lui-même dut intervenir sédentariser un tant soit peu ces obstinés coureurs des bois qui semblaient infatigables. Son secrétaire Patoulet dressa un portrait assez précis des récriminations qu'entretenait son patron à leur égard :

> Ces volontaires sont des gens vagabonds qui ne se marient pas, qui ne travaillent jamais au défrichement des terres qui doit être la principale application d'un bon colon et qui commettent une infini de désordres par leur vie licencieuse et libertine. Ces hommes vivant à la manière des Sauvages s'en vont à cinq ou six cents lieues de Québec pour troquer des peaux[23].

Dans les villes, les Canadiens les plus fortunés consacraient l'essentiel de leur temps au commerce de ces mêmes fourrures. C'est donc dire qu'on avait la bosse des affaires en Nouvelle-France. Après 1760, les choses changèrent drastiquement. Les Canadiens vaincus perdirent presque totalement leur goût pour l'aventure. Plus besoin alors de législations telles que celles imaginées par Talon pour enraciner ces Canadiens errants. Ils le firent d'eux-mêmes, croyant trouver dans le sol une source de réconfort, là où ils seraient à l'abri des vexations, des humiliations et des extorsions. Ils se contraignirent ainsi à laisser les villes aux Anglais, là où ces derniers prirent de bon cœur la place des commerçants franco-canadiens qui étaient de toute façon, pour la très grande majorité, rentrés en France à la suite de la capitulation. La Conquête transforma aussi ce peuple belliciste que formaient les Canadiens en communauté éminemment pacifiste. Il fallut attendre les rébellions de 1837-1838 pour les voir se fâcher à nouveau contre l'usurpateur. Encore aujourd'hui, il est évident que le caractère des Québécois en général est éminemment pacifiste, eux qui sont devenus experts dans l'esquive de la chicane.

Si André Pratte s'était malgré tout entêté à dire que les Anglo-Américains défendaient une juste cause en affirmant, à l'instar des journaux anglais au temps de la Guerre de Sept ans, que « les Canadiens sont esclaves parce qu'ainsi le veut la nature de leur gouvernement », on aurait pu lui répondre que les historiens comme Guy Frégault ou Michel Brunet ont depuis clairement établi que la Nouvelle-France fut développée à une époque où la monarchie française était à son apogée et qu'elle instaura de ce côté-ci de l'Atlantique un régime dynamique qui reposait sur des institutions politiques stables et pas plus tyranniques que celles que l'on retrouvait en Nouvelle-Angleterre. Bien que le schème identitaire des colons de Nouvelle-France commençait alors vraiment à les éloigner des Français de France, rares étaient ceux ici qui nourrissaient des velléités sécessionnistes. Il faut dire que la Nouvelle-France se développait en s'assurant de conserver l'appui et la collaboration des colons du Canada à l'aide d'institutions qui les respectaient pour ce qu'ils étaient. Nous n'étions donc nullement en présence d'un régime tyrannique auquel la Conquête anglaise aurait mis fin de façon prétendument salvatrice[24]. Loin s'en faut.

Pratte aurait aussi pu reprendre les propos malhonnêtes qui sont tout ce qu'il y a de plus faux de Mordecai Richler. Ce dernier soutint que la disparition du peuple de Nouvelle-France n'avait rien de bien grave pour le futur de l'humanité, et ce, parce que « certains Québécois pure laine ou de vieille souche sont en fait les rejetons des filles du roi, c'est-à-dire des putains importées en Nouvelle-France par Jean-Baptiste Talon [sic] pour satisfaire les appétits de ses soldats pour la plupart illettrés[25] ». Il est toujours plus facile de cracher au visage des gens lorsqu'on se les représente comme vilains et indignes du plus élémentaire des respects.

Certains fédéralistes affirmeront également que le traité de Paris de 1763, célébré par Mgr Briand par un *Te Deum* qui exigeait la parfaite soumission de ses ouailles à l'occupant, plaça les Canadiens sous un régime britannique qui fut d'une bienveillance exemplaire à leur égard. Pratte aurait pu tenter de trouver la preuve ultime de cette « charité » toute anglaise dans le *Quebec Act* de 1774. Il aurait ainsi pu louanger la grande tolérance des Anglais qui rétablirent de ce fait les frontières du Québec qui englobaient ainsi un vaste territoire qui serpentait tout le long de la vallée du fleuve Saint-Laurent, du Labrador aux Grands Lacs, tout comme il avalait la vallée de l'Ohio. L'Acte de Québec restaura aussi les droits de la noblesse seigneuriale, abolit le serment du test qui excluait les catholiques des postes les plus importants de la fonction publique et ramena l'usage du droit commun français. Si Pratte s'était risqué à formuler un tel discours dialectique, il nous aurait été facile de répondre que ces concessions ne furent effectuées pour la seule et unique raison que les Anglais craignaient que les Canadiens se joignent aux Américains sur le chemin qu'ils étaient alors de la révolution, ce qui aurait placés ces Anglais dans une position plus qu'inconfortable. Mais il nous aurait été encore plus facile de lui répondre que l'Acte de Québec ne fut nullement la victoire du peuple canadien, mais bel et bien celle de l'alliance qui existait alors entre l'administration coloniale britannique et l'aristocratie cléricale canadienne qui prêchait la soumission totale et sans condition au nouveau maître[26]. En fait, « l'Acte de Québec donnait à la colonie un régime aristocratique tel qu'il n'avait jamais vraiment existé auparavant[27]», ce qui démontre que la tyrannie a bien davantage accompagnée les Anglais que les premiers Français en Amérique.

Bien sûr, un fédéraliste aurait pu nous rétorquer que nous faisons, avec cette dernière citation de Gilles Bourque, référence à des sources engagées politiquement (*Parti Pris* pour ne pas la nommer) qui ne peuvent être par conséquent d'une très grande crédibilité. D'une part, elles le sont très certainement autant, sinon plus que *La Presse*. Et il faut ensuite savoir que même les historiens du Canada anglais parmi les plus illustres ont compris ce qu'impliquait vraiment l'Acte de Québec. Par exemple, Desmond Morton a écrit que Carleton passa quatre ans à Londres pour en revenir avec un acte de Québec qui devait répondre à tout ce « que le clergé et les seigneurs pouvaient souhaiter en récompense de l'armée de loyaux habitants qu'ils lui fournissaient[28]». On peut difficilement être plus clair, et cette fois, c'est un Anglais qui le dit, et non pas un séparatiste, donc ça doit être vrai…

Il est aussi facile d'imaginer Pratte expliquer que le régime aristocratique implanté par les Anglais en terre Québec avait au moins le mérite d'éliminer le système d'exploitation seigneurial tel que développé par les Français pour le remplacer par une division territoriale de type cantonal. Encore une fois, il ferait fausse route en osant s'aventurer sur ce terrain. D'une part, parce qu'il faut bien comprendre, avant de prétendre une telle chose, qu'il subsista des relents du régime seigneurial jusqu'au début du XXᵉ siècle au Québec, et d'autre part, parce que s'il en fut ainsi, c'est tout simplement parce que les Anglais surent percevoir les avantages que pouvait receler la seigneurie pour tout ordre désireux d'exploiter les castes les moins bien nanties d'une société! C'est pourquoi les Anglais accaparèrent les seigneuries qui leur servirent ainsi à accroître encore davantage leur richesse au détriment des Canadiens dont les armées avaient été défaites il y avait tout juste quelques années de cela.

Si, de 1663 à 1760, soit sous le régime français, le régime seigneurial avait essentiellement fonctionné comme un système de peuplement, il devait être complètement modifié dans sa raison d'être après la Conquête. Sous le régime anglais, il devint un exécrable système féodal d'exploitation[29].

2) Les Rébellions de 1837-1838

Si la seigneurie survécut à l'arrivée des Anglais et se développa même en parallèle aux cantons et au système dit du franc et commun soccage[30], c'est donc parce que les Anglais ont très tôt compris qu'ils pouvaient en tirer profit, et de fort belle manière. À l'aube des rébellions de 1837-1838, ces mêmes Anglais assoiffés de profits étaient parvenus à mettre la main sur 50 % des domaines seigneuriaux[31], un régime que les fédéralistes d'aujourd'hui prétendent toujours à tort avoir été éliminé par ces bons Anglais qui nous auraient ainsi amené, à nous, archaïques Canadiens, la modernité telle que conçue et imaginée à Londres-la-Grande, cette briseuse de peuples!

La victoire anglaise de 1760 et la décapitation de la société canadienne qu'elle provoqua (la plupart des élites s'étant alors rembarquées pour la France), de même que la réorientation insufflée par les Anglais au régime seigneurial qui devint de ce fait un véritable système d'exploitation de la paysannerie canadienne eurent de lourdes conséquences pour les habitants canadiens. D'une part, le départ précipité de l'administration française et des principaux commerçants tant français que canadiens, laissant ainsi aux Anglais tout le marché des fourrures, du bois, du blé et des produits manufacturés, appauvrit de façon certaine ceux, du peuple canadien en Amérique, qui restèrent en leur pays. On estime que pas plus d'un siècle après la Conquête, les Canadiens avaient été complètement évincés de toutes les sphères de pouvoir et étaient ainsi devenus un peuple de subalternes des Anglais. Nul peuple ne peut accepter docilement une telle dépossession nationale. Le contexte postérieur à la Conquête de 1760 constituait par conséquent une base solide pour toute rébellion digne de ce nom. Cette rébellion comme on le sait, éclatera en 1837-1838.

Au début du XIXe siècle, la main-d'œuvre du Bas-Canada comptait 202 778 individus. De ce lot, pas moins de 38,6 % étaient des fermiers qui subissaient les affres du régime seigneurial tel que développé par les Anglais; 8 % étaient devenus de simples domestiques qui servaient comme nul autre le maître anglais, dans les domaines de celui-ci, et encouragés à agir de la sorte par un clergé canadien ô combien servile; et 31,2 % étaient identifiés comme des journaliers, ce qui signifie qu'ils travaillaient en très grande majorité sur le lopin de terre de leurs parents qui appartenait dans les trois quarts des cas à un Anglais, à la couronne anglaise ou à l'église catholique, elle qui s'était vendue à rabais au conquérant[32]!

En histoire, il est toujours délicat d'établir des comparaisons entre diverses situations nationales. Mais comme elles permettent souvent de prendre pleinement la mesure d'un contexte donné, elles sont malgré tout fort utiles. En ce sens, il est possible d'illustrer plus précisément ce que la dépossession nationale a signifié pour les Canadiens en établissant quelques parallèles avec la dure répression anglaise qu'eurent à subir les Irlandais à la même époque. Pratte l'ignore sûrement, ou alors il feint de l'ignorer afin de mieux servir sa cause, mais il n'en demeure pas moins que les Anglais adoptèrent ici des pratiques en tout point similaires à celles qu'ils développèrent en Irlande. Rappelons tout d'abord qu'en 1845 une terrible maladie frappa les cultures de pommes de terre de l'Irlande, mettant la population de la très verte Erin à la merci d'une atroce famine. Bien sûr, ce ne sont pas les Anglais, un peu comme l'a fait Amherst lors du soulèvement des chefs Potawatomis commandés par Pontiac dans la région des Grands Lacs en 1763 en distribuant des couvertures contaminés par la petite vérole, qui ont inoculé la maladie dans les cultures de pommes de terre de l'Irlande[33]. Mais en Irlande, ce sont les Anglais qui ont aggravé le problème en maintenant leur mainmise sur les ressources alimentaires qui étaient encore et toujours envoyées en Angleterre malgré que des milliers d'Irlandais mouraient de faim. Pour empêcher que de fortes têtes irlandaises n'aient pas l'idée saugrenue de vendre leurs produits à leurs voisins qui souffraient autant qu'eux, il n'était pas rare que les fermiers possédant des vivres à vendre soient escortés jusqu'au port le plus proche par les troupes britanniques, de façon à s'assurer que lesdites vivres partent vraiment pour Londres ou une autre ville du monde dit « civilisé ».

Très souvent, aussi, lorsque les paysans irlandais se voyaient dans l'impossibilité de payer les fermages, les forces de l'ordre les expulsaient sans aucune hésitation. Le cas le plus horrible eut très certainement lieu dans le village de Ballinglass, en 1846, alors que la soldatesque anglaise et les sbires de Londres qui se prétendaient policiers irlandais expulsèrent tous les fermiers de cette localité qui comptait 61 maisons, de façon à transformer ces terres arables en herbages pour le bétail destiné à nourrir l'Angleterre. Après avoir intimé l'ordre aux habitants de vider les lieux, les Anglais, appuyés par leurs collabos irlandais, détruisirent les maisons, et ce, même si leurs habitants s'acquittaient régulièrement du loyer. Le soir venu, il fut possible de contempler l'ampleur du drame humain : les gens jetés arbitrairement à la rue avaient trouvé refuge dans les ruines de ce qui avait jadis été leur maison, couchés qu'ils étaient au travers des débris. Cela indisposa comme on s'en doute les autorités anglaises qui ne souhaitaient pas laisser de traces trop visibles de leurs méfaits. Pour éviter que ce triste spectacle ne perdure, les soldats revinrent sur les lieux pour cette fois expulser les Irlandais… des ruines auxquelles ils s'accrochaient désespérément afin de survivre. Afin d'être certains qu'ils ne reviendraient jamais s'installer dans les alentours, les autorités ordonnèrent même aux voisins de ne point accueillir sous leur toit ces gens qu'ils connaissaient et qu'ils devaient maintenant traiter, qu'ils le veuillent ou non, comme des parias. Les expulsés durent par conséquent trouver refuge dans un *scalp,* ce qui n'était rien d'autre qu'un trou creusé dans le sol dont on recouvrait le fond de branchages[34]. Le grand confort quoi! « Je considère la mauvaise récolte de pommes de terre comme un événement providentiel pour une raison – elle nous a permis de mettre à exécution le Système d'émigration »[35], telle fut la conclusion à laquelle en arriva Francis Spraight, magistrat britannique et armateur. Pour lui, comme pour les autorités britanniques en général, la famine de la pomme de terre en Irlande fut l'occasion rêvée pour voler les terres des Irlandais les plus pauvres, de façon à les jeter sur les routes et à leur rendre alléchante la perspective de quitter leur terre natale pour l'Amérique. Aux yeux des Anglais d'Amérique, mieux valait encore un Irlandais qu'un Canadien, et ce, parce que le premier était plus facilement assimilable que le second. Et les Anglais d'Angleterre étaient tout aussi heureux du dénouement car ils se procuraient ainsi de nouvelles terres en Irlande. Tout le monde était content, sauf les soumis du Canada et d'Irlande!

Mais pourquoi prétendre que les Anglais ont agi au Bas-Canada de façon semblable à ce qu'ils firent en Irlande? Jamais dans les « Minutes du patrimoine » on nous a raconté de telles choses! Jamais la fondation Historica n'a jugé pertinent de diffuser de tels enseignements! Ce qu'on peut dire à ce jour, c'est que les spéculateurs anglais installés au Bas-Canada et associés de près à la *British American Land Co.* accrurent à la même époque les redevances exigées aux Canadiens et spolièrent leurs terres lorsque leurs occupants, affamés, ne pouvaient plus payer. Dans quelle proportion? Bien difficile à dire puisque nul historien ne s'est penché sur ce cas au Québec, ce qui est pour le moins aberrant. Il faudra bien un jour ou l'autre que des intellectuels acceptent d'étudier de tels problèmes qui sont fondamentaux et qui sont de nature à jeter un éclairage nouveau sur les relations franco-anglaises en terre canadienne, et ce, malgré tous les empêchements posés par le fédéral qui refuse de financer de semblables projets. On peut aisément comprendre pourquoi!

Ce qu'on peut aussi dire, c'est que la *British American Land Co.*[36], qui possédait l'essentiel des terres en Estrie par exemple, expulsait régulièrement des « squatters » canadiens. De quelle façon les mandatés de ces délicates missions s'y prenaient-ils? Impossible de le savoir à ce jour. Le seul cas le moindrement documenté nous a été fourni par l'historien Gilles Laporte. Ce dernier, référant à la thèse de doctorat de Francine Noël, nous a révélé que le seigneur anglais William Christie a expulsé tous ses censitaires patriotes en 1837, eux qui étaient pour la plupart en exil aux États-Unis, jetant leur femme et leurs enfants à la rue. De telles expulsions étaient en tout point comparables à ce que les Anglais faisaient en Irlande à la même époque.

Qui plus est, les Anglais ont ici agi de façon à rendre indisponibles des terres vierges qui auraient pu accueillir la progéniture des Canadiens. On espérait ainsi contraindre ces jeunes gens qui ne trouvaient plus place à se loger et fonder ménage à l'exil, exactement comme on le fit lors de la maladie de la pomme de terre en Irlande. De 1860 à 1929, c'est tout près d'un million de Québécois qui durent ainsi quitter leur terre natale, parce que les Anglais accaparaient toutes les terres libres qui auraient pu leur être accordées en situation normale. La stratégie ainsi poursuivie était simple. En limitant l'accès à leur terre et en affamant du coup les premiers habitants de ce pays, les Anglais faisaient volontairement monter les prix (loi de l'offre et de la demande) des terrains qu'ils revendaient seulement à leurs compatriotes lorsque le prix atteint les satisfaisait, favorisant ainsi leur enrichissement personnel[37]. Les Canadiens qui durent quitter leur pays parce que les Anglais contrôlaient les terres libres allèrent principalement gonfler les effectifs de *cheap labor* oeuvrant dans les manufactures de la Nouvelle-Angleterre, là où après seulement trois générations, le fait français qui semblait vouloir s'épanouir dans les petits Canadas disparut purement et simplement.

Mais il y a pire. Si cet exode de Canadiens fut causé par l'absence de terres nouvelles, il faut savoir que les milliers d'immigrants britanniques et surtout irlandais qui arrivèrent à cette époque au Québec trouvèrent, eux, des terres où se loger. Pour eux, les terres libres l'étaient vraiment et le régime anglais acceptait de bon cœur de leur concéder. L'évidence est que les Anglais ont sciemment favorisé un déplacement des populations canadiennes vers le sud de façon à les remplacer au nord par des immigrants anglophones. Il est ici question d'une stratégie perfide destinée à noyer la population francophone au Bas-Canada, répondant ainsi aux souhaits exprimés par Lord Durham en 1839, qui proposait comme solution aux conflits anglo-franco l'assimilation de ces derniers. Un véritable génocide imaginé par quelque raciste bureaucrates!

En bon fédéraliste, André Pratte aurait aussi pu tenter de démontrer clairement que les rébellions de 1837-1838 ne prouvaient en rien que le peuple canadien désirait ardemment la liberté. À l'instar de bon nombre de ses collègues, il aurait pu prétendre que ce peuple fut alors manipulé par une clique d'opportunistes qui désiraient renverser l'ordre anglais à leur propre profit. Il aurait pu avancer que certains habitants qui se révoltèrent y furent en fait contraints par des milices aux mœurs criminelles. D'ailleurs, Pratte, dans son livre, s'approche de cette analyse lorsqu'il dit que:

> Il existait dans le comportement rebelle une nette tendance à l'intolérance dont on peut craindre qu'elle aurait dégénéré en Terreur miniature, ou à tout le moins en un gouvernement excessivement autoritaire. On le voit dans le mythe du chef, bâti autour de la personnalité de Papineau. On perçoit aussi des signes inquiétants dans l'exclusion immédiate de tout Patriote qui osait s'opposer aux tactiques plus radicales. On le voit enfin dans le recours aux « charivaris » et aux menaces contre les Canadiens qui avaient le malheur de se montrer trop tièdes dans leur appui à la cause patriote[38].

À cela, il faut répondre que le peuple canadien, de façon quasi unanime, appuyait ses représentants patriotes. En 1834, lors des élections générales dont le thème était les 92 résolutions[39] du Parti patriote, les candidats de ce parti remportèrent 77 des 88 sièges. Considérant que la population du Bas-Canada était alors au deux tiers francophone, on comprend qu'à peu près tout Canadien qui se respectait votait alors pour le parti de Louis-Joseph Papineau. Et cela était tout à fait normal, car le Parti patriote était le seul parti qui démontrait des sensibilités certaines pour les maux qui frappaient durement les Canadiens. Que ce soit la crise économique, l'inflation, le chômage, les épidémies, les mauvaises récoltes de blé, les représentants patriotes étaient les politiciens les plus préoccupés par tous ces problèmes. On pourrait même se risquer à dire qu'ils étaient les seuls, enfin lorsque ces affres concernaient les Canadiens.

Certains autres analystes ont prétendu que les rébellions n'étaient qu'un phénomène strictement montréalais, que les autres régions du Québec (Trois-Rivières et Québec notamment) n'avaient pas senti le besoin de prendre les armes contre le maître des lieux parce que ces derniers citoyens se sentaient à l'aise dans le système politique anglais tel qu'il existait alors. D'une part, il faut bien comprendre que Québec abritait la garnison britannique la plus importante du Canada et que, contrairement à Montréal, il n'y avait pas d'importantes arrières campagnes accrochées à cette ville (comme à Trois-Rivières d'ailleurs) où les patriotes auraient pu se réfugier et préparer plus tranquillement la révolution à venir. Prendre les armes à Québec ou à Trois-Rivières revenait à faire la guerre en colonnes rangées dans les rues des villes contre des troupes régulières de l'armée britannique. Un projet suicidaire! Et il faut aussi comprendre que la région dite des six comtés (Richelieu, Verchères, Saint-Hyacinthe, Rouville, Chambly, L'Acadie, La Prairie, Beauharnois, Missisquoi, Deux-Montagnes, Terrebonne et Vaudreuil), là où les batailles eurent lieu comprenait à l'époque entre 55 % et 61 % de la population totale du Bas-Canada. C'est donc dire, et cela, le réputé Yvan Lamonde le confirme, que l'esprit des rébellions rejoignait la très grande majorité du peuple canadien[40].

Mais André Pratte, lui, va plus loin que tout autre fédéraliste le moindrement honnête. Il prétend dans son livre que les rébellions n'étaient pas un conflit opposant deux « races » comme Lord Durham, témoin privilégié des événements, les avait pourtant interprétées. Aux dires de Pratte, le simple fait que la répression de l'autorité coloniale fut plus dure envers les rebelles de Mackenzie du Haut-Canada (Ontario) que ceux du Bas-Canada le prouve hors de tout doute, n'en déplaise à Durham, cet adepte de la disparition des peuples jugés inférieurs. Pour étayer ses dires, Pratte réfère alors à un courriel que l'éminent spécialiste des rébellions qu'est le professeur d'histoire de l'UQÀM, Gilles Laporte, lui a fait parvenir. Voici le passage du courriel de Laporte qui a retenu l'attention de Pratte :

> De fait, la répression fut à maints égards plus brutale au Haut-Canada, ne serait-ce que si on s'en tient au nombre de pendus (12 au Bas-Canada contre 15 chez nos voisins) et au nombre d'exilés en Australie (83 exilés pour le Haut-Canada, contre 58 au Bas-Canada). Rappelons également les sept exécutions sommaires lors de la bataille de Niagara et la brutalité exemplaire avec laquelle furent traités les prisonniers haut-canadiens; bien plus durement qu'au Québec.
>
> Dans son ouvrage sur la bataille de Prescott, Donald E. Graves (Guns Across the River, the battle of the windmill, 1838) s'est livré à une étude très fouillée à propos de l'identité des participants. Il appert que sur les 151 rebelles présents à cette bataille, 148 étaient citoyens américains, deux venaient du Bas-Canada et un seul était sujet britannique habitant

le Haut-Canada. Il en va de même à propos des exilés en Australie : presque tous étaient en fait des Américains…

[Réf : http://cgi2.cvm.qc.ca/glaporte/1837.pl?out=article&pno=n127]

Fort bien. Ce seul passage mis en exergue dans le livre de Pratte donne vraiment l'impression que les indépendantistes québécois qui font régulièrement référence aux rébellions de 1837-1838 afin d'appuyer historiquement la légitimité de leur projet politique ne racontent que des sornettes. Pratte aurait donc raison de dire que les rébellions ne reposaient pas tant sur des tensions ethniques que sur une volonté de changement que l'on retrouvait tant chez les Anglais que chez les Canadiens, Londres étant le problème et non pas des prétendues velléités d'indépendance destinées à venger enfin 1760. Mais dire une telle chose reviendrait à ne point considérer le reste du courriel que Gilles Laporte a fait parvenir à Pratte et dont nous avons heureusement obtenu copie, courriel qui, pris dans son intégralité, démontre le contraire de ce que prétend Pratte dans son livre!

Ce que Gilles Laporte expliqua aussi à Pratte, lui qui dissimula cette information à ses lecteurs, c'est que les rebelles du Haut-Canada étaient pour l'essentiel des brigands américains qui espéraient provoquer une guerre entre les États-Unis et l'Angleterre et qu'ils ne représentaient par conséquent absolument pas l'opinion publique du Haut-Canada. De ce fait, il était plus facile pour l'autorité coloniale d'exécuter ceux-ci que les honnêtes citoyens canadiens impliqués dans les rébellions et dont plusieurs étaient députés. Qui plus est, ces derniers obtenaient eux l'appui de la très grande majorité de la population canadienne. Voici d'ailleurs la suite du courriel de Laporte qui fut dissimulée par Pratte :

> On conçoit dès lors beaucoup mieux la dureté de la répression au Haut-Canada. La raison en est d'abord que ces rebelles étaient loin de profiter du courant de sympathie dont bénéficiaient les « Patriotes » au sein de la population du Bas-Canada. Clairement, le désir de ne pas « provoquer » la population avait déjà au Québec entraîné la première amnistie de Durham en juin 1837 et mis fin aux exécutions après la seconde insurrection dès après le 15 février 1839. Au Haut-Canada ces scrupules existaient d'autant moins que la plupart des condamnés étaient Américains et traînaient souvent une réputation louche.
>
> Une chose demeure cependant certaine. La répression qu'on retrouve au Haut-Canada n'est pas proportionnelle à l'ampleur des troubles qu'on y a connu et s'explique bien davantage par la volonté de frapper fort et d'intimider les « truands ». Les troubles au Bas-Canada furent à la fois plus profonds et plus importants. Juste que des exécutions plus nombreuses n'y auraient sans doute pas permis d'atteindre l'objectif escompté : la soumission de tout le peuple bas-canadien. À ça, l'Acte d'Union de 1840 allait apporter une réponse autrement plus adéquate.

Encore une fois, on a la preuve que pour arriver à leurs fins, les propagandistes fédéralistes sont prêts à toutes les bassesses, comme celle qui consiste à ne sélectionner que les informations obtenues lors d'un entretien qui sont en mesure de favoriser leur cause liberticide. Jacques Ellul, dans son œuvre grandiose intitulée *Propagandes*, explique que ce procédé, du moment où le contexte dans lequel les informations ont été produites n'est pas connu par celui qui est visé par le procédé propagandiste, permet toutes les distorsions de la réalité[41]. Pratte, avec sa malhonnêteté intellectuelle qui tend vraiment à devenir légendaire, nous en fournit un fort bel exemple ici.

Le dernier passage du courriel de Gilles Laporte démontre aussi qu'on ne peut simplement opposer le nombre de pendus et d'exilés au Haut et au Bas-Canada pour prouver que la répression fut plus dure à un endroit qu'à l'autre. Pour se faire une juste idée de la nature du conflit, il faut prendre en considération toutes les exactions qui furent commises au Québec contre la population civile par des hordes d'Anglais fort souvent ivres et assoiffés de sang patriote et canadien. En tout et partout, ce sont 310 patriotes du Bas-Canada qui perdirent la vie lors des troubles. Combien de fermes furent brûlées et d'habitants jetés au chemin à la veille de l'hiver? Bien malin qui saurait le dire. Mais une chose est certaine et c'est qu'on ne retrouve rien d'aussi dramatique au Haut-Canada. Et cela, André Pratte, le maître du révisionnisme historique, met beaucoup de soin à n'en point dire un mot dans son livre! Comme il ne mentionne à nul endroit que les exilés canadiens en Australie, d'honnêtes citoyens contrairement aux bandits américains qui furent écroués au Haut-Canada, devinrent les esclaves de riches Anglais de ce coin du monde, et ce, après avoir effectué deux ans durant des travaux forcés pour le compte de l'Empire britannique à l'établissement pénal de *Longbottom*, tout près de Sydney.

Et en ce qui a trait à la violence telle qu'elle éclata lors des troubles de 1837-1838, obligation est de constater que les coups de force des patriotes s'inscrivaient, plus souvent qu'autrement, dans le cadre de la légitime défense.

La provocation que furent les 10 résolutions Russel, la réponse aux 92 griefs formulés par le Parti patriote, compta aussi pour beaucoup dans l'éclatement de la violence qui donna naissance à un conflit à saveur ethnique. Les résolutions Russel rejetaient l'idée d'un conseil législatif électif, qui était alors contrôlé totalement par les représentants anglais de Londres, et condamnaient l'idée du gouvernement responsable tout comme elles maintenaient le contrôle du budget par le gouverneur, représentant de la Reine Victoria en Canada. Elles autorisaient le pillage des caisses de l'Assemblée et confirmaient le titre légal de propriété de la *British American Land Co.*, elle qui volait les terres des Canadiens[42]. Il faut aussi savoir que les Anglais, sous l'impulsion du Doric Club[43], furent les premiers à en venir aux mains avec les Fils de la liberté dans les rues de Montréal, s'en prenant entre autres à la résidence de Papineau lui-même et blessant De Lorimier d'une balle de revolver à la cuisse, lui qui sera par la suite pendu sur le gibet de l'oppresseur anglais. Il faut par conséquent être très malhonnête pour prétendre, comme Pratte le fait dans son livre, que le mouvement patriote, un mouvement de légitime défense, aurait pu déboucher sur une Terreur en miniature, alors que les comportements d'une bassesse et d'une violence inouïes furent adoptés par le camp des Anglais.

Lors d'une rixe, celui qui devait devenir chef des insurgés de Saint-Charles, Thomas Storrow-Brown, en perdit même un œil tellement la violence des porte-couleurs du Doric Club était extrême. Les soldats britanniques ouvrirent également le feu à plusieurs occasions sur les partisans de candidats patriotes lors de campagnes électorales. Ce fut le cas notamment en 1832. Parce que la pression se faisait trop forte dans les villes où étaient stationnées les garnisons britanniques et où la démographie était à l'avantage des Anglais, les partisans patriotes durent fuir vers les campagnes. Ils se réfugièrent principalement dans la vallée du Richelieu. Quelques jours seulement après l'Assemblée de Saint-Charles en 1837, là où le tribun patriote Wolfred Nelson lança qu'il était « maintenant temps de fondre nos plats et nos cuillers d'étain pour en faire des balles », l'armée anglaise du colonel Gore passait à l'attaque à Saint-Denis. Faisant face à 700 insurgés patriotes réfugiés dans la maison Saint-Germain, eux qui possédaient tout juste 100 fusils de chasse pour combattre la première armée du monde, les 500 soldats de Gore furent mis en déroute. Ce fut la seule et unique (mais héroïque) victoire patriote des rébellions, celle de Saint-Denis. Mais il y eut bien d'autres batailles: Saint-Charles, Saint-Eustache, Saint-Benoît (massacre, viols et pillage anglais bien plus qu'une bataille en fait), *Rouse's Point*, *Odelltown*, *Moore's Corner*, Châteauguay, *Camp Baker*, *Caldwell's Manor*, Beauharnois…

Il faut aussi répondre à André Pratte que l'intolérance qu'il croit percevoir chez les Canadiens qui se permettaient de faire des charivaris pour indisposer ceux qui ne partageaient par leurs idées, ce qui n'est rien de bien méchant puisque cela consiste tout simplement à faire du bruit, durant la nuit, devant la résidence de chouayens et de bureaucrates associés de près ou de loin à l'*English party*, n'était rien en comparaison des sentiments que les Anglais éprouvaient à l'égard de ces mêmes Canadiens. Le fait que Pratte juge les patriotes comme autant d'adeptes de la Terreur rappelle ce qu'a déjà fait avant lui un autre illustre fédéraliste, Mordecai Richler. Ce dernier prétendait que les patriotes étaient intolérants parce qu'éminemment antisémites :

> Il faut noter que dans son Petit manuel d'histoire du Québec, Léandre Bergeron omet de mentionner que l'un des buts déclarés de la rébellion des Patriotes de 1837-1838 était d'étrangler tous les Juifs du Haut et du Bas-Canada et de confisquer leurs biens[44].

Cette dernière citation est bien entendu tout ce qu'il y a de plus faux. Les patriotes n'ont jamais fomenté de pogroms. Ce qui démontre bien que Pratte n'a rien inventé en matière de désinformation fédéraliste en écrivant son livre *Aux pays des merveilles*, livre qui recèle des perles de distorsion des faits. Pratte et

Richler s'entendent ici comme larrons en foire pour dire que les patriotes étaient des intolérants de première, des individus xénophobes ne pouvant accepter la différence. Dans le cas de l'antisémitisme présumé des Canadiens à l'époque des rébellions, important est de dire que les électeurs de Trois-Rivières (en très grande majorité Canadiens) élirent Ezekiel Hart en 1804, ce qui fit de ce dernier le premier Juif à être nommé à une fonction politique dans tout l'Empire britannique. Quelques années plus tard, le Parti canadien (appelé à devenir le Parti patriote) dirigé par Louis-Joseph Papineau fit adopter une loi qui établissait très clairement l'égalité des statuts religieux, et des droits politiques qui se doivent de les accompagner, pour les citoyens de confession juive, catholique et protestante. Et finalement, Stanley Bréhaut-Ryerson a écrit que:

> Les auteurs des Résolutions avaient bien établi que leur but était « la paix et le contentement » de la population, conformément à l'intérêt commun de tous les habitants « sans distinction d'origine ni de croyance ». C'est dans cet esprit que le mouvement des Patriotes avait demandé la suppression des limites imposées aux droits civiques de la communauté juive du Canada, qui ne comptait guère que 200 personnes[45].

D'ailleurs, les dirigeants patriotes eux-mêmes avaient posé de tels jalons idéologiques à leur démarche lors des résolutions qui ont été adoptées au cours de l'Assemblée publique qui s'est tenue à Québec en 1837. Les porte-parole de la liberté canadienne avaient alors dit :

> …nous promettons solennellement à nos frères de toute origine de nous occuper avec zèle, comme par le passé, à faire disparaître les distinctions fomentées par le gouvernement, et à assurer à toutes les classes de citoyens les mêmes droits, les mêmes libertés, les mêmes avantages et la même protection[46].

Et cette grande tolérance eu égard à la différence et exprimée par les responsables patriotes ne concernait pas seulement les protestants ou les Juifs. Elle concernait également les Amérindiens. De fait, les patriotes furent les premiers à reconnaître les droits des premières nations. Ils le firent en rendant publique la déclaration d'indépendance de 1838.

Les Canadiens et les patriotes firent également preuve de sollicitude à l'égard des Irlandais que Londres envoyait ici pour noyer les francophones, Irlandais qui étaient alors regroupés à Grosse-Île, l'île de la quarantaine, au large de Québec, et ce, parce qu'ils étaient très souvent malades à leur arrivée en sol canadien. Les Canadiens mirent de côté la politique dans ce cas bien précis et se portèrent au secours de ces humains qui souffraient à cause de la haine raciale qu'éprouvait Londres pour ses colonisés[47]. La patriote irlandais William Smith O'Brien sut reconnaître la diligence des Canadiens en général et de leurs communautés religieuses en particulier :

Je ne fais que payer au clergé catholique du Bas-Canada une dette sacrée, en déclarant que, au temps de la famine, quand nos concitoyens mouraient par milliers à la station de la quarantaine, près de Québec, les prêtres canadiens d'origine française se précipitèrent, au plus fort de la terreur et du danger, avec un zèle dont ni la parole ni la plume ne sauraient donner une juste idée. L'histoire des fléaux qui ont ravagé le monde ne nous offre que de bien rares exemples (si même elle nous en offre) d'un plus grand dévouement. Beaucoup de prêtres sont tombés victimes de leur charité. Donnez à ceux d'entre eux qui ont survécu, et qui, maintenant encore, ne peuvent raconter sans horreur les affreuses souffrances auxquelles l'insouciance anglaise condamnait alors nos compatriotes, donnez-leur la consolation d'apprendre qu'en Irlande, comme au Canada, leurs héroïques travaux ont trouvé de justes appréciateurs. Prodiguez aussi et vos actions de grâces et vos bénédictions, à ces familles canadiennes (c'est par centaines qu'on les compte), qui ont reçu dans leur maison, confondus avec leurs propres enfants, les orphelins de ceux des émigrés de notre pays qui moissonnaient les maladies engendrées par la faim[48].

Partant de là, quand Pratte, l'émule de Richler, tente de nous faire croire qu'une victoire patriote aurait débouché sur l'anarchie, le totalitarisme avant son temps et l'intolérance la plus abjecte, il prend vraiment ses lecteurs pour des analphabètes historiques. Les patriotes étaient tout au contraire des exemples d'humanisme, un humanisme radical certes, mais un humanisme tout de même. En fait, l'intolérance résidait dans le camp défendu âprement par les tuniques rouges de Sa Majesté auquel s'acoquine béatement Pratte. Mais cela, le fédéraliste mercenaire qu'il est refuse de le voir. De toute façon, pourrait-il vraiment défendre l'humanisme patriote sans risquer de se faire une nouvelle fois taper sur les doigts par ceux qu'il sert si bien? Poser la question, c'est y répondre…

Au sujet de l'intolérance à la différence qui animait le camp des Anglais au temps des Rébellions, il importe de dire que ce n'est pas Lord Durham qui, le premier, a préconisé l'assimilation des Canadiens pour mettre enfin terme aux tensions opposant Canadiens et Anglais. Dès le début du XIXe siècle, certains membres du gouvernement nommés par Londres (Herman Ryland et Jonathan Sewell) et l'évêque anglican Jacob Mountain tentèrent de soumettre l'Église catholique à l'autorité gouvernementale anglaise parce qu'ils souhaitaient implanter dans la colonie un système unique d'éducation fonctionnant en anglais. Comme l'Église était en charge des écoles, c'était elle qu'il fallait viser. Bien sûr, une telle politique fut âprement combattue par plusieurs intellectuels francophones, donnant ainsi une vigueur nouvelle au nationalisme canadien. C'est très certainement le journal pro bureaucrate le *Mercury* qui résuma le mieux ce que les Anglais espéraient faire des Canadiens à l'aide de telles mesures:

Cette province est déjà trop française, pour une colonie anglaise. La défranciser autant que possible doit être un objectif primordial, en ce temps-ci surtout. Un régime français est un régime arbitraire, parce qu'il est militaire : il devient donc de l'intérêt, non seulement des Anglais, mais de l'univers, de faire obstacle au progrès du pouvoir français. C'est un devoir de s'y opposer, et un crime de l'appuyer. Jusqu'à un certain point, il est inévitable, pour le moment, qu'on parle français dans la province; mais entretenir le français au-delà de ce qui peut être nécessaire, de façon à le perpétuer, dans une colonie anglaise, voilà qui est indéfendable, surtout par les temps qui courent[49].

Une fois le peuple canadien bien écrasé par la force des armes et par le racisme des Anglais, il n'y avait rien de plus facile que de lui imposer un nouveau régime politique qui était tout à son détriment : l'*Union Act* de 1840, la vraie punition pour les rébellions de 1837-1838 infligée aux Canadiens, et aux Canadiens seulement, de dire l'historien Gilles Laporte. Pour sa part, le Haut-Canada trouva plus que son compte dans ce nouvel acte, et ce, même s'il y eut des rébellions dans ce coin du Canada aussi. De fait, le Haut et le Bas-Canada furent ainsi réunis et devinrent le Canada Est et Ouest. Bien que le Québec en devenir comptait à cette époque 650 000 habitants alors que la région qui deviendra l'Ontario n'en comptait que 400 000, les deux provinces se virent accorder le même nombre de députés, et donc le même poids politique au parlement. Il ne pouvait bien sûr être question que le Canada-uni puisse être dominé d'une quelconque façon par des Canadiens à la parlure française. Concrètement, l'Acte d'Union, qui devait enfin permettre l'assimilation des Canadiens au groupe anglais, reconduisit le conseil législatif qui n'était toujours pas électif (tel que l'avait exigé quelques années auparavant le Parti patriote), ses membres étant même nommés à vie par le gouverneur, et donc par la Reine d'Angleterre; ce même gouverneur se vit accorder un droit de réserve sur toute législation adoptée dans l'enceinte du parlement du Canada-uni; il fut décidé que la seule langue officielle de ce parlement serait l'anglais, et les dettes des anciens Haut et Bas Canadas furent fusionnées, au détriment certain des Canadiens, puisque les anciennes institutions de ces derniers ne possédaient une dette que de 375 000 $, alors que les institutions de l'ancien Haut-Canada traînaient un boulet de plus de 5 millions $[50].

Qu'André Pratte, à l'instar de Pierre Pettigrew, John Ralston Saul ou Michael Ignatieff, puisse parler ensuite de l'alliance fructueuse entre Louis-Hippolyte La Fontaine et Robert Baldwin est surréaliste et dégoulinant de malhonnêteté intellectuelle. Si l'ancien patriote qu'était La Fontaine a ainsi accepté de tendre la main à l'ennemi d'hier qui se dissimulait derrière un bon-entendisme tout à fait factice, c'était tout simplement parce qu'il n'avait nul autre choix. Les Anglais avaient décidé de servir une sévère leçon aux Canadiens qui avaient osé se dresser contre l'Empire. Dans de telles circonstances, que La Fontaine, lui qui ne pouvait en rien empêcher la vengeance des Anglais, ait pensé à lui et à lui uniquement en profitant des largesses que le nouveau système était prêt à lui distribuer en tant que collaborateur, abandonnant par le fait même ses compatriotes au profit de l'infamie anglaise, n'avait rien de vraiment surprenant. Des rébellions aux commandites, ils furent nombreux à agir de la sorte!

Contrairement à Pratte, Pierre-Joseph-Olivier Chauveau, poète qui devait devenir le premier premier ministre du Québec, avait su, lui, percevoir la nature réelle de cet immonde Acte d'Union :

> Voyez : la table est mise et pour un seul repas,
> Sur une nappe affreuse et par le sang rougie,
> Les ogres du commerce ont les deux Canadas.
> C'est le jour des banquiers, vous dis-je! C'est leur gloire,
> Que les placards royaux affichent sur nos murs;
> L'Union qu'on proclame, est leur chant de la victoire,
> Et tout devait céder à des motifs si purs.
> Cependant, si Baring leur dit : moi je le veux.
> Un seul mot du banquier, c'est la vie ou la mort.

Comme on peut s'en douter, les Anglais ne se contentèrent pas de ce seul Acte d'Union pour fouler aux pieds la dignité des Canadiens qu'ils venaient de vaincre une seconde fois en un peu plus d'un siècle. Ils firent aussi preuve d'un esprit revanchard tellement petit et raciste en 1849 qu'encore aujourd'hui, les fédéralistes et les *Canadians* devraient avoir honte que le Canada repose sur de telles bases. Parce que de simples résidants canadiens qui n'avaient nullement pris les armes contre la jeune monarque sanguinaire que fut Victoria réclamèrent dédommagements auprès de la couronne pour les pertes encourues lors des événements de 1837-1838, des Anglais, encore une fois aveuglés par leur haine raciste, mirent le feu au parlement du Canada, qui se trouvait alors à Montréal. Ils le firent parce que les députés s'apprêtaient à répondre favorablement à ladite demande.

Depuis un an au pouvoir, les réformistes se proposaient en effet d'accorder aux Canadiens qui avaient subi des pertes lors du soulèvement patriote des dédommagements du même type que ceux consentis aux Anglais du Haut-Canada quelque temps auparavant. C'est pourquoi le gouvernement réformiste vota rapidement après son élection le *Bill des indemnités, The Lower Canada Rebellion Losses Act*. Dans le Haut-Canada, une telle loi n'avait rencontré à peu près aucune opposition, d'une part parce qu'il s'agissait de dédommager des Anglais et, d'autre part, parce que la répression contre la population n'y fut en rien comparable à ce qu'elle avait été au Bas-Canada, là où les dommages matériels furent au moins 5 fois plus importants s'il faut en croire le rapport des commissaires. Au Haut-Canada, il y eut bien quelque chose qui ressembla à une chasse aux sorcières lors des troubles, mais elle visait principalement des Américains, des non-conformistes et… des francophones. Il n'y eut là rien d'aussi horrible que le saccage du village de Saint-Benoît en 1837, sis tout juste à côté de Saint-

Eustache, là où les Anglais victorieux et ivres avaient promené le cœur du docteur Chénier au bout d'une pique, après avoir souillé les instruments liturgiques des catholiques.

Au Bas-Canada, donc, la démarche se déroula très différemment. Les Anglais ne pouvaient accepter que l'on dédommage cette racaille patriote d'origine ethnique canadienne. L'opposition la plus acerbe fusa tout d'abord du côté des tories, alors dirigés par l'ineffable Allan McNab :

> L'Union a complètement manqué son but. Elle fut créée pour l'unique motif d'assujettir les Canadiens français à la domination anglaise. Le contraire en est résulté. Ceux qui devaient être écrasés dominent! Ceux en faveur de qui l'Union a été faite sont les serfs des autres! J'avertis le ministère du péril. J'avertis que la voie qu'il suit peut jeter le peuple du Haut-Canada dans le désespoir et lui faire sentir que, s'il doit être gouverné par des étrangers, il serait plus avantageux de l'être par un peuple de même race, plutôt que par ceux avec lesquels il n'a rien de commun, ni le sang, ni la langue, ni les intérêts[51].

Ce chant raciste fut par la suite repris par le journal anglo-montréalais *The Gazette* qui y ajouta un passage de son cru : un urgent appel aux armes destiné à mater une fois pour toutes ces Canadiens qui refusaient encore et toujours de se percevoir enfin comme une simple tribu de vaincus. « Au combat, c'est le moment » fut le passage de l'article de la *Gazette* qui motiva les éléments orangistes à se déchaîner une nouvelle fois, en 1849. Sur la Place d'Armes, les Anglais piétinèrent des illustrations de Papineau, un peu comme le firent plusieurs décennies après eux les anglophones enragés de Brockville qui souillèrent le fleurdelisé afin de bien marquer leur opposition à l'entente du Lac Meech de 1987-1990. Les émeutiers de 1849 se dirigèrent par la suite au parlement, sous la conduite d'un pompier (!), pour aller y mettre le feu, détruisant par le fait même une fort importante collection de livres d'histoire. Les Anglais se portèrent ainsi maîtres de la ville et malheur aux francophones qui croisaient leur route : ils étaient tout simplement rossés comme les sales nègres blancs qu'ils étaient aux yeux des Anglais. « Bien fait pour eux », aurait pu s'écrier *The Gazette*, journal qui avait dès lors atteint ses objectifs les plus infâmes!

L'échec des rébellions de 1837-1838 eut entre autres l'effet pervers de redoubler le pouvoir du clergé, lui qui put ainsi chanter en toute liberté et avec une force de persuasion renouvelée les mérites de la soumission générale à l'Anglais, le maître des lieux. Pour les Canadiens, devenus depuis Canadiens français, cela signifia qu'il fallait faire preuve d'une vigilance de tous les instants, car les Anglais, bien qu'ils aient consenti à la création d'une fédération à l'esprit centralisateur en 1867, espéraient toujours assimiler les vaincus de 1760. Ils espéraient y parvenir grâce à une immigration abondante et par l'interdiction d'enseigner en français dans les écoles du Canada, hormis le Québec où la chose aurait été - c'est le moins que l'on puisse dire – par trop radicale. Les Anglais ont donc préféré éliminer tout d'abord les minorités francophones du reste du Canada, se réservant le Québec pour le dessert.

3) Les écoles séparées : l'assimilation forcée à la canadian!

Le Canadien anglais et grand défenseur des libertés civiles, le juge à la retraite Thomas R. Berger, répond de très belle façon à tous ceux qui se demandent pourquoi il est inacceptable aux yeux de certains que les Canadiens français hors-Québec s'assimilent à leurs « compatriotes » *canadians*, refrain entonné à plus d'une reprise par les fédéralistes « purs et durs », ceux qui rêvent de devenir plus Anglais que les Anglais eux-mêmes. À ceux-ci, Berger explique :

> Au XVIIIᵉ siècle, la France (et ses alliés indiens) tenait l'Amérique du Nord sous son empire, de la côte Atlantique aux Rocheuses, et du Moyen-Nord au golfe du Mexique; les Anglais, eux, dominaient les colonies du littoral de l'Atlantique et les postes de la baie d'Hudson. Les Français furent les premiers Européens à coloniser les Maritimes et la vallée du Saint-Laurent, puis à explorer l'Ouest. Ils ne sont pas arrivés au Canada tels des immigrants s'attendant à l'assimilation. Ils sont ici depuis le début, ils constituent l'un des deux peuples fondateurs et ils ont le droit de conserver leur langue et leur culture partout au Canada[52].

Pour tous ceux qui sont le moindrement férus d'histoire canadienne et québécoise, il est clair que ce droit à la pérennité culturelle des Canadiens français et des Québécois ne fut jamais respecté par les Anglais. Tout d'abord, les Anglais s'attaquèrent aux écoles séparées dans le reste du Canada. Ces derniers avaient alors compris que la transmission du patrimoine linguistique et culturel passait obligatoirement par l'école, et que c'est l'école, par le fait même, qui constitue le meilleur outil assimilationniste qui soit. D'où l'intérêt que lui portaient alors les orangistes de tout acabit.

Pour mettre un terme aux écoles séparées, ces mêmes orangistes référèrent à l'article 93 de l'Acte de l'Amérique du Nord britannique (AANB) de 1867 qui stipulait que les provinces ne peuvent modifier, ni abroger, les droits des écoles confessionnelles des catholiques ou des protestants tels qu'ils existaient au moment d'unir le Québec, l'Ontario, le Nouveau-Brunswick et la Nouvelle-Écosse. Comme ils ne pouvaient mettre carrément la clé dans la porte de ces écoles sans violer de plein fouet la constitution, ils se proposèrent de cesser de les financer, laissant le soin aux francophones de le faire, si tel était leur désir. Toutefois, les francophones devaient continuer, eux, de par leurs taxes, à financer les écoles publiques anglaises. Ils devaient donc financer par deux fois le réseau scolaire s'ils tenaient vraiment au français. Considérant le taux dramatique de pauvreté affectant ces communautés soumises au colonialisme anglais, c'était beaucoup leur demander, et cela les orangistes, se frottant les mains d'aise, le savaient pertinemment. En conséquence, très peu d'écoles françaises survécurent aux politiques orangistes de la fin du XIXe siècle.

Ce sont les Acadiens, encore une fois, qui eurent à subir les premiers les assauts d'Anglais désirant les voir disparaître une fois pour toutes, la déportation de 1755 ne leur ayant point suffi à combler leur appétit génocidaire. En 1870, le gouvernement du Nouveau-Brunswick établit que les écoles séparées catholiques ne jouissaient d'aucune protection particulière eu égard à la constitution de 1867. Par conséquent, des générations entières de petits écoliers acadiens furent instruits en anglais seulement, dans les écoles publiques de la province. Les plus résistants des parents francophones de ce coin-là du Canada imaginèrent divers stratagèmes pour qu'une partie des journées à l'école se passe en français, en cachette, mais ils devaient prendre maintes protections pour ne pas être pris la main dans le sac par l'un ou l'autre des inspecteurs gouvernementaux. Car ceux-ci agissaient vraiment comme des « polices », comme la *gestapo* de la langue néo-brunswickoise… Pour toute réponse apportée aux récriminations des Acadiens, le gouvernement fédéral proposa à ceux-ci de faire appel aux tribunaux, une façon comme une autre de se débarrasser d'une « patate chaude ». Étant donné que les lois concernant les écoles séparées du Nouveau-Brunswick avaient été adoptées antérieurement à 1867 et qu'elles ne prévoyaient pas de prestation de fonds publiques à de telles institutions, les tribunaux tranchèrent en faveur du gouvernement anglais du Nouveau-Brunswick. Ainsi, ils servirent un coup de Jarnac dont les Acadiens ne se relèveraient quasiment jamais.

La bataille linguistique se transporta ensuite dans les écoles du Manitoba, là où elle fut beaucoup plus acrimonieuse qu'au Nouveau-Brunswick, et ce, parce que Louis Riel avait eu le génie de faire adopter, dès 1870 (après l'adoption de l'AANB donc), une loi qui établissait clairement que les écoles séparées devaient être financées par l'État. Nul doute, Riel avait su tirer des leçons de la mésaventure scolaire que les Acadiens traversaient alors, eux qui n'avaient pas inscrit dans une loi l'obligation de financer les institutions scolaires françaises. Tant que les forces en présence furent en nombre à peu près égal (le Manitoba comptait, à son entrée dans la « confédération » canadienne à peu près autant de francophones que d'anglophones), le financement et l'existence des écoles séparées du Manitoba ne furent pas vraiment menacés. Mais dès que la proportion d'anglophones surpassa de façon importante celle des Canadiens français et des métis francophones, les Anglais de cette province se dotèrent d'un gouvernement à leur image. C'est-à-dire foncièrement intolérant à l'égard de tout ce qui parlait français et priait catholique.

En 1890, les protestants anglophones qui gouvernaient la province mirent un terme au bilinguisme officiel et aux écoles séparées. C'est le premier ministre du Manitoba, Thomas Greenway, qui présenta le projet de loi qui imposait le remplacement des écoles séparées par un système unique d'écoles publiques où tout enseignement était dispensé en anglais. Ce projet maintenant devenu loi avait été tout d'abord défendu par la *Equal Rights Association*, une organisation orangiste qui combattait les écoles séparées partout au Canada et qui était présidée par D'Alton McCarthy. Ce dernier résuma d'une façon expéditive le but que lui et les siens poursuivaient en s'en prenant avec acharnement aux écoles des catholiques, et donc, en très grande majorité, des francophones : « Nous sommes dans un pays britannique et le plus tôt nous ferons de nos Canadiens français des Britanniques, le moins de problèmes nous laisserons à la postérité[53]».

Évidemment, les francophones du Manitoba, à l'instar des parents acadiens, contestèrent l'élimination des écoles séparées et l'obligation qui leur était faite de payer et pour les écoles publiques anglaises et pour des écoles privées francophones qu'ils devaient fonder s'ils espéraient voir leurs enfants se faire éduquer dans leur langue maternelle. C'est un citoyen du nom de John Barrett qui porta la cause devant les tribunaux. Et contre toute attente, la Cour suprême du Canada, présidée alors par le juge William Ritchie, donna raison aux Franco-Manitobains et recommandait le rétablissement des écoles séparées. Pouvait-on alors parler de victoire pour les Franco-catholiques du Manitoba et du Canada? Non pas, car les orangistes, non satisfaits par le jugement ainsi rendu, on peut se l'imaginer, portèrent leur cause devant le conseil privé de Londres. Ce dernier estima que le Canada ne pouvait, et ne devait absolument pas agir d'une façon telle que le fait français puisse survivre dans une colonie britannique. Pour appuyer sa décision, le conseil privé argua que la loi concernant les écoles séparées du Manitoba avait été adoptée après l'entrée en vigueur de l'AANB de 1867, ce qui signifiait qu'elle était non avenue et non efficiente. La malhonnêteté britannique à son meilleur! Que la loi soit adoptée avant, après ou pendant l'adoption de l'AANB, l'important est de toujours prendre position de façon à donner tort aux francophones!

Pour éviter des troubles importants au Manitoba, là où les francophones ne décoléraient pas et où le souvenir de la pendaison de Louis Riel survenue en 1885 était toujours présent aux esprits, le fédéral envoya en 1895 une mission à Londres afin d'enjoindre le conseil privé de revenir sur sa décision. Ce que ce dernier fit, fort étonnamment. Le gouvernement canadien du premier ministre conservateur Mackenzie Bowell réclama donc du gouvernement provincial du Nouveau-Brunswick de Greenway qu'il rétablisse les écoles séparées telles qu'elles avaient existé jusque-là. La colère habitait maintenant le cœur des orangistes de cette province et non plus celui des parents francophones. Sachant de quel côté pencher pour que la situation soit tout à l'avantage du gouvernement provincial qu'il dirigeait, Greenway décida de défier le fédéral en refusant la recommandation et convoqua les Manitobains à des élections générales. Greenway savait pertinemment qu'il est toujours profitable (enfin tel était le cas dans le Canada anglais de cette époque) à une autorité politique de taper sur une minorité ethnico-linguistico-religieuse, au profit d'une majorité intolérante. Sa prédiction se vit confirmée alors qu'il fut reporté au pouvoir par une majorité écrasante d'électeurs du Manitoba. Ce qui démontre bien qu'il est, dans ce cas comme dans bien d'autres, impossible de parler d'une simple clique d'intolérants qui ont imposé, par des moyens retors, leur vision des choses dans une société donnée. Dans le cas qui nous intéresse, nous sommes bien davantage en présence d'une communauté anglaise quasi au complet qui désirait brimer les droits des francophones pourtant consentis par la constitution et les lois. Ne manquait plus que les croix qui brûlent la nuit venue pour qu'on se sente vraiment plongé en plein *deep south* américain…

À l'époque, le chef de l'opposition du Canada était le mentor de Michael Ignatieff, l'homme du compromis dont la bouille arbore aujourd'hui nos billets de 5 $, c'est-à-dire Sir Wilfrid Laurier. On aurait pu s'attendre à ce que le premier Canadien français qui ait atteint le sommet politique du Canada se porte alors à la défense des siens, au Manitoba. Pas le moins du monde. En 1895, Laurier se préparait à devenir premier ministre du Canada, et pour y parvenir, il est clair qu'une croisade ayant pour objectif la défense du français au Canada n'était en rien la meilleure des stratégies politiques. Voilà comment il expliqua sa décision collaborationniste:

> Je ne représente pas ici les seuls catholiques romains mais aussi les protestants et je dois rendre compte de mon intendance à toutes les classes. Les hommes qui m'entourent m'ont confié à moi, un catholique romain d'extraction française, des fonctions importantes, assujetties à notre système constitutionnel de gouvernement. Je suis le chef reconnu d'un grand parti composé de catholiques et de protestants, puisque ceux-ci doivent être la majorité dans chaque parti au Canada. Me dira-t-on, à moi qui occupe un tel poste, que ma démarche à la Chambre des communes doit être dictée par des raisons qui plaisent à la conscience de mes concitoyens catholiques mais pas à celle de mes collègues protestants? Non. Tant et aussi longtemps que j'occuperai un siège dans cette Chambre, que je conserverai le poste qu'on m'a confié, chaque fois que mon devoir m'obligera à prendre une décision, je le ferai non pas du point de vue du catholicisme ou du protestantisme, mais pour des motifs qui peuvent s'adresser à la conscience de tous les hommes, sans égard à leur religion, pour des motifs que peuvent partager tous les hommes épris de justice, de liberté et de tolérance.

Les démarches de Laurier lui auront permis de faire reculer, mais d'un iota seulement, le gouvernement du Manitoba qui autorisa par la suite que l'enseignement religieux (et donc français) soit permis dans les écoles publiques lors de la dernière demi-heure de cours de la journée, que les parents catholiques puissent présenter une pétition au conseil scolaire pour que celui-ci embauche au moins un enseignant catholique et que lorsque 10 enfants ou plus dans une classe parlent une langue maternelle autre que l'anglais, un enseignement bilingue puisse être offert. Mais ces nouvelles dispositions furent très vite abandonnées parce que les autres communautés ethniques du reste du Canada (Ukrainiens, Polonais, Allemands et compagnie) réclamèrent eux aussi des enseignements dans leur langue d'origine dès que leurs enfants constituaient une majorité dans les écoles publiques. On revint donc bien vite au *statu quo ante*, c'est-à-dire à l'enseignement unilingue anglais.

Dans la même veine et pour éviter que le cancer francophone ne s'étende aux nouvelles provinces de l'Alberta et de la Saskatchewan et du nouveau territoire du Nord-Ouest, les autorités canadiennes eurent l'idée de génie d'empêcher les francophones de s'y installer. Pour ce faire, on haussa les tarifs de transport reliant le Québec et l'Ouest. Cette mission atteignit ses objectifs et jamais l'Ouest profond ne risqua de devenir francophone.

Si, au Nouveau-Brunswick et au Manitoba, les anglophones avaient perpétré leurs attaques contre le caractère confessionnel des écoles séparées, en Ontario on ne se barra pas les pieds dans les fleurs du tapis, et ce fut carrément la langue d'enseignement qui se retrouva au cœur des tensions. Peu importait la religion que l'on retrouvait dans les enseignements prodigués par les professeurs d'une école donnée, les orangistes d'Ontario, eux, voulaient éradiquer la sale parlure qu'était pour eux le français de toutes les écoles de la province. Pour y parvenir, le bill 17 fut adopté en 1912. Il reléguait le français au second rang pour les premières années d'école, et passé la troisième année du primaire, l'anglais devenait la seule langue d'enseignement. Le gouvernement de l'Ontario considérait qu'il était urgent d'agir, car il croyait que les catholiques francophones qui contrôlaient leurs écoles visaient la suppression de l'anglais et risquaient d'assurer une certaine pérennité à la francophonie au cœur de l'Ontario qui ne pouvait être autre chose qu'anglophone. Ni plus ni moins. Le député conservateur ontarien, H.B. Morphy, résuma très bien les sentiments qui habitaient alors le gouvernement orangiste d'Ontario : « Jamais nous ne laisserons les Canadiens français implanter en Ontario le langage dégoûtant dont ils font usage ».

En cela les *Canadians* se comportèrent exactement comme les Russes en Arménie à la fin du XIXe siècle, alors qu'ils imposèrent la russification de cette colonie en forçant, entre autres, la fermeture des écoles nationales. Les Japonais agirent de la même façon afin d'éliminer de leur île toute trace de la langue des Ryûkyû. Ce processus de japonisation fut repris partout où l'empire nippon étendit son influence : Taïwan, Corée, Mandchourie. On y cherchait à transformer les populations soumises en dignes sujets de l'empereur. Exactement comme on tenta de tranformer les francophones d'ici en *Canadians*! Et là-bas comme ici, le révisionnisme historique et l'assimilation linguistique furent utilisés pour briser toute conscience nationale chez le colonisé.

Afin d'écraser les francophones qui en Ontario, comme partout ailleurs au Canada où on s'était attaqué à leurs droits linguistiques, ruèrent dans les brancards, le gouvernement ontarien trouva dans le clergé irlando-catholique un allié plus qu'utile, lui qui prenait position dans ce dossier par le truchement de l'évêque Fallon. Pour le clergé irlando-canadien, il était stupide de prétendre, comme le faisaient les nationalistes du Québec, que la langue est la gardienne de la foi. Mgr Fallon et ses disciples plaidaient du même souffle pour l'anglicisation des ecclésiastiques venus du Canada et leurs ouailles canadiennes-françaises. À l'évidence, ce Monseigneur ne ressentait aucun malaise à dire que le « système scolaire soi-disant bilingue qui n'enseigne ni l'anglais, ni le français, qui encourage l'incompétence, donne de la valeur à l'hypocrisie et engendre l'ignorance ». Il fallait, par conséquent, « éliminer jusqu'au dernier vestige de l'enseignement bilingue dans les écoles du diocèse ».

Mgr Fallon importait ainsi au Canada anglais une attitude que l'on retrouvait abondamment chez le clergé irlando-américain de la Nouvelle-Angleterre, clergé qui faisait des pieds et des mains pour empêcher les Canadiens français des Petits Canadas de vivre leur foi selon leurs us et coutumes, faisant même appel à Rome pour contraindre ces têtes fortes venues elles aussi d'ailleurs à adopter, en tous points, la piété de type irlandais. C'est que les Irlandais craignaient que le faste qui ponctuait les cérémonials religieux canadiens-français n'attirent beaucoup trop l'attention des orangistes américains et que cela leur attire de sérieux problèmes. Il faut dire que les Irlandais s'étaient habitués depuis longtemps à faire preuve de beaucoup de discrétion, les Anglais ayant réprimé par la force depuis belle lurette leurs pratiques religieuses en Angleterre.

En réaction au bill 17 et à l'appui enthousiaste qu'il reçut des conservateurs et des libéraux d'Ontario qui rêvaient d'assimiler enfin les vaincus d'hier, les Canadiens français, tout indignés qu'ils étaient d'être traités comme des citoyens de seconde zone dans leur propre pays, affirmèrent qu'une telle loi violait les principes mêmes de l'article 93 de l'AANB. Ils firent appel aux tribunaux, et encore une fois, ceux-ci, de même que le conseil privé de Londres, interprétèrent cette nouvelle attaque contre les droits linguistiques des Canadiens français dans un sens qui donna raison aux assimilateurs. Les Anglais jugèrent que la clause 93 de l'AANB ne protégeait que l'existence des écoles séparées, mais qu'il n'était nullement indiqué dans cette même clause qu'elles devaient fonctionner en français. Il était donc tout à fait légal d'imposer l'anglais aux Canadiens français qui fréquentaient des écoles séparées catholiques. Les Canadiens français d'Ontario avaient donc perdu la bataille.

Plusieurs enseignants canadiens-français s'opposèrent de toutes leurs forces au bill 17, et en Ontario, contrairement à l'Acadie ou au Manitoba, ils affichèrent publiquement leur opposition. Il n'était en cette province nullement question d'enseigner le français en cachette, guettant constamment la visite impromptue d'un inspecteur de la langue. À Ottawa, des enseignants refusèrent de se soumettre et continuèrent de travailler en français, peu importe ce que disait la loi du colonialiste anglais. Mal leur en prit, car le gouvernement ontarien abolit leur salaire afin de les ramener dans le « droit » chemin, mesure qui devait durer tant et aussi longtemps que les résistants ne se plieraient pas aux diktats assimilationnistes. Les enseignants ne bronchèrent point, leur salaire étant moins important que la survie culturelle du peuple auquel ils transmettaient leurs connaissances. Ils se savaient les gardiens et les propagateurs de la culture et comptaient bien jouer leur rôle jusqu'au bout. Mais le gouvernement orangiste d'Ontario ne comptait pas davantage s'en laisser imposer par des insoumis dont les ancêtres n'avaient jamais été autre chose, à ses yeux, que des perdants.

Un matin de 1916, la police ontarienne força les portes des écoles séparées des Canadiens français pour en expulser les professeurs et les écoliers qui enseignaient et apprenaient toujours à la française. Ce coup de force éhonté provoqua une émeute organisée par les mères des enfants qui n'hésitèrent pas à foncer sur la police armées seulement d'épingles à chapeau. Elles piquèrent les fesses des policiers qui retraitèrent avec couardise. Insulté de voir ses représentants fuir devant l'attaque de « simples » femmes, le gouvernement décida d'intervenir à nouveau. Il annonça que des mesures seraient prises autant contre les enseignants rebelles que contre les parents canadiens-français qui les appuyaient. Au chapitre des sanctions prévues, ce gouvernement intolérant et raciste comptait imposer aux parents francophones la signature d'un serment d'obéissance au bill 17. S'ils s'y refusaient, le gouvernement leur avait laissé savoir qu'il saisirait leur terre et l'argent versé pour leur achat[54]! Tout ça pour contraindre un groupe de Canadiens français, une minorité en Ontario, d'accepter l'abandon de leur univers identitaire pour celui de leurs conquérants. Pour y parvenir, le colonialiste ne devait économiser aucune énergie et aucune mesure, même les plus retorses, ne devait être rejetée du revers de la main.

Certains fédéralistes partageant la vision d'André Pratte dans bon nombre de dossiers pourraient rétorquer qu'il n'est que normal que le système d'éducation de l'Ontario ne fonctionne qu'en anglais, et que si des parents désiraient vraiment envoyer leurs enfants à l'école française, ils n'avaient, hier comme aujourd'hui, qu'à s'installer au Québec, là où la chose est possible. Tout d'abord, articuler un tel discours reviendrait à faire fi du fait que les francophones ont le droit de vivre leur différence où qu'ils se trouvent sur le territoire canadien, et surtout, cela consisterait à négliger que le règlement 17 s'est aussi appliqué au Québec, bien que ce fut une loi assimilationniste purement et uniquement ontarienne.

Parce que certaines paroisses chevauchaient les deux provinces en Abitibi et en Outaouais, parce que certaines paroisses québécoises étaient dominées par des anglophones, certains jeunes Québécois durent subir les affres du bill 17 à l'école, et ce, aussi tardivement qu'en 1954. Ce fut le cas notamment à Farellton, en 1922, sur les rives de la Gatineau, alors que les Irlandais et les Canadiens se livraient une lutte à finir qui prit rapidement le chemin de l'école. Les commissaires anglophones de Farellton imposèrent les manuels scolaires d'Ontario à tous les écoliers de ce coin-là du Québec, appliquèrent à peu près toutes les mesures prévues par le bill 17 ontarien et se permirent même d'interdire tout enseignement en français. Et on était au Québec! Même les pressions des parents exigeant un enseignement bilingue furent rejetées par les commissaires anglophones. Le médecin Masson de Farellton écrivit au gouvernement du Québec pour se plaindre que « la race pionnière ait à se battre pour obtenir justice chaque fois qu'elle est en minorité ». Le surintendant dut intervenir à plusieurs reprises pour calmer enfin la situation. Une situation similaire se produisit à Waltham, dans le Pontiac, en 1954. Depuis plusieurs années, les commissaires de cette région du Québec appliquaient les mesures prévues par le bill 17 et s'apprêtaient même à aller plus loin en interdisant l'enseignement en français pour les première, deuxième et troisième années du primaire (ce qui était permis dans le cadre du bill 17). Il fallut que le surintendant de l'Instruction, Omer-Jules Désaulniers, en vienne à menacer de couper les subventions à cette commission scolaire pour que les orangistes du Pontiac entendent raison[55]!

André Pratte et ses collègues ne pourraient certainement pas rétorquer que cela était de bonne guerre, et ce, parce que les Québécois auraient fait subir les mêmes traitements à sa minorité anglophone, hier comme aujourd'hui. Prétendre une telle chose serait tout ce qu'il y a de plus faux. D'ailleurs, John Rose, le représentant de Montréal-Centre à l'Assemblée législative de la Province du Canada en 1865 soulignait que :

> Or nous, la minorité protestante anglaise du Bas-Canada, ne pouvons oublier que tous nos droits à une éducation séparée nous furent accordés sans aucune restriction avant l'Union des provinces, alors que nous étions une minorité livrée aux mains de la population française. Nous ne pouvons oublier que personne n'a jamais même tenté de nous empêcher d'éduquer nos enfants comme nous l'entendions; et je nierais l'évidence si j'oubliais d'affirmer que la minorité ne s'est jamais plainte de la répartition des fonds de l'État aux fins de l'éducation[56].

Ces nouveaux épisodes assimilationnistes liés aux écoles séparées constituent une nouvelle fois la preuve que tout ce qui compte en politique, c'est le rapport de force. Tant que les francophones sont suffisamment puissants au Canada pour imposer le respect au colonialiste qui rêve du jour où ils disparaîtront, tout va. Mais dès que les anglophones prennent le dessus, les comportements aux relents orangistes refont surface. Le Québec d'aujourd'hui, tout déclinant qu'il est -démographiquement s'entend- devrait tirer des enseignements de l'histoire et réfléchir ainsi plus sérieusement au sort qui lui sera réservé dans le Canada de demain. Pierre Falardeau a, à ce sujet, une fort belle formule pour résumer la chose : « le jour où le Québec ne représentera plus que 20%, 15%, ou 10% de la fédération canadienne, bonne chance! »

L'on dit souvent qu'il faut tenter de trouver le positif dans les événements les plus dramatiques. Ce faisant, nous pourrions dire que ces derniers épisodes assimilationnistes et concernant les écoles séparées eurent au moins le mérite de relancer le nationalisme au Québec, la première vague étant dirigée par le fondateur du *Devoir*, Henri Bourassa. Celui-ci, ardent opposant de Laurier, affirma au début des années 1910 que :

> Nous avons mérité mieux que d'être considérés comme les sauvages des anciennes réserves, et de nous faire dire : restez dans Québec, continuez d'y croupir dans l'ignorance, vous y êtes chez vous; mais ailleurs il faut que vous deveniez anglais.
>
> Eh bien, non, français, nous avons le droit de l'être par la langue; catholiques, nous avons le droit de l'être par la constitution; [...] et ces droits, nous avons le droit d'en jouir dans toute l'étendue de la Confédération.

Sachant tout cela, André Pratte a malgré tout le culot d'écrire dans son livre que le Canada, depuis ses débuts, a été très tolérant, et même favorable, au fait français sur son territoire. Décidément, il n'impose aucune limite à sa propagande!

4) Participation forcée des Québécois aux guerres de l'Empire

Hier (Première ou Deuxième Guerre mondiale) comme aujourd'hui (Afghanistan), les Québécois sont obligés de participer à des campagnes militaires de l'Empire britannique ou du Canada anglais et, surtout, de contribuer à leur financement. En 2006, les Québécois qui se demandent ce que plusieurs de leurs compatriotes (du Québec, et du Québec seulement) qui se sont enrôlés dans les forces armées canadiennes iront faire en Afghanistan sont légion. On leur dit que les Canadiens agissent là-bas dans une mission de paix, pour améliorer les conditions de vie des gens de ce pays. Une mission de guerre pour la paix, oui, et sur fond de pétrodollar en plus! Une mission qui a déjà coûté 2,6 milliards $ aux contribuables du Canada et du Québec. En juin 2006, le gouvernement militariste du très conservateur et pro-américain Stephen Harper annonçait des réinvestissements en défense de l'ordre de 15 milliards $. Cet argent devant servir à l'achat de matériel de transport pour l'armée canadienne : des camions, des navires, des hélicoptères, etc. Toujours province canadienne, le Québec devra fournir environ 3,75 milliards $ de cette somme. Ceci étant sans considérer le reste du budget annuel de la Défense du Canada qui est, lui, d'environ 16 milliards $. La part du Québec est donc d'environ 4 milliards $, plus les réinvestissements de 3,75 milliards $ sur cinq ans, ce qui donne près de 5 milliards $ par année pour le Québec. Rappelons que le budget provincial du Québec en matière d'éducation est de 12,8 milliards $ et en santé de 22,1 milliards $ sur un budget total de 55 milliards $ en 2006. Ces presque 5 milliards $ qui appartiennent aux Québécois et qui servent à financer annuellement une armée qui est tout sauf au diapason avec les vues internationales du Québec pourraient donc être investis de façon beaucoup plus adéquate, à peu près tous en conviendront au Québec. Mais cela n'est rien en comparaison de ce que le Québec devait subir à la fin du XIXe et au début du XXe siècle.

Dès le début des années 1900, les tensions entre la France, l'Angleterre et l'Allemagne étaient des plus manifestes. Plus particulièrement, Anglais et Allemands étaient engagés dans une lutte impérialiste de type capitaliste, l'un voulant supplanter l'autre, au niveau de l'influence et de la puissance à l'échelle mondiale. Comme on le sait, de tels sentiments débouchèrent sur la Première Guerre mondiale de 1914-1918, un conflit si dur qu'on se convainquit bien naïvement que ce devait être la dernière guerre déchirant l'humanité.

La compétition que se livraient Allemands et Anglais amena les gouvernements de ces pays à investir massivement dans leur marine, principal moyen de transport pour le commerce international. En 1909, Londres annonça la construction de quatre énormes navires. Cela n'impressionna point les dirigeants de la marine britannique qui en réclamèrent six autres. Finalement, le public anglais, bouleversé qu'il était par le rapide développement allemand, se demanda si 10 navires, c'était vraiment suffisant pour faire face à la menace qui se dessinait à l'horizon. Alors pourquoi ne pas en construire huit de plus? Après tout, la marine alimentait comme nulle autre activité l'orgueil des Anglais, ces rois de la mer! Évidemment, toutes ces annonces firent rapidement comprendre à ceux qui géraient le trésor public que l'argent viendrait rapidement à manquer. Il fallait trouver, et vite, de nouvelles sources d'approvisionnement qui permettraient la construction de tous ces navires de guerre, tous plus dispendieux les uns que les autres. Étant donné que l'Angleterre possédait un très vaste empire, plusieurs se dirent que le plus simple était encore de se retourner vers les colonies pour y obtenir le financement nécessaire. Ce que Londres fit sans hésiter.

La Nouvelle-Zélande, la plus britannique de toutes les colonies anglaises, accepta avec joie de contribuer au renforcement de la marine de Sa Majesté. L'Australie se fit tirer l'oreille, exigea des modifications au projet initial, mais donna tout de même son aval. Le Canada quant à lui, dirigé qu'il était alors par sir Wilfrid Laurier, refusa net d'apporter toute contribution financière à la marine anglaise. Laurier expliqua que le Canada possédait lui-même des milliers de kilomètres de côte qui n'étaient point surveillés, et ce, parce que le Canada ne possédait tout simplement pas de flotte. Avant de payer pour les Anglais, le premier ministre canadien croyait qu'il était approprié que le Canada paye pour lui-même. Idée qui ne tomba pas dans l'oreille d'un sourd. De fait, l'Amirauté anglaise se rangea aux vœux exprimés par le gouvernement canadien. Le Canada aurait donc sa propre flotte. Mais cette flotte canadienne passerait aux mains de Londres dès qu'un conflit concernant l'Angleterre éclaterait. Les Canadiens anglais jubilaient, alors que les Canadiens français étaient en colère et s'opposaient à pareille idée qu'ils considéraient comme une concession à peine déguisée à la mission impériale de l'Angleterre. Henri Bourassa, via son nouveau journal *Le Devoir*, garantissait que la constitution de cette flotte de guerre canadienne obligerait le Canada à participer à toutes les guerres de l'Empire britannique. Il n'avait pas tort.

C'est le 4 mai 1910 qu'il fut décidé à la Chambre des Communes que le Canada devait avoir une marine de guerre. Le gouvernement permit alors la construction de quatre croiseurs légers et de six destroyers. Comme prévu, tous ces navires furent rapidement mis au service de l'Angleterre. Les Anglais avaient donc obtenu ce qu'ils voulaient : des bateaux payés par les colonies, le Canada au même titre que les autres.

Les libéraux de Laurier se brisèrent les dents dans ce dossier de la marine de guerre canadienne. En 1911, ils perdirent le pouvoir aux mains des conservateurs de Robert Borden. Ce qui, pour les Canadiens français, ne changea absolument rien puisque l'un des premiers gestes que posa le nouveau gouvernement fut d'accorder une subvention de 35 millions $ à Londres pour la construction de trois nouveaux cuirassés[57]. Sous les libéraux, le budget du ministère de la Milice était passé de 1,6 million $ en 1898 à 7 millions $ en 1911. Les conservateurs, eux, le hissèrent à 14 millions $ dès 1914. Et le Québec apporta plus que sa part à cette entreprise militariste puisqu'il en paya tout près de la moitié.

Alors, quand André Pratte nous fait part de ses inquiétudes quant aux capacités militaires d'un Québec souverain, en arguant, à la page 75 de son livre, que le Québec-pays n'héritera sûrement pas d'assez de CF-18 pour assurer sa propre sécurité, le moins que l'on puisse dire, c'est que l'argument n'est pas très convaincant. D'une part, parce que même au temps où le Québec n'était qu'une province, le matériel militaire du Canada ne fut jamais assez important pour assurer sa propre sécurité, et ce, quand ce même matériel n'était pas mis au service de Londres ou de Washington. Une fois qu'il volera de ses propres ailes, le Québec ne pourra faire pire, et, au moins, les Québécois pourront alors pleinement décider s'ils continuent d'investir autant dans une industrie qui enrichit des salauds de par le monde sans que cela ne leur procure une force de frappe digne de ce nom ou s'ils jugent préférable d'investir cet argent dans d'autres sphères d'activité. Mais de par son association forcée avec le Canada, le Québec n'eut pas seulement à payer pour l'équipement militaire que contrôlaient Ottawa, Londres ou Washington. Il dut également envoyer régulièrement ses fils combattre dans des guerres qui ne les concernaient pas le moins du monde, et auxquelles, bien souvent, ils étaient opposés. La première de cette trop longue liste est la guerre des Boers de 1899, guerre qui opposa les Britanniques aux Boers, des gens provenant des Pays-Bas et installés en Afrique du Sud.

On parle généralement de « LA » guerre des Boers. Dans les faits, il y en eut deux. La première remonte à 1877, alors que les Britanniques annexèrent le Transvaal à leur colonie d'Afrique du Sud. Les Boers ne l'entendirent pas ainsi et s'opposèrent vivement à la perte de liberté qu'ils venaient ainsi de subir. Ce premier affrontement fut à l'avantage des Boers, tous de kaki vêtus, qui n'eurent aucun mal à tirer à distance les Britanniques qui arboraient un uniforme rouge vif en pleine savane africaine. Après la défaite d'une expédition britannique commandée par George Pomeroy-Collery en février 1881 à la Bataille de Majuba

Hill, le gouvernement britannique de Gladstone donna aux Boers leur autonomie sous une tutelle britannique théorique. La situation n'était en rien réglée., on ne faisait que reporter les problèmes à plus tard.

La seconde guerre des Boers se dessina quant à elle à partir de 1887, après que des prospecteurs eurent découvert un important gisement d'or à Witwatersrand. Comme c'est à peu près toujours le cas dans les guerres, ce second conflit des Boers fut donc motivé par l'argent. Pour s'approprier ce gisement aurifère, les Anglais se ruèrent sur le Transvaal. Ils y dépassèrent rapidement en nombre les Boers à Johannesburg qui constitua le coeur de cette ruée vers l'or. Les Afrikaners, ou Boers, agacés par la présence des Anglais sur leur territoire, leur refusèrent le droit de vote et taxèrent lourdement l'industrie aurifère que contrôlaient les Anglais. En réaction, les colons anglais demandèrent aux autorités britanniques de renverser le gouvernement boer qui était toujours soumis à l'autorité de Londres. En 1895, Cecil Rhodes, premier ministre de la colonie d'Afrique du Sud, appuya militairement ce coup d'État qui fut manqué. Ce fut le raid de Jameson.

Afin de trouver une solution durable, le président Marthinus Steyn de l'État libre d'Orange, seconde république boer, invita les autorités britanniques à une conférence à Bloemfontein, qui débuta le 30 mai 1899. Les négociations achoppèrent rapidement. En septembre 1899, Joseph Chamberlain, ministre des Colonies britanniques, servit un ultimatum exigeant la complète égalité de droits pour les citoyens britanniques résidant au Transvaal. Les Boers, quant à eux, accordèrent 48 heures aux Britanniques pour évacuer leurs troupes des frontières du Transvaal, s'ils s'y refusaient, la guerre leur serait déclarée *illico*. Et elle le fut le 12 octobre 1899. Elle coûta 75 000 vies, dont 22 000 soldats britanniques contre 7 000 soldats boers, le reste étant constitué de civils. Le Transvaal et l'État libre d'Orange se rendirent en 1902 et la guerre se termina avec la signature du traité de Vereeniging, traité qui confirma la dissolution des anciennes républiques boers dans l'Empire britannique tel qu'il existait alors en Afrique du Sud, au Cap.

Étant donné que le conflit en Afrique du Sud coûtait très cher en soldats à l'Empire britannique, Londres se tourna vers ses colonies pour obtenir des renforts. Il fut tout d'abord demandé à Laurier d'obtenir un vote unanime à la Chambre des communes à l'appui de la cause britannique contre les Boers, ce qui fut chose faite le 3 juillet 1899. Le premier pas vers l'envoi de troupes canadiennes en Afrique du Sud venait d'être fait. Le plus dur restait toutefois à faire, puisqu'une majorité de Canadiens anglais ne se sentait pas vraiment concernée par ce qui impliquait l'Empire britannique à l'autre bout du monde, alors que les Canadiens français, eux, s'identifiaient bien davantage aux Boers qu'aux Anglais. Obtenir, dans de telles circonstances, des volontaires canadiens pour l'armée anglaise, ne s'avérerait pas une tâche des plus faciles.

Pour répondre aux désirs de l'empire, Lord Minto, gouverneur général du Canada, prépara un plan secret pour l'envoi de troupes canadiennes en renfort aux Anglais, en Afrique du Sud. Il avait confié le commandement de ce contingent à William Otter qui aurait parmi ses subordonnés le fougueux député tory orangiste, Sam Hughes. Rapidement, le premier ministre Wilfrid Laurier fit connaître son opinion à l'égard des rumeurs qui circulaient à l'égard de ce plan et qui laissaient entendre que le Canada s'apprêtait à se lancer, lui aussi, à l'assaut des Boers insurgés. À l'instar des positions qu'il défendait dans le dossier de la marine canadienne quelques années plus tard, Laurier expliqua que :

> Nous avons fort à faire dans notre propre pays pour amener celui-ci à son point légitime de développement. En raison de la nature même des dépenses militaires, on ne sait jamais jusqu'où elles iront; je ne suis donc pas disposé à les favoriser. Par contre, nous avons fait plus pour la défense de l'Empire en construisant l'Intercolonial et le Canadien pacifique que si nous avions entretenu une armée de campagne durant les vingt dernières années.

Si le gouvernement canadien ne devait se ranger aux volontés des orangistes, ceux-ci s'organiseraient autrement pour répondre à l'appel de Londres concernant les Boers. Ils lèveraient leur propre armée privée. C'est ce que fit savoir Sam Hughes. La pression des Orangistes et de tout le Canada anglais fut suffisante pour faire plier Laurier qui s'apprêtait à aller en élections. En froissant le Canada anglais dans le dossier de la guerre des Boers, il pouvait dire adieu au poste de premier ministre. Mais Laurier, l'homme du compromis (ou de la soumission?), imagina une solution en mesure de donner l'impression qu'il avait sauvé la face. Il annonça que le gouvernement canadien était bel et bien décidé à envoyer des volontaires en Afrique du Sud comme le souhaitait Londres, mais à la condition que celle-ci paie pour leurs dépenses (près de 3 millions $ en tout). La décision fut prise par simple décret, sans convoquer le parlement.

Le 30 octobre 1899, 1 061 volontaires canadiens s'embarquèrent sur le *SS Sardinian* à destination de l'Afrique du Sud où l'Angleterre devait les entretenir. En tout et partout, ce sont quelque 7 000 Canadiens qui participèrent à ce conflit, dont à peine 3 % étaient originaires du Québec. Jamais les Canadiens français ne se sont ralliés au point de vue de Laurier et des impérialistes canadiens à l'égard de ce conflit. Toujours, ils entretinrent des sympathies certaines pour les Boers. Ce qui n'eut pas l'heur de plaire aux « compatriotes » du Canada anglais, c'est le moins que l'on puisse dire. Le *News* de Toronto déclara sans ambages que les Canadiens français étaient des « ennemis du Canada et de l'empire ». Au Québec, la tension était à couper au couteau. Quelques mois seulement après l'éclatement du conflit sud-africain, des étudiants francophones et anglophones s'opposèrent violemment lors de rixes dans les rues de Montréal. Les émeutes durèrent pas moins de quatre jours et les blessés furent nombreux. Le Canada était ni plus ni moins qu'au bord de l'éclatement[58].

Tout comme le gouvernement Laurier l'était d'ailleurs. Les députés canadiens-français du parti libéral, Israël Tarte et Henri Bourassa au premier rang, ne décoléraient pas du fait que le Canada participait à cette guerre de l'Empire britannique. Ils ne pouvaient accepter la décision de Laurier de participer, même si c'était à reculons, à un conflit impérialiste qui n'avait que des critères commerciaux comme motivation première. En réponse à son député Henri Bourassa, Laurier argua que « la province de Québec n'a pas d'opinions, elle n'a que des sentiments ». Bourassa lui répliqua avec beaucoup de dignité : « c'est parce que les circonstances sont difficiles que je vous demande de demeurer fidèle à votre parole. Gouverner, c'est avoir assez de cœur pour savoir, à un moment donné, risquer le pouvoir pour sauver un principe ». Parce que Laurier refusait encore et toujours de faire preuve de grandeur, Henri Bourassa démissionna quelque temps après cet échange particulièrement acrimonieux du gouvernement libéral et siégea à titre de député indépendant.

Ce n'était pas la dernière fois que le Québec devrait être sacrifié sur l'autel de la guerre pour satisfaire les appétits impérialistes du Canada anglais.

Dans le cas de la guerre des Boers, le pays des Canadiens français fut précipité bien malgré eux dans un conflit qui était tout sauf noble. Parce que les Afrikaners (Boers) ne purent faire autrement que de recourir aux tactiques de guérilla pour être de taille à lutter contre les Anglais qui étaient beaucoup plus nombreux et mieux armés qu'eux, ces derniers, en réaction, adoptèrent les pires pratiques répressives qu'ils avaient développées en tant que plus importants colonialistes à l'échelle planétaire. Ils brûlèrent des fermes, violèrent des femmes pour briser le moral des Boers, et construisirent, sous les ordres du général Kitchener, des camps de concentration (les premiers à avoir vu le jour, servant de prélude aux horreurs nazies) pour accueillir les nouveaux sans logis, principalement des femmes et des enfants, et des prisonniers politiques. Ayant participé à ces expéditions, le capitaine R.F. Talbot du *Royal Horse Artillery* écrivit dans son journal personnel:

> Je sortis ce matin, comme pour aller chercher des légumes, mais je me joignis au prévôt et à des sapeurs qui partaient incendier des fermes. Nous avons brûlé deux fermes et les avons fait sauter avec des explosifs après en avoir expulsé les occupants. C'est un peu répugnant au début de faire sortir les femmes et les enfants, mais comme ce sont des brutes et que les femmes sont toutes des espionnes, nous sommes habitués maintenant.

Les conditions dans les camps de concentration des Anglais en Afrique du Sud étaient loin d'être enviables. Ces camps étaient surpeuplés et les prisonniers, faméliques comme ils se doivent de l'être dans de telles circonstances, étaient régulièrement rudoyés pour une raison ou une autre, ou pour absolument rien, juste pour le plaisir de la chose. À la fin de la guerre des Boers en 1902, on estima que près de 20 000 personnes avaient perdu la vie dans les camps de Kitchener, nom qui servit pourtant à baptiser une ville d'Ontario, berceau de l'inique et raciste bill 17!

La guerre des Boers ne fut que le premier conflit militaire d'une longue série où la minorité canadienne-française fut sacrifiée par le pouvoir canadien au profit de la majorité de langue anglaise. Il en fut de même lors des deux guerres mondiales qui ont marqué le XXe siècle. Mais pour éviter que les Canadiens français ne se défilent comme dans le cas de la guerre des Boers, les *Canadians* leur imposèrent la conscription. Qu'ils le veuillent ou non, ils se battraient pour la grandeur de l'Empire!

La Première Guerre mondiale, celle qu'on a appelée la Grande Guerre de 1914-1918, fut très gourmande en vies humaines. Les historiens établissent le bilan de ce conflit qui a opposé l'Entente[59] à l'Alliance[60] à environ 10 millions de morts.

Le 4 août 1914, après avoir adressé un ultimatum à Berlin pour qu'elle libère la Belgique et n'avoir reçu par la suite aucune réponse, l'Angleterre entra en guerre contre ce pays. Du même coup, ses colonies étaient entraînées dans l'un des conflits les plus meurtriers de l'histoire humaine. « Lorsque la Grande-Bretagne est en guerre, avait dit en 1910 le premier ministre Laurier au sujet de la Loi sur la marine qui mettait les bateaux canadiens à la disposition de Londres dès qu'elle en ressentirait le besoin, le Canada l'est également ». Et le Québec aussi, qu'il le veuille ou non. En 1914, le très colonisé Laurier répéta son soutien, maintenant en tant que chef de l'opposition, à l'entreprise guerrière de l'Empire anglais :

> Pendant longtemps nous avons dit que, lorsque la Grande-Bretagne est en guerre, nous sommes en guerre, et nous comprenons aujourd'hui qu'elle est en guerre et que nous le sommes aussi… J'ai déclaré plus d'une fois que, si l'Angleterre était en danger – que dis-je?- non seulement en danger – mais engagée dans une lutte qui mettrait sa puissance à l'épreuve, il serait du devoir du Canada de lui venir en aide dans la pleine mesure de ses ressources.

Une première division canadienne put donc être levée sans problème par le Parlement contrôlé par les conservateurs de Robert Borden, et ce, par un simple arrêté-en-conseil. Au départ, on espéra que les enrôlements volontaires suffiraient à renflouer les rangs des soldats au front. Au cours des premiers moments du conflit, il sembla que la chose pourrait être possible. C'est que les ressortissants britanniques établis sur le sol canadien furent très nombreux à partir pour la mère patrie pour la défendre sous les couleurs de l'armée canadienne. Ce qui, après tout, était tout à fait normal. Mais lorsque cette source britannico-canadienne commença à se tarir, les autorités s'inquiétèrent parce que la chair à canons se fit beaucoup plus rare.

Au Québec, on fit encore une fois appel au clergé pour que celui-ci travaille en faveur des intérêts de l'empire et qu'il convainque les Canadiens français à s'enrôler en plus grand nombre. L'archevêque Bruchési fut particulièrement actif dans le cadre de cette mission :

Le Canada n'est pas immédiatement attaqué dans cette guerre, mais il l'est médiatement. Il est menacé, et c'est pourquoi il faut le défendre. Aussi, nous avons fait notre devoir. Nos jeunes gens se sont présentés en grand nombre. Librement. Il n'y a pas eu de conscription, il n'y en a pas encore au pays, et j'espère qu'il n'en sera jamais question. Nos jeunes gens sont pleins de foi. Il y a deux causes qu'ils peuvent servir jusqu'à répandre leur sang : la cause de la papauté et la cause de l'humanité. Ici, c'est l'humanité qu'il faut sauvegarder, et nos braves sont accourus au secours de la liberté. Voilà pourquoi ils se sont offerts, et voilà pourquoi ils se battent aujourd'hui dans les tranchées de France.

Parallèlement à de telles montées en chaire, les autorités militaires organisèrent des rassemblements de recrutement sur les places publiques. Mais les agents recruteurs se faisaient de plus en plus arrogants et méprisants au fur et à mesure que des rapports quant au peu d'enthousiasme que les Canadiens français démontraient pour cette guerre européenne et impérialiste leur étaient remis. Ce fut notamment le cas le 23 août 1916 lorsqu'un de ces recruteurs qui s'adressait à la foule insulta les Canadiens français en prétendant, entre autres choses, qu'ils étaient peureux et que c'était pour cette seule et unique raison qu'ils ne s'enrôlaient pas en plus grand nombre. À l'écoute de pareil discours, L.J.N. Pagé, un chef ouvrier, monta sur l'estrade et répliqua à l'harangueur, et ce, quelque temps seulement avant que n'éclate une émeute opposant Français et Anglais :

Vous avez le droit de nous combattre, vous n'avez pas le droit de nous insulter. Si vous voulez aller vous battre, allez-y. Quand à moi, je n'irai pas, et aurais-je 20 ans; je n'irais pas non plus. Si la conscription vient, nous nous laisserons peut-être broyer, mais nous n'accepterons pas la conscription. Lorsqu'on vient tous les jours insulter toute une population, nous devons avoir assez de cœur pour protester et assez de bon sens pour savoir ce que nous faisons. Canadiens français, fondateurs de l'Amérique du Nord, il est temps de nous faire respecter et d'empêcher que l'on ne nous bafoue plus comme on le fait en certains endroits, notamment en Ontario.

L'Ontario, voilà une des origines de ce nouveau conflit interne qui déchira le Canada. En effet, une des raisons pour lesquelles le peuple canadien-français n'affichait pas davantage d'enthousiasme pour la guerre qui embrasait l'Europe, c'était parce que les leurs n'étaient pas respectés au Canada et en Ontario notamment. Ce n'était très certainement pas parce qu'il était plus couard que les autres. Historiquement, les Canadiens français ont amplement prouvé qu'ils pouvaient être des guerriers redoutables. Mais dans ce cas bien précis, les insultes des Anglais, combinées aux affres qu'ils faisaient subir aux leurs à l'intérieur même du Canada par le truchement du bill 17, le fait que le ministre orangiste de la Milice et de la Défense, Sam Hughes, interdisait la constitution de régiments à

100 % canadiens-français et que les Canadiens français ne pouvaient espérer de promotion dans l'armée canadienne, tout cela refroidit considérablement, comme on peut s'en douter, les ardeurs des Canadiens français eu égard à la Première Guerre mondiale. Plus concrètement, on pourrait dire que ces derniers ne pouvaient se résigner à défendre l'honneur d'un pays, celui qu'on disait être le leur, alors que ce même pays forçait l'assimilation des leurs en Ontario en interdisant l'enseignement en français dans les écoles publiques. Les nationalistes de l'époque furent d'ailleurs nombreux à établir des parallèles entre l'Ontario et les Allemands. Ce fut le cas d'Henri Bourassa : « Les ennemis de la civilisation française au Canada, ce ne sont pas les Boches des bords de la Sprée; ce sont les anglicisateurs anglo-canadiens, meneurs orangistes ou prêtres irlandais ». Armand Lavergne n'était pas en reste lui non plus. À l'Assemblée législative du Québec, il invita les Canadiens français à ne point s'enrôler tant que l'injustice des écoles séparées d'Ontario n'aurait pas été réglée :

> Si nous devons conquérir nos libertés, c'est ici que nous devons rester. Ce n'est pas dans les tranchées de Flandres que nous irons conquérir le droit de parler français en Ontario si nous n'avons pu l'obtenir ici, nous qui avons conservé le Canada à l'Angleterre quand les marchands anglais de Québec fuyaient à l'île d'Orléans. Je dis et je ne crains pas que mes propos soient répétés n'importe où, que tout Canadien français qui s'enrôle manque à son devoir. Je sais que ce que je dis est de la haute trahison. Je peux être jeté en prison demain, mais je ne m'en inquiète pas. Ils nous disent qu'il est question de défendre la liberté et l'humanité, mais ce n'est qu'une farce. Si les Allemands sont des persécuteurs, il y a pire que les Allemands à nos portes mêmes. J'irai plus loin. Je dirai que chaque sou dépensé dans le Québec pour aider à l'enrôlement des hommes est de l'argent volé à la minorité de l'Ontario. Je ne crains pas de devenir un sujet allemand. Je me demande si le régime allemand ne pourrait pas être favorablement comparé à celui des Boches de l'Ontario.

Ce nationalisme canadien-français alimenté par la crise ontarienne parvint efficacement à ce que l'enrôlement ne soit jamais un succès en terre Québec. Afin d'en avoir une idée plus claire, James Mason, un sénateur conservateur effectua des vérifications quant au recrutement de soldats. Il présenta au parlement un portrait assez sombre de la situation. Il estimait que les Canadiens français constituaient 40 % des mobilisables, mais que seulement 4,5 % de ceux-ci l'avaient bel et bien fait. Il fallait trouver une solution à ce problème et vite, et celle que préconisait le sénateur était la conscription. Rapidement, les loges orangistes se joignirent à lui pour cracher leur venin au visage des Canadiens français. Le 14 mars 1917, le grand maître de la Grande Loge des Orangistes d'Ontario-Ouest, H.C. Hocken, dénonçait les pleutres qu'étaient à ses yeux les Canadiens français (le texte original est bien sûr en anglais):

Je ne puis m'empêcher d'exprimer le ressentiment qui règne dans l'esprit de tout sujet loyal anglais du Canada contre le peuple du Québec, en ce qui a trait à la guerre. Tandis que notre existence, comme nation libre, est en jeu, il a fait preuve d'un esprit de déloyauté à l'Empire qui, je crois, aurait éclaté en révolte ouverte s'il avait osé recourir à pareille mesure. Quelques-uns des leaders du Québec ont, depuis l'ouverture des hostilités, proféré des menaces de rébellion. Si nous prenons les articles publiés dans les journaux et les discours des hommes publics du Québec, nous devons conclure qu'il n'a aucun amour pour l'Empire qui l'a protégé et lui a donné ses libertés sous les plis de son drapeau. La haine qu'il a contre l'Angleterre ne peut s'expliquer que par le fait que c'est la plus grande nation protestante de l'univers et que le peuple du Québec est si attaché à la Papauté qu'il se réjouirait de la destruction de la puissance de l'Angleterre.

Hocken devait terminer son discours par un avertissement bien senti à l'intention des « félons » canadiens-français : « Si l'occasion devait se présenter, 250 000 orangistes trop vieux pour aller combattre au-delà des mers, pourraient être enrôlés dans un mois pour détruire toute tentative qui pourrait être faite dans la province de Québec pour fonder une république ». C'est à cela que ressemble l'esprit de saine camaraderie que Pratte s'entête toujours à voir dans l'épopée canadienne!

Mais il n'y eut pas que des extrémistes du type Hocken pour en appeler à la répression du peuple canadien-français parce qu'il ne voulait pas se porter au secours de l'Angleterre. Le maire de Toronto, Thomas Church, adopta lui aussi un tel discours lors d'une assemblée qui réunit des milliers de Canadiens anglais qui l'ovationnèrent, trop heureux de voir enfin l'un de leurs représentants dire ce qu'ils pensaient tout bas:

Il est temps de mettre la province de Québec forcément à la raison. Tous ces *Sinn-Feiners* (NDLR : indépendantistes irlandais) du Québec devraient être internés ainsi que les soi-disant nationalistes et plusieurs de leurs journaux devraient être supprimés. C'est le moment d'agir de main ferme avec tous ces *Sinn-Feiners*. Le gouvernement est sur le point de se diviser sur les moyens à prendre pour traiter une telle province : un gouvernement de coalition avec les libéraux anticonscriptionnistes n'améliorerait point la situation. Le Canada va devenir un pays anglais quoi qu'en pense le Québec. Lorsque les boys reviendront des lignes de tranchées, ils auront vite fait de se venger des politiciens qui rampent devant une telle province. Québec, en temps de paix, a toujours été l'enfant gâté de la Confédération. Tandis qu'un certain nombre de citoyens du Québec ont fait leur devoir, la grande majorité d'entre eux ne s'est appliquée qu'à soulever les jalousies de race et de religion.

Peu importe le sérieux des différents intervenants qui préconisaient le déclenchement de la conscription, une chose demeurait et c'est que la pression qui allait en ce sens était de plus en plus forte sur le premier ministre canadien Robert Borden. Après un voyage effectué à Londres, là où il put constater de visu les besoins criants des armées de l'Entente, le premier ministre canadien, de retour au Canada, en vint à se laisser convaincre que l'enrôlement volontaire ne saurait regarnir suffisamment les rangs de celles-ci, qui étaient alors embourbées au pied de la crête de Vimy. Indubitablement, il fallait passer à l'étape suivante et décréter la conscription. Borden le fit et l'annonça en juin 1917. Le projet fut adopté en juillet. Ce qui n'eut pas l'heur de plaire aux Canadiens français du Québec puisque les émeutes se multiplièrent à partir de ce moment fatidique. Le nationalisme s'y durcit donc. On ne parlait plus seulement des frères d'Ontario qu'il fallait sauver. Certains en vinrent même, comme ce fut le cas de Gordien Ménard de la Ligue des fils de la liberté, à déclarer que pour résister vraiment à la conscription, le Québec devrait peut-être en venir à quitter la Confédération.

Quant à lui, le député québécois de Lotbinière, Joseph-Napoléon Francoeur, présenta une résolution à l'Assemblée législative qui est devenue depuis célèbre : « Que cette Chambre est d'avis que la province de Québec serait disposée à accepter la rupture du pacte fédératif de 1867 si, dans les autres provinces, on croit qu'elle est un obstacle à l'union, au progrès et au développement du Canada ». On força évidemment Francoeur à retirer sa motion, mais il n'en demeure pas moins que celle-ci exprimait bien le ressentiment des Canadiens français à l'égard de l'attitude méprisante qu'avaient pour eux les Anglais du Canada.

La campagne conscriptionniste n'eut toutefois pas les résultats escomptés par les plus militaristes des impérialistes canadiens sans qu'il ne fut nécessaire de contraindre en plus les appelés à se présenter vraiment aux autorités militaires. Du premier lot de conscrits qui comptait quelques centaines de milliers d'individus, seulement une vingtaine de mille se présentèrent aux autorités. Les autres se fondirent dans la nature. Le gouvernement canadien dut donc recourir à la GRC et à des « spotters » pour les retracer. La chasse aux sorcières était commencée. Au Québec, cette chasse aux fuyards qui ne se déroulait jamais sans une certaine violence, pour ne pas dire une violence certaine, se doubla du racisme *canadian* à l'égard des Canadiens français et rendit par conséquent les opérations encore plus acerbes qu'elles ne l'étaient dans le reste du Canada. Les insultes fusaient, les coups pleuvaient et la situation au Canada s'envenimait plus que jamais depuis le début de ce conflit mondial.

En avril 1918, deux jeunes habitants de la ville de Québec qui se trouvaient dans une salle de quilles furent interpellés par des agents de la GRC. Ceux-ci voulaient connaître leur identité et donc vérifier leurs papiers. Le problème survint lorsqu'un des deux jeunes avoua qu'il n'avait pas sur lui ces fameux papiers. Il fut arrêté sans plus attendre et traîné de force au poste de recrutement le plus près. Lorsque la rumeur de cette arrestation eut suffisamment circulé dans la ville, un attroupement de Canadiens français rendus ainsi agressifs se fit devant le bâtiment qui abritait les forces conscriptionnistes. La foule en furie se mit à bombarder le bureau d'inscription militaire. Elle investit même le bâtiment pour en jeter les documents dans la neige. Les gens déambulèrent par la suite dans les rues de la haute-ville, en brisant les vitrines des marchands anglais. La ville de Québec en serait quitte pour quelques jours d'émeute.

Ottawa dépêcha immédiatement 700 soldats de Toronto à Québec sous le commandement d'un parfait collaborationniste, le général Lessard, qui avait participé à la répression des métis de Louis Riel (notre frère!) au Manitoba et qui s'était joyeusement enrôlé lors de la guerre des Boers. Cette fois, on lui demandait d'écraser les siens. Purement et simplement. Tâche qui ne le rebutait pas davantage que les précédentes. Les insoumis seraient donc rossés, selon le souhait du maître Anglais.

Au cours de la nuit du lundi de Pâques 1918, les soldats de Toronto patrouillaient les rues de la ville, insultant en anglais et bousculant les Canadiens français qui avaient le malheur de croiser leur chemin. Quatre ans de tension à cause d'une guerre et de la prétendue faible participation d'une minorité nationale alimentèrent évidemment la haine que ces Anglais, historiquement, éprouvaient pour les Canadiens français. Les habitants de Québec ne pouvant souffrir davantage cette soldatesque provenant d'outre-Outaouais, certains se mirent en tête de lui rendre la monnaie de sa pièce. On attendit donc que quelques-uns des soldats anglais soient confinés dans un square où on leur lança des balles de neige et des morceaux de glace. Apprenant que les troupes de Sa Majesté étaient ainsi soumises au « feu » de l'ennemi canadien-français, le haut-commandement de l'armée canadienne à Québec ordonna à ses soldats d'intervenir. Faisant face à des éléments jugés coupables, sans preuve aucune, tout simplement parce que tel était son sentiment, un officier anglais donna l'ordre de tirer pour tuer. Rien de moins! Les soldats *canadians* usèrent sans rechigner de leur mitrailleuse lourde pour décimer les rangs de l'ennemi. Il semble même qu'ils aient alors utilisé des balles « dum dum », interdites par le congrès de La Haye et fort utiles pour la chasse au gros gibier. Bilan : quatre morts qui n'avaient rien à voir avec les émeutes et 75 blessés.

Tout ça pour imposer aux Canadiens français une humiliante conscription qui ne rapporta jamais les résultats que le gouvernement canadien avait cru, au départ, atteindre par son truchement.

Si les Canadiens anglais, aux dires de l'historien Mason Wade, se gargarisaient de beaux discours favorables à la conscription, lorsqu'ils étaient convoqués pour service outre-mer, ils devenaient aussi froids face à cette perspective que ne l'étaient les Canadiens français. Eux non plus ne trouvaient pas tellement alléchante l'idée d'aller se faire geler des mois durant dans des trous boueux où la grippe et la pneumonie faisaient presque autant de ravages que les armes des hommes. D'ailleurs 3 000 soldats canadiens succombèrent à ces maladies durant ce conflit. Ce qui fait que sur un total de 83 355 conscrits, dont 47 509 furent envoyés en Europe, le Québec en fournit 19 050, ce qui représentait à peu près le poids qu'il avait dans la fédération. Et sur les 600 000 hommes que le Canada mobilisa en 1914-1918, 228 751 étaient nés en Angleterre. Ce qui fait qu'environ 371 249 Canadiens participèrent à cette guerre, dont 35 000 francophones ou 9,5%. Il faut toutefois savoir qu'au début du conflit, les autorités n'indiquaient pas si l'homme mobilisé était francophone ou anglophone, ce qui a eu pour effet de faire baisser drastiquement le pourcentage de francophones dans l'armée canadienne. Donc, pas vraiment de quoi fouetter un chat.

Si le Canada anglais s'en prit ainsi au Québec à cause de sa participation à la Première Guerre mondiale, cela relevait bien davantage du racisme latent qu'il avait à son égard depuis des décennies, voire des siècles, que des récriminations qu'il aurait pu avoir à son égard à cause de son prétendu faible enrôlement dans les armées de Sa Majesté. Si ses motivations n'avaient été vraiment que l'enrôlement, il aurait dû réserver le même traitement aux agriculteurs de l'Ouest, par exemple, eux qui refusèrent de façon tout aussi importante de s'engager que les Canadiens français en général. Mais ces agriculteurs étaient anglais. Les orangistes pouvaient donc accepter la chose plus facilement. Tout ce que ce nouvel épisode démontre, c'est que la Première Guerre mondiale n'a été qu'un nouveau prétexte pour les Anglais pour casser du *pea soup*, tout simplement.

Quelque 20 ans plus tard, le Canada anglais récidiverait à l'égard des Canadiens français à l'occasion de la Deuxième Guerre mondiale. Le premier conflit mondial n'ayant pas été assez coûteux (la dette du Canada est alors passée de 463 millions $ à 2,46 milliards $) et n'ayant pas suffisamment démontré que le Canada n'était qu'un satellite colonisé de l'Angleterre à qui il devait fournir hommes et matériel lorsque tel était le désir de l'Empire, voilà que les années trente et quarante devaient prouver une fois de plus que la philosophie à la base du *commonwealth* était bel et bien coloniale. Dès l'entrée en guerre de l'Angleterre en septembre 1939 après que l'Allemagne hitlérienne eût envahi la Pologne, le Canada déclara servilement qu'il ouvrait lui aussi les hostilités avec l'Allemagne. Nul doute, l'esprit de sir Laurier se faisait encore sentir quelque 20 ans après sa mort. D'ailleurs, l'ancien premier ministre du Canada Arthur Meighen, qui était alors sénateur, avait référé à Laurier pour donner son appui à l'entrée en guerre du Canada en 1939:

> Je n'ai jamais cru que le Canada avait l'autorité de décider si nous sommes en guerre ou non. Je n'ai pas changé d'avis. Nous faisons partie de l'Empire britannique ou nous n'en faisons pas partie, et nous savons que la première proposition est vraie. Nous ne pouvons être en paix quand la tête de l'Empire est en guerre. Le postulat de Laurier demeurera à jamais.

Et Meighen aurait pu dire la même chose du Québec. Quand le Canada est en guerre, le Québec qui fait irrémédiablement partie de la fédération doit participer avec la même intensité aux guerres de l'Empire britannique, lui qui l'a pourtant jadis écrasé sur les plaines d'Abraham, ce qui pourrait et devrait refroidir ses ardeurs. Mais pour obtenir une participation digne de ce nom du Québec à l'effort de guerre canadien, les fédéraux, le premier ministre libéral William Lyon Mackenzie King au premier chef, savaient qu'ils ne pouvaient répéter les mêmes erreurs qu'en 1914-1918. Et la première erreur aurait été de laisser planer la perspective d'une seconde conscription, elle qui fit tant de ravage au Canada de 1914 à 1918. Mackenzie King le savait pertinemment. Et c'est pourquoi il promit aux Canadiens français, et deux fois plutôt qu'une, qu'il n'y aurait pas de conscription d'imposée au Canada au cours de ce nouveau conflit mondial :

> La mobilisation de nos forces vives est uniquement et exclusivement pour la défense du Canada sur notre propre territoire… Les engagements solennels que j'ai souventes fois pris au Parlement, je les ai publiquement répétés l'autre jour dans la même enceinte. Le gouvernement ne présentera pas de mesure de conscription des Canadiens pour le service outre-mer.

Ou encore :

> Je veux maintenant répéter un engagement que j'ai pris au Parlement, au nom du Parlement, le 30 mars dernier. Le présent gouvernement est convaincu que la conscription des hommes pour le service outre-mer ne sera pas une mesure nécessaire ni efficace. Aucune mesure semblable ne sera présentée par l'administration présente.

Que de beaux discours, en effet! Mais des discours qui n'ont aucun poids face aux demandes de Londres. Et ces demandes concernèrent tout d'abord l'envoi de matériel, et ce, parce que l'Angleterre avait plus que jamais besoin de ses dominions pour lui procurer les armes nécessaires à la victoire. Le hic était que le Canada n'était nullement prêt à satisfaire pareille demande en 1939. Le général McNaughton, chef de l'état-major, le confirma d'ailleurs : « Sauf pour les fusils et les balles qui nous viennent en partie de la Grande Guerre (1914-1918), nous n'avons aucun stock de réserve. »

Qui plus est, l'art de la guerre avait considérablement changé en l'espace de seulement quelques années et l'équipement du Canada ne convenait plus vraiment. Les Français découvriront durement qu'on ne pouvait plus aborder la guerre en ces années comme il était possible de le faire seulement quelques décennies auparavant. La ligne Maginot, puisant son inspiration dans les tranchées de 1914-1918 et qui se voulait l'arme ultime de la France contre ses envahisseurs, ne fut d'aucune utilité à l'époque du blitzkrieg allemand. La France fut par conséquent écrasée par l'Allemagne en quelques jours seulement. Il fallut donc réinventer les stratégies militaires et se doter de nouvelles armes pour faire face à l'ennemi.

Pourvoyeur de l'Empire qu'il était, le Canada dut donc fabriquer une pléthore d'armes nouvelles. On pense entre autres aux chars d'assaut qui furent d'une importance capitale au cours de la Deuxième Guerre mondiale. Les usines canadiennes fonctionnaient alors à plein régime. Pour payer tous ces nouveaux équipements, le fédéral comprit rapidement qu'il n'aurait d'autre choix que de se retourner vers les provinces, car l'argent vint à manquer rapidement. Pour financer l'économie de guerre, le gouvernement de Mackenzie King mit la main, en 1941, sur les pouvoirs et les revenus provinciaux de taxation et d'imposition des individus et des sociétés. Le premier ministre du Québec, Adélard Godbout, fut tellement timoré lors des rencontres concernant cet épineux sujet que c'est le premier ministre Hepburn de l'Ontario qui se fit le défenseur des droits du Québec… Le fédéral promit de remettre ces pouvoirs après la guerre aux provinces, ce qui ne fut jamais vraiment fait, évidemment. L'impact de ce transfert de pouvoir fut non négligeable. Si en 1933, 47,7 % des taxes payées par les Québécois tombaient dans les coffres d'Ottawa, alors que Québec en obtenait une part de 10 % et les municipalités 42,3 %, en 1945, à la fin de la guerre, le fédéral pouvait se frotter les mains d'aise car il recueillait maintenant 82,8 % des taxes payées par les Québécois. L'État provincial du Québec, quant à lui, n'en amassait plus que 7,3 % et les municipalités 9,9 %. Grâce à ce larcin, le fédéral renfloua annuellement ses coffres de près d'un milliard $ et plaça les provinces dans une position intenable parce qu'elles étaient totalement à sa merci.

Maintenant qu'Ottawa contrôlait en bonne partie les ressources financières du Québec qui pouvaient ainsi lui servir à se constituer un arsenal digne de ce nom, il lui fallait de la chair à canon qu'elle pourrait fournir obséquieusement à Londres. Tout comme en 1914-1918, et malgré les promesses d'un certain premier ministre, le spectre de la conscription planait au-dessus du Canada, alimentant généreusement les rumeurs les plus folles. Et tout comme lors de la Première Guerre mondiale, le Québec s'opposait farouchement à tout projet conscriptionniste. Les Jeunesses patriotes au sein desquelles militait Michel Chartrand publièrent un manifeste pour dénoncer l'idée même de la conscription : « La jeunesse canadienne-française préfère vivre librement dans son vieux Québec français que d'aller mourir au service d'une confédération antifrançaise et plus britannique que canadienne ». De tels propos reflétaient une bonne partie de l'opinion publique du Québec. Pour imposer la conscription, le Canada devrait donc marcher sur des œufs et trouver le moyen de ne pas mettre le feu aux poudres au Québec.

En juin 1940, la France capitula face à l'Allemagne nazie. Hitler imposa aux autorités françaises, de façon à les humilier encore davantage, de signer l'armistice dans le même wagon où l'Allemagne fut contrainte de signer sa reddition en 1918. L'heure était grave, l'un des principaux acteurs du camp allié, la France, n'étant plus en mesure de combattre, Mackenzie King comprit dès lors que le Canada devrait fournir un effort de guerre encore plus important, ce qui signifiait l'envoi d'un plus grand nombre de soldats en Europe. Pour y parvenir, la conscription lui apparaissait un passage obligé :

La vérité brutale, c'est que la défaite de la France a beaucoup rapproché le Canada de la guerre. Les îles britanniques sont menacées d'une invasion; ce n'est pas une lointaine possibilité, mais un péril imminent. Il est aujourd'hui tout à fait manifeste que de nouvelles mesures, tant pour l'aide à la Grande-Bretagne que pour la défense du Canada, sont nécessaires. Un projet de loi sera présenté sans délai en cette Chambre pour conférer au gouvernement des pouvoirs extraordinaires lui permettant de mobiliser toutes les ressources en hommes et en matériel pour la défense du Canada. Quant à la mobilisation des effectifs en hommes, elle sera destinée uniquement et exclusivement à la défense du Canada sur son propre sol et dans ses propres eaux territoriales. Elle permettra au gouvernement d'assurer l'utilisation la plus efficace de nos ressources en hommes pour les divers besoins de la guerre mécanisée moderne.

Mackenzie King prenait des gants blancs pour parler de conscription en faisant valoir que les hommes appelés ne seraient jamais envoyés outre-mer, mais au Québec, les gens n'étaient pas dupes. Ils avaient depuis belle lurette compris que le fédéral espérait décréter un jour ou l'autre cette conscription qu'ils avaient tant en horreur. Ils en avaient une nouvelle preuve avec ce discours de Mackenzie King qui venait contredire les promesses qu'il avait auparavant faites au Québec au sujet de la conscription. Pour l'heure, les Québécois de 16 à 60 ans étaient obligés de s'enregistrer pour le service militaire obligatoire sur le sol canadien. Camillien Houde, maire de Montréal, s'insurgea contre cette mesure qu'il décrivait comme le prélude à la conscription totale et sans condition :

> Je me déclare péremptoirement contre l'enregistrement national qui est, sans aucune équivoque, une mesure de conscription et le gouvernement fraîchement élu, en mars dernier, a déclaré par la bouche de tous ses chefs, de M. King à M. Godbout, en passant par MM. Lapointe et Cardin, qu'il n'y aurait pas de conscription dans quelque forme que ce soit. Le Parlement, selon moi, n'ayant pas mandat pour voter la conscription, je ne me crois pas tenu de me conformer à ladite loi et je n'ai pas l'intention de m'y conformer et je demande à la population de ne pas s'y conformer, sachant ce que je fais et ce à quoi je m'expose. Si le gouvernement veut un mandat de conscription, qu'il revienne devant le peuple et sans le tromper, cette fois.

Houde devait payer chèrement cette sortie destinée à dénoncer la duplicité des *Canadians*. Il fut enfermé au camp de concentration de Petawawa, là où il côtoya pendant quatre ans des fascistes, des espions et des citoyens canadiens d'origine nippone, italienne ou allemande dont plusieurs étaient aussi peu coupables de quoi que ce soit qu'il ne l'était lui-même. Jamais il ne se rétracta pour ce qu'il avait dit ce fameux soir de 1940.

Mais Camillien Houde ne fut pas le seul à dénoncer les velléités conscriptionnistes du fédéral. En fait, au fur et à mesure qu'il devenait évident que le fédéral s'en allait vers une conscription totale, ils furent de plus en plus nombreux à lui emboîter le pas au Québec. Lorsqu'en 1942, Mackenzie King se sentit assez solide pour annoncer enfin qu'un plébiscite serait tenu le 27 avril 1942, de façon à le délier d'une promesse qu'il avait faite aux Québécois, et aux Québécois seulement, l'opposition se déchaîna au Québec. Elle se déchaîna d'une part parce que le Québec avait toujours été, et il l'était toujours autant, contre tout projet de conscription, mais aussi parce que le fédéral avait le culot de demander à tous les Canadiens de le libérer d'une promesse faite aux Québécois. Dès les premiers mois de 1942, un groupe de néonationalistes québécois mit sur pied la Ligue pour la Défense du Canada. Dans ses rangs, on retrouvait encore une fois Michel Chartrand, mais aussi Georges Pelletier, directeur du *Devoir*, André Laurendeau, Maxime Raymond, Gérard Filion, Jean Drapeau, etc. Cette ligue comptait inviter les Québécois à voter Non lors du plébiscite auquel on avait accolé une question qui était tout sauf claire : « Consentez-vous à libérer le gouvernement de toute obligation résultant d'engagements antérieurs restreignant les méthodes de mobilisation pour le service militaire? ».

Les bâtons que les Anglais mirent dans les roues de la Ligue furent nombreux. De la censure radio-canadienne qui refusa de donner gratuitement du temps d'antenne à la Ligue alors que les tenants du Oui y avaient droit, aux rixes survenant lors des assemblées qui étaient noyautées par des éléments anglais anti-Québec, les porte-parole de la Ligue pour la Défense du Canada durent faire des pieds et des mains pour se faire entendre le moindrement. Mais peu leur importait, puisqu'ils savaient que la cause qu'ils défendaient était noble. Ils ne comptaient certainement pas baisser les bras parce qu'Ottawa n'acceptait pas leur discours qui était destiné à démontrer toute la duplicité dont les *Canadians* étaient capables lorsqu'il s'agissait d'imposer leurs diktats au Québec. Et ils espéraient bien profiter de toutes les tribunes qu'ils avaient à leur disposition pour diffuser leur message anti-conscriptionniste. Député fédéral qu'il était, le chef de la Ligue Maxime Raymond put, lui, se faire entendre mieux que ses collègues, et ce, parce qu'il pouvait le faire dans l'enceinte du Parlement, là où les journalistes surveillaient les moindres faits et gestes des députés

> Nous ne sommes pas séparatistes, mais qu'on ne nous oblige pas à le devenir. Nous voulons bien habiter dans la même maison, mais il faut que la maison soit habitable pour tous. Nous sommes partisans de l'unité nationale, mais suivant certaines conditions équitables, et quand nos conditions sont fixées d'avance et acceptées, nous demandons qu'on les observe. Et je crains que les Deux-Cents de Toronto, qui font de l'agitation pour le service outre-mer, en violation du pacte de septem-

bre 1939, soient en train de forger les clous qui serviront à sceller le cercueil de l'unité nationale et, peut-être, de la confédération.

Les résultats que le gouvernement pouvait compter obtenir via cette consultation populaire étaient plus que prévisibles. Tous savaient que le Canada anglais appuierait massivement la requête de Mackenzie King, une façon comme une autre de servir un nouveau camouflet au Québec, alors qu'il était certain que les Canadiens français voteraient massivement Non. Et tel fut le cas. Au Canada anglais, le Oui obtint 73,7 % des appuis, alors qu'au Québec, le Non obtint 71,2 % des votes. Et si l'on ne tient compte que du vote des francophones, on obtient alors un appui québécois au Non qui dépasse les 85 %. Presque l'unanimité donc! La conscription fut votée en Chambre le 23 juillet 1942. Afin de calmer le jeu, Mackenzie King déclara : « Pas nécessairement la conscription, mais la conscription si nécessaire ». Et bien que le servile libéral Adélard Godbout avait antérieurement promis qu'il serait prêt à quitter son parti et « même à le combattre » si un seul Canadien français était envoyé contre son gré en Europe, celui-ci n'en fit rien. Pour que le Québec se débarrasse d'un tel politicien aux promesses qui n'étaient bien souvent que du vent, il fallut le retour au pouvoir de Maurice Le Noblet Duplessis en 1944…

La seconde crise de la conscription démontra encore une fois que le Québec ne serait jamais considéré autrement que comme une colonie au sein du Canada, une colonie dont l'opinion ne pèse pas lourd face aux volontés des Orangistes du Canada anglais. Ce second conflit mondial, qui fit passer la dette du Canada de 5 milliards $ à 18 milliards $, dont environ 3,25 milliards $ furent assumés par le Québec (le Québec dut emprunter quelque 750 millions $ pour l'effort de guerre canadien), fut une nouvelle fois l'occasion pour les *Canadians* de dénigrer les Canadiens français et le Québec et d'exploiter leurs richesses au nom de l'Empire.

À l'instar de ce qui se produisit en 1914-1918, les politiciens, les médias et bon nombre de citoyens du Canada anglais accusèrent les Canadiens français de trahison parce qu'à leurs yeux ils n'avaient pas fourni le même effort de guerre que les Anglais du Canada. Si les volontaires canadiens-français furent en nombre quelque peu moins important à s'enroler que ceux du Canada anglais (ils constituèrent tout de même 19 % des troupes canadiennes), il n'en demeure pas moins qu'en ce qui concerne les conscrits, les Canadiens français représentèrent 40 % de ceux-ci, ce qui représentait plus que leur poids dans la fédération canadienne donc. Qui plus est, on retrouvait les Canadiens français presque exclusivement dans l'infanterie. La marine et l'aviation étaient réservées aux Anglais. Toutes sortes d'obstacles étaient sciemment développés par la direction militaire de l'armée canadienne pour que les Canadiens français tentés par l'aviation et la marine ne puissent jamais être acceptés. Les seuls Canadiens français dont la candidature était retenue par l'aviation ou la marine se voyaient confier des postes d'hommes d'entretien.

Or, il est clair que les missions dévolues à l'infanterie sont à peu près toujours plus périlleuses que celles qu'on confie aux aviateurs et aux marins. Surtout lorsque les unités sont constituées de colonisés et que les officiers sont issus de la métropole coloniale. Un peu comme cela s'est produit lors du débarquement de Dieppe en août 1942. Sur les 6 000 soldats alliés que Lord Mountbatten a fait débarquer sur les plages de Dieppe, 5 000 étaient canadiens, dont une forte proportion de Canadiens français formant les rangs des fusiliers Mont-Royal et du Royal 22e régiment. Pour tester les défenses ennemies, sans que le succès de la mission ne soit possible, tous le savaient dès le départ, il fallait que la chaire à canon ne soit pas d'une trop grande valeur, et ce, parce que rares seraient ceux qui reviendraient indemnes en Angleterre. De fait, sur les 6 000 hommes qui mirent le pied sur les plages de Dieppe, 3 000 furent tués, blessés ou faits prisonniers. Après ça, Mountbatten eut le front de dire que « pour un soldat tombé à Dieppe, dix furent sauvés sur les plages de Normandie ». Autrement dit, la chair de colonisés devait permettre de sauver les vrais soldats de Sa Majesté dans les autres opérations d'importance : l'Italie, l'Afrique du Nord, la Sicile, etc. Sur les plages de Dieppe, les colonisés du Canada furent ni plus ni moins considérés comme de vulgaires tirailleurs indigènes, et les Québécois encore plus que les autres puisqu'ils subissaient deux niveaux de colonialisme : le colonialisme britannique et *canadian*. Mais à quel autre rôle peut s'attendre un colonisé dans l'armée de son conquérant si ce n'est celui de soldat sans importance qu'on se doit de sacrifier avant les militaires de race noble?

Les soldats du Québec engagés dans l'armée canadienne durent encore participer à quelques conflits après la Seconde Guerre mondiale en défendant les intérêts du bloc anglo-saxon mondial. La guerre de Corée de 1950 à 1953 et la guerre du Golfe persique en 1990 furent les principaux. Si le Québec avait été indépendant toutes ces années durant, ces mêmes militaires auraient été incorporés dans l'armée du Québec, là où ils n'auraient subi aucune discrimination à cause de leur origine ethnique et où ils auraient pu travailler dans leur langue, chose impossible dans les régiments de l'armée canadienne, même ceux formés en majorité par des Canadiens français. L'armée québécoise aurait pu appuyer bien davantage les positions du bloc francophone mondial au lieu que les soldats québécois de l'armée canadienne claquent des talons au moindre ordre provenant de Londres, Ottawa ou Washington. Au cours de la Deuxième Guerre mondiale, cela aurait pu signifier un appui solide à la France libre du général De Gaulle, elle qui dut se battre bec et ongles pour s'imposer à Churchill et Roosevelt qui préféraient reconnaître plutôt la collaborationniste France de Vichy comme véritable autorité française après la capitulation de 1940. Les États-Unis envoyèrent même William Leahy à Vichy afin d'agir à titre d'ambassadeur auprès du gouvernement de Philippe Pétain. Aujourd'hui, l'armée québécoise pourrait apporter son appui à la France qui tente de défendre les intérêts francophones en Afrique, en s'opposant au bloc anglo-saxon qui tente par tous les moyens de mettre la main sur cette région du monde qui recèle les dernières réserves importantes de pétrole encore à découvrir.

Quoi qu'il en soit, le mouvement indépendantiste devra tôt ou tard effectuer une véritable réflexion eu égard à ce que seraient les politiques de défense dans un Québec souverain. Depuis le 11 septembre 2001, le monde a changé. Les Américains sont désormais engagés dans une vaste opération à l'échelle mondiale afin de débusquer des terroristes qui se révèlent fort utiles lorsque vient le temps de mettre la main sur le pétrole du Proche-Orient. Voisin immédiat des États-Unis, est-ce que le Québec indépendant pourrait se confiner, comme bon nombre d'indépendantistes l'ont garanti des années durant, dans une approche strictement pacifiste? Ou est-ce que ce même Québec indépendant ne subirait pas, au même titre que le Canada, les retorses pressions des Américains pour participer à leur folle croisade militaro-économico-religieuse? Est-ce qu'un Québec souverain serait contraint d'accepter que les Américains lui placent un bouclier antimissile au dessus de la tête? Considérant qu'il est plus qu'évident que la question de la défense dans un Québec souverain sera un argument de poids pour convaincre le voisin américain et ses alliés que nous avons notre place à la table des nations libres, nul doute que le mouvement indépendantiste devra y songer sérieusement dans les années à venir[61].

5) Conquérir pour exploiter : les Anglais volent les ressources naturelles du Québec

En fomentant expéditions par dessus expéditions pour terrasser la Nouvelle-France, les Anglais souhaitaient certes mettre fin à la menace que représentaient pour eux ces Français du Nord, eux qui ne lésinaient jamais sur les moyens pour assurer le respect de ce qu'ils considéraient comme leurs prérogatives. Mais en terrassant la Nouvelle-France et en érigeant une nouvelle colonie britannique sur ses ruines, les Anglais espéraient aussi s'enrichir encore plus en possédant un continent dans sa quasi globalité. En supplantant l'ancienne élite économique française, suite logique de la Conquête de 1760, les nouveaux marchands anglais de la vallée du Saint-Laurent sont parvenus à atteindre de tels objectifs. Ils parvinrent à mettre la main sur un pays en gestation, pour en exploiter efficacement et à leur propre profit les ressources naturelles qui s'y trouvaient et les gens qui y habitaient.

À l'instar de celui qui fut professeur à l'Université d'Ottawa dans les années 1980 et au début des années 1990, François Moreau[62], nous pourrions dire que le Canada fut construit sur la base de la hiérarchisation des nations. C'est d'ailleurs toujours de cette façon que se construit un régime colonial. En Amérique latine, les Espagnols détruisirent les anciennes hiérarchies indiennes pour imposer un nouvel ordre social au sein duquel les Indiens se retrouvèrent bien sûr à la base. Cette distinction hiérarchique sur ce continent contribua même à la création de deux ordres de gouvernement, ou plutôt deux républiques : une pour les

Espagnols et une pour les Indiens. Il faut comprendre que si le colonialiste apprécie la possibilité d'exploiter sans vergogne son colonisé, il ne désire tout de même pas vivre à ses côtés. Il lui faut donc inventer des cloisons étanches qui séparent les hommes des sous-hommes.

Grands vainqueurs de la guerre que se livrèrent en Amérique la France et l'Angleterre, les *Canadians* furent les maîtres d'œuvre de la création canadienne que l'on voulut « nationale » et au sommet de laquelle ils devaient évidemment siéger. Comment aurait-il pu en être autrement? Aux Autochtones, ces anciens possesseurs du pays en devenir, les *Canadians* réservèrent les échelons inférieurs de la société. Le Canada devait leur faire « don » de réserves indiennes qui ne furent rien d'autre que des laboratoires propres à entretenir perpétuellement la déliquescence d'un peuple. *Un génocide en douce* pourrait en dire Pierre Vadeboncoeur, lui qui a utilisé à l'origine cette expression pour parler du peuple québécois soumis au colonialisme *canadian*. Parqués dans leurs réserves, les Amérindiens se retrouvèrent sans droit, avec un statut citoyen équivalent à celui d'un mineur, ce qui leur interdisait bien évidemment de voter. Quant à eux, les Canadiens français se virent attribuer une position par le Conquérant se situant entre les deux. En rien maîtres de leur destin, ils n'étaient pas non plus relégués à la lie de la société comme ces Amérindiens qui participèrent jadis à la défense de la Nouvelle-France. À cause de la force du nombre, les *Canadians* durent faire quelques concessions aux parlants français qui partageaient bien malgré eux le territoire qui hier encore leur appartenait dans sa totalité.

En 1867, les pères de la Confédération en vinrent à la conclusion qu'un modèle fédéral de tendance centralisatrice serait la meilleure des solutions pour assurer ici le développement efficace d'un régime d'exploitation. Les *Canadians* contrôleraient pleinement l'État fédéral qui, au fil des ans, serait en mesure de gruger toujours davantage les pouvoirs des paliers inférieurs que sont les provinces et les villes. Les Canadiens français devraient eux se satisfaire de la simple possession d'un État provincial dont les pouvoirs n'étaient en rien comparables à ceux du palier fédéral. L'historien Michel Brunet a dit de l'Acte de l'Amérique du Nord britannique qu'il « réduisait les provinces à de simples unités administratives dénuées de prestige[63] ». On pourrait dire aussi que ces dernières n'étaient que de grandes municipalités sous la tutelle du gouvernement central ou « national » comme aimait le répéter – on peut se l'imaginer – John A. MacDonald. Cette hiérarchisation des nations issue de 1867 officialisait le système d'exploitation que les Anglais avaient érigé ici, dès les lendemains de la Conquête de 1760. Politiquement ou socialement, les Canadiens français devaient être exploités par les *Canadians*, tel était le but du système. Les objectifs furent atteints, c'est l'évidence même!

Pour les Canadiens d'expression française, la Conquête devait tout d'abord signifier la mise à mort du système économique qu'ils avaient jusque-là développé avec l'appui de la France et de ses marchands. Suivant au pas l'armée britannique, des marchands anglais et écossais s'installèrent dès 1760 au cœur de la vallée du Saint-Laurent afin de mettre la main sur les industries des pelleteries et de la pêche, elles qui constituaient les activités les plus lucratives du temps de la Nouvelle-France. Ces marchands anglo-écossais n'eurent aucun mal à supplanter ce qui pouvait subsister de de l'économie franco-canadienne dans ce Québec en devenir. D'une part, parce que les marchands francophones qui avaient pris la décision de demeurer ici et de ne point suivre la majorité des élites tant politiques qu'économiques et qui, elles, rentrèrent en France après la Conquête, avaient perdu tous leurs contacts avec cette même France. Comment cela fut-il possible? Cela fut ainsi parce que le nouveau maître des lieux leur imposa de transiger avec Londres uniquement et non plus avec Paris. Ce qui revient à dire que les commerçants francophones dûment établis ici antérieurement à la défaite française sur les Plaines d'Abraham durent pratiquement recommencer leur carrière à zéro, dans une langue, en plus, qu'ils ne maîtrisaient pas… Dire qu'ils étaient – enfin, les plus importants d'entre eux – condamnés à la faillite à plus ou moins brève échéance relève quasiment de l'évidence. Surtout lorsque l'on sait que les marchands anglo-écossais profitèrent abondamment des largesses du nouveau régime britannique qui lui accordait des contrats et des capitaux auxquels les marchands francophones n'auraient même jamais pu rêver. Ce qui démontre bien que Woodrow Wilson avait raison lorsqu'il affirmait qu': « un pays est possédé et dominé par le capital qu'on y a investi ».

Le cas de Samuel Jacobs en est un bon exemple. Arrivé au Québec dès les lendemains de la victoire anglaise de 1759, Jacobs s'établit dans la vallée du Richelieu où il devint l'un des principaux marchands du coin. Il y possédait un réseau de magasins spécialisés dans la vente de vêtements, de quincaillerie et de rhum. Lorsque la Révolution américaine éclata, Jacobs fut nommé commissaire général adjoint et responsable de ravitailler les soldats britanniques pour l'armée de Sa Majesté. En quelques années seulement, il devint riche comme Crésus.

L'élimination des commerçants francophones fut particulièrement radicale en Gaspésie, là où l'essentiel des activités de pêche s'effectuait. Au temps de la Nouvelle-France, la Gaspésie était sous contrôle de riches entrepreneurs français de Québec comme Denis Riverin ou Pierre Haimard. Ceux-ci faisaient des affaires fort lucratives avec des navires en provenance de Saint-Malo et Granville et qui alimentaient en poissons le bassin méditerranéen. Avec la Conquête, ces commerçants perdirent leurs positions privilégiées et durent céder, bien malgré eux, leur marché à des familles originaires des îles de la Manche, Jersey en particulier. Les Robin furent très certainement les plus connus d'entre eux. Rapidement, ils parvinrent à développer un système leur permettant d'exporter 16 000 livres sterling de morue annuellement et ils construisirent d'importants chantiers navals qui contribuèrent eux aussi pleinement à leur richesse. À l'époque, un Anglais moyen gagnait environ six livres sterling par année, ce qui donne une idée de la richesse ainsi accumulée par les exploiteurs jerseyais de Canadiens français.

Mais l'enrichissement débridé des Robin reposait aussi sur l'exploitation des 5 000 colons francophones de la région qui étaient, qu'ils le voulaient ou pas, soumis à leur monopole. En effet, pour effectuer leurs achats de biens de tous les jours, les colons n'avaient d'autre choix que d'aller dans les commerces des Robin puisqu'il n'y en avait point d'autre. Mais aussi parce que ces derniers, au lieu de payer en argent sonnant et trébuchant les gens de la région qui étaient à leur emploi dans l'industrie de la pêche, faisaient du troc avec eux. En lieu et place d'une paie en bonne et due forme donc, les pêcheurs obtenaient du crédit pour du matériel qu'ils devaient se procurer obligatoirement dans les magasins des Jerseyais. Une telle pratique digne du féodalisme moyenâgeux perdura en Gaspésie jusque dans les années 1940-1950!

Dans le secteur des fourrures, qui constituaient le produit le plus exporté du Québec, certains Canadiens purent, pendant un temps, conserver leur emploi après la Conquête. En fait, jusque dans les années 1780, le commerce des fourrures ne subit pas vraiment de transformations en profondeur. Les marchands francophones connaissaient bien le système en vigueur et purent, malgré les bâtons dans les roues que leur mirent les Anglais, tirer relativement bien leur épingle du jeu. Cela dura jusqu'à ce que les trafiquants d'Albany affluèrent en grand nombre dans la colonie après l'Acte de Québec de 1774. La compétition devint alors de plus en plus féroce, et pour y faire face, il fallait aller chercher les fourrures de plus en plus loin. Évidemment, de telles expéditions étaient très coûteuses. Les marchands francophones qui ne bénéficiaient pas du même soutien financier que leurs compétiteurs anglophones durent rapidement baisser pavillon comme l'avait fait Lévis à Montréal en 1760. Le marché de la fourrure appartenait alors complètement à des marchands anglophones comme Robert Ellice, John Forsyth ou John Richardson, eux qui étaient appuyés par d'importantes compagnies anglaises qui leur fournissaient les capitaux nécessaires à d'importantes expéditions. Évidemment, ces mêmes compagnies n'auraient jamais accordés de capitaux à des Canadiens.

Ce premier groupe de marchands anglophones s'allia en plus avec d'autres marchands de Montréal tels Simon McTavish, William McGillivray et John Frobisher pour fonder la *North West Company*, ce qui décupla de façon extraordinaire leur pouvoir économique. Grâce à l'exploitation de trappeurs autochtones et de voyageurs canadiens-français, ceux-ci firent très rapidement fortune. Pour la seule année 1791, ils investirent 16 000 livres sterling dans l'exploitation des fourrures au Canada, et obtinrent 88 000 livres sterling pour leurs produits sur le marché londonien. À sa mort, Simon McTavish laissa une succession de 125 000 livres sterling, ce qui représenterait aujourd'hui une somme avoisinant les 525 millions $. Comme bien d'autres anglophones bien nantis, il possédait sa seigneurie et exploitait sans remords les paysans qui habitaient ses censives, leur exigeant des redevances toujours plus importantes, et ce, même s'il n'en avait absolument pas besoin. Autre preuve, s'il en fallait une, que le colonialiste n'est jamais tendre à l'égard de son colonisé.

À la fin du XVIIIe siècle et au début du XIXe, l'essentiel du capital et des moyens de production du Québec était aux mains des anglophones. La dépossession subie par les Canadiens après la Conquête était maintenant à peu près complètement réalisée. Pour appuyer leur développement économique, les marchands anglais pouvaient en plus compter sur l'appui de quelques banques qui étaient elles aussi contrôlées par des Anglais. Ces banques n'hésitaient jamais avant d'appuyer l'un des leurs dans ses projets. *The Montreal Bank* fondée en 1817 et *The Quebec Bank* fondée en 1818 furent les principaux pivots de ce capital anglophone au début du XIXe siècle. Mais elles ne furent point les seules.

Tout le long du XIXe siècle, les anglophones du Québec comprirent que les banques constituaient un rouage important de la réussite économique. Ils en mirent donc une pléthore sur pied, la *Merchants Bank* par exemple. Fondée par le richissime Hugh Allan, cette banque servit fort bien son créateur. De fait, Allan utilisa l'argent de sa celle-ci pour financer fort généreusement ses autres compagnies! Faire fortune en affaire dans de telles circonstances relève du jeu d'enfant!

Parce que toutes les banques anglophones refusaient de prêter aux Canadiens français (il ne fallait surtout pas leur laisser la chance de se redresser économiquement), ces derniers se regroupèrent et tentèrent de fonder leurs propres banques. Ils espéraient ainsi être en mesure de compétitionner un tant soit peu ceux qui possédaient maintenant tout. L'entreprise s'avéra périlleuse pour bien des raisons, mais surtout parce que les Anglais pesèrent de tout leur poids pour provoquer l'effondrement de ces banques francophones. Le colonialisme imposait que la minorité demeure soumise, et ce, en tout temps et dans tous les secteurs d'activité. Et pour être pleinement soumise, celle-ci devait être pauvre. Des sept banques canadiennes-françaises a avoir été créées au XIXe siècle, seulement deux existaient toujours au début du XXe siècle et elles étaient tout autant marginales que moribondes. Il fallut attendre la création, en 1901, du mouvement des Caisses Desjardins pour que les Canadiens français puissent bénéficier eux aussi d'une organisation financière dans le succès de leurs affaires.

À partir de la seconde moitié du XIXe siècle, c'est l'industrie du bois, florissante comme pas une, qui devint la plus importante en terre Québec. Et ce secteur d'activité, tout comme ce fut le cas avec les pelleteries et les pêcheries, fut dominé et contrôlé totalement par de riches Anglais. Possédant un avantage non négligeable, c'est-à-dire des capitaux en abondance, les marchands anglais purent se jeter sur cette industrie comme la misère sur le pauvre monde. À cause du soutien des banques anglophones qu'obtenaient encore une fois ces marchands anglais, et les terres de la couronne qui leur furent concédées par le pouvoir politique à des conditions plus qu'avantageuses, les francophones ne pouvaient pas espérer obtenir une partie du butin que constituaient les forêts du Québec. Ils durent prendre leur mal en patience et accepter de n'être, pour le moment, que du *cheap labor*. Cela leur permit au moins d'obtenir quelques miettes dans l'exploitation que les Anglais effectuaient de leurs forêts. Le plus illustre des marchands anglais s'étant investi dans le bois fut sans conteste William Price, le prince noir du Saguenay.

Arrivé au Canada en 1810, ce dernier fut choyé comme pas un par Londres. Dès 1833, il se vit accorder le mandat de fournir le bois équarri devant servir à la construction des navires de l'imposante marine britannique. Plus de 100 bateaux remplis de bois du Québec et appartenant à Price larguaient chaque année les amarres pour aller porter en Angleterre le précieux produit dont les Anglais avaient besoin pour entretenir leur supériorité sur les mers. C'est principalement dans la région du Saguenay-Lac-Saint-Jean que Price s'approvisionnait. Ce contrat lui rapporta, à lui et ses associés, à peu près 200 000 livres sterling par année, ou environ 833 millions $ en argent d'aujourd'hui. Dans les années 1840, on estime qu'il contrôlait à peu près 19 940 kilomètres carrés de réserves forestières qui lui avaient aussi été concédés pour une bouchée de pain par un pouvoir politique fort bien disposé à son égard. Entre frères de sang, on s'entraide!

L'empire que Price créa dans cette région du Québec donnait du travail à environ 12 000 colons, une main-d'œuvre qui était totalement dépendante des maigres salaires que le grand seigneur leur allouait pour survivre, ce qui accroissait d'autant leur dépendance et leur soumission à son égard. Rien pour lui déplaire! Dans de telles circonstances, il n'y a rien d'étonnant à apprendre que Price se soit comporté comme le pire des salauds envers les Canadiens français. Sa biographe, Louise Dechêne, a d'ailleurs dit de lui : « William Price gouvernait la région; charitable envers ses employés dociles, il pouvait être sans pitié pour ceux qui contestaient son empire ». À l'instar des Robin en Gaspésie, Price-le-châtelain se permit de rétribuer la plupart de ses employés par le troc; les employés recevant, en guise de paie, des coupons seulement échangeables dans les magasins de sa compagnie! Comment ne pas réussir en affaires dans de telles conditions?

Après les fourrures, le poisson, les forêts, restait plus que le sous-sol à exploiter pour vraiment mettre à sac ce territoire canadien-français conquis par la force des armes. Et les Anglais ne négligèrent pas cette autre importante source d'enrichissement, loin s'en faut. Sauf que dans ce cas bien précis, l'exploiteur du Canadien français changea en bonne partie d'origine. De Canadien anglais, il devint principalement américain. Ce qui a pu pousser Marcel Rioux à imaginer la formule suivante :

> On sait que le Canada est dominé économiquement par les États-Unis; le Québec, lui, est non seulement dominé par les États-Unis mais par le Canada anglais lui-même. De sorte que si les entreprises canadiennes vivent des miettes de l'industrie américaine, les entreprises francophones du Québec vivent des miettes des miettes[64].

Il est vrai que les gouvernements du Québec formés par les libéraux de Lomer Gouin (1905-1920) et de Louis-Alexandre Taschereau (1920-1936) ont fortement encouragé les Américains à investir au Québec. Pour ce faire, ils vantèrent la richesse infinie des ressources naturelles que l'on trouvait ici; ils ont établi un régime fiscal très peu exigeant pour les grandes compagnies; ont limité le rôle de l'État dans les affaires; et ont entretenu une attitude docile chez la main-d'œuvre qui devait accepter sans broncher de se laisser exploiter par les étrangers. Face à un tel paradis où pillage rimait avec activité économique, comment des entrepreneurs américains auraient-ils pu résister? Ils ne le purent point et la dépossession économique des Québécois s'accrut conséquemment d'un cran.

Au début du XXe siècle, les activités minières prirent de plus en plus d'importance et la richesse du sous-sol d'ici fit du Québec l'un des principaux paradis miniers à l'échelle terrestre. L'or et le cuivre du Québec, en particulier, suscitèrent bien des convoitises. Mais encore une fois, le Canadien français n'y avait point droit. L'enrichissement provenant de l'exploitation minière devait être aussi réservé aux bipèdes parlant anglais. Et cette fois, ce devait être le tour de l'Abitibi de goûter les fruits amers de l'asservissement et de l'exploitation. Les Anglais installèrent dans cette dernière région leur principale compagnie, la *Noranda Mines*, elle qui fit exploser l'exploitation de l'or et du cuivre au Québec. En 1910, l'exploitation de l'or représentait seulement 3 000 $ au Québec. En 1940, après seulement 10 ans d'activité de la *Noranda Mines* en Abitibi, cette exploitation rapportait 39 millions $ à une compagnie qui accordait des salaires de misère à ses employés canadiens-français et d'Europe de l'Est. Même chose dans le cas du cuivre. En 1910, le commerce de ce minerai rapportait tout juste 112 000 $ au Québec. Des peccadilles! En 1940, la *Noranda Mines* touchait 13 millions $ grâce au cuivre.

Dans les Cantons de l'Est, la situation n'était pas plus rose pour les mineurs canadiens-français qu'en Abitibi. Tout aussi exploités, ils besognaient au jour le jour pour extraire, pour le compte de la *Johns Mansville Corporation*, la meurtrière amiante qui était exportée à 70 % par ladite compagnie sans aucune transformation au Québec. Les Canadiens français mouraient des suites de l'amiantose, sans que leur travail ne soit en aucune façon profitable pour leur communauté. Pire, lorsque ces mineurs réclamèrent des améliorations à leurs conditions de travail, la direction de la compagnie en appela de la Police provinciale pour briser violemment leur mouvement de grève. À l'issue du débrayage d'Asbestos de 1949 qui dura cinq mois, les conditions des travailleurs ne s'étaient pratiquement pas améliorées, ce qui démontre bien le respect qu'avaient de telles compagnies pour la vie des travailleurs canadiens-français et celle de leur famille.

Au Québec, les Anglais contrôlèrent aussi très rapidement la production d'aluminium. La filiale canadienne de la compagnie américaine Alcan s'installa, en 1902, au Saguenay, là où elle y trouva une main-d'œuvre plus que docile -Price y ayant déjà préparé le terrain- et de l'énergie électrique au coût plus qu'abordable. Il faut dire que la compagnie possédait ses propres barrages (et elle les possède toujours aujourd'hui étant donné qu'elle a eu des concessions à vie de la part du gouvernement du Québec), ce qui lui permit et permet toujours d'obtenir l'électricité à un prix ridicule. Ce qui était tout un atout pour cette compagnie car la production d'aluminium nécessite des quantités astronomiques de cette énergie qu'on dit propre. Grâce aux conditions qu'elle rencontra au Québec, l'Alcan devint dès 1936 le deuxième producteur d'aluminium au monde! Le Québec avait permis à une autre compagnie américaine de se hisser aux plus hauts sommets, sans que cela ne soit bénéfique d'aucune façon pour les gens d'ici, tout exploités qu'ils étaient encore et toujours.

Aux alentours de 1933, on estime que la moitié de tout le potentiel hydro-électrique du Canada se trouvait au Québec. Afin de se réserver à peu près exclusivement cette énergie, les Anglais imaginèrent un système de tarifs mobiles qui était avantageux pour les grandes industries anglaises et trop cher pour que les petites entreprises canadiennes-françaises, les fermiers ou les simples citoyens puissent espérer se servir eux aussi de cette énergie nouvelle. Conséquemment, la consommation domestique d'électricité ne représentait que 3,5 % en 1931 au Québec, alors que cette même électricité était vendue à 75 % aux industries du bois, des pâtes et papiers ou de l'aluminium qui étaient toutes sous contrôle anglais. Le reste de cette énergie était exporté aux États-Unis ou au Canada anglais, sans tenir compte des besoins des simples Canadiens-français qui furent ainsi laissés pour compte.

Grâce à cette source d'énergie inépuisable, des compagnies d'énergie américaines qui s'étaient ici installée, comme la *Shawinigan Water and Power Company* par exemple, s'enrichirent au-delà de leurs rêves les plus fous. En 1905, cette dernière compagnie possédait déjà un capital de 10,6 millions $, ce qui était énorme à l'époque. Ces compagnies utilisèrent ce capital pour faire des affaires d'or dans plusieurs régions du Québec en diversifiant leurs activités. Le pire, c'est que ces Anglais ne dissimulaient même pas le fait qu'ils profitaient indûment des combien trop passifs Canadiens français qui se vendaient pour des salaires de crève-faim. Afin d'attirer de nouveaux investisseurs en Mauricie où il leur serait possible de collaborer et de s'enrichir encore davantage, la *Shawinigan Water and Power Company* fit produire un prospectus en 1930. Il y était écrit noir sur blanc :

> Nulle part au monde ne trouvons-nous d'aussi bonnes conditions ouvrières que dans la province de Québec, tout spécialement dans la région de la *Shawinigan Water and Power Company*. Il serait difficile de trouver un peuple plus heureux et satisfait sur terre. Le sentiment de satisfaction du peuple canadien-français constitue un élément très important pour les employeurs de cette région; cette valeur humaine étant directement attribuable à la direction sage et avisée de leurs pères confesseurs, les prêtres catholiques. Dans cette région, pendant des siècles, le premier principe de la religion des habitants a voulu que l'on soit heureux de son sort. Les syndicats locaux font des demandes modérées… De plus, la dimension proverbiale de la famille canadienne-française constitue un

facteur d'importance dans la disponibilité de la main-d'œuvre. Puisque tous doivent se nourrir, tous doivent travailler et les manufactures disposent ainsi d'une main-d'œuvre féminine et masculine à portée de main; et, puisque tous doivent travailler, les salaires demandés sont extrêmement bas.

L'énergie et le *cheap labor* constituèrent une double source de richesse pour les Anglais donc. Et il n'était nullement question que l'Anglais, le conquérant d'hier, agisse de façon à améliorer le sort des Canadiens français, en leur accordant par exemple des promotions dans leurs industries. À Trois-Rivières, un rapport produit au début du XXe siècle démontra que les francophones ne se retrouvaient jamais dans les échelons supérieurs des compagnies des Anglais. Les travailleurs spécialisés, les cadres d'entreprise et les professionnels étaient recrutés en Angleterre et dans la communauté anglophone du Québec et du Canada, mais jamais parmi les travailleurs canadiens-français. Jamais il ne serait venu à l'esprit de la direction d'une compagnie américaine de donner une chance à un colonisé. Ceux-ci étaient tout juste bons à être exploités et brisés si besoin était.

On pourrait donc dire que les Anglais incrustés au Québec possédaient les Canadiens français comme un ouvrier possède son coffre à outils. Et pour bien marquer que les Canadiens français étaient leur possession, ces mêmes Anglais ne lésinaient pas sur les moyens. Au Saguenay, le directeur de l'Alcan, Arthur Vining Davis, eut le culot de donner son nom à la ville où était située son usine. Cette ville, c'est bien sûr Arvida. Une façon comme une autre de marquer son territoire. Les chiens urinent sur les poteaux et les Anglais donnent leur nom à leurs colonies. Et ce qui est peut-être encore pire, c'est que Davis, à sa mort survenue en 1962, légua 300 millions $ à des œuvres de charité, en autant que celles-ci ne dépensent pas cet argent en dehors des États-Unis! La reconnaissance envers les étrangers qui avaient contribué pleinement à sa richesse, il faut croire que Davis n'en avait aucune.

Et comme dans tout bon système colonial, les villes champignons issues de l'industrialisation du conquérant présentaient des divisions très claires entre les quartiers malfamés du colonisé et celui, richissime, du colonialiste. Jamais les deux groupes ne devaient se mélanger. Les frontières se devaient d'être complètement étanches. Pour s'assurer de la chose, bien souvent, on mettait un terme à la vente de terrains sis à proximité des beaux quartiers. C'est ce qui fut fait dans la ville industrielle de Baie-Comeau notamment.

Bref, les Anglais mirent la main sur toutes les ressources naturelles en mesure d'enrichir n'importe quel des quidams qui étaient estimés par l'Empire parce que de bonne naissance et de sang pur. Les Canadiens français, les anciens possesseurs de ce riche pays qui furent complètement dépouillés à la suite de la défaite de Montcalm sur les plaines d'Abraham et la capitulation de Montréal en 1760, ne devaient quant à eux jamais espérer s'enrichir à partir des fruits de la terre qu'ils disaient toujours leur appartenir dans la discrétion de leur foyer. Ils ne seraient que *cheap labor*, que nègres blancs vivant parmi les *rednecks*. La forêt, la mer et le sous-sol créeraient l'opulence anglaise qui devait servir à les asservir toujours davantage. En rien profitable ne fut pour eux l'arrivée des usurpateurs les poches pleines de capitaux!

Même l'agriculture ne permettrait plus aux paysans canadiens-français de bien vivre. Les seules terres libres étaient toutes la propriété de riches compagnies anglaises comme la *British American Land Co.* ou la *Megantic Land Company*, qui se firent concéder par le gouvernement colonial des portions fort importantes du territoire québécois. Pour ces compagnies, il n'était nullement question de songer, d'une façon ou d'une autre, à soulager les hordes de Canadiens français qui ne parvenaient plus à trouver de lopins de terre pour nourrir leur famille. La colonisation de nouveaux territoires ne figurait nullement dans la mission de ces compagnies. Pour elles, beaucoup plus profitable était d'exploiter les arbres qui poussaient sur ces terres que de procurer un foyer aux ouvriers qui besognaient dans leurs usines et permettaient par le fait même à leur richesse de croître toujours davantage. Les seules exceptions survenaient quand les grands propriétaires terriens avaient besoin d'une main-d'œuvre à bon marché pour faire fonctionner leurs scieries installées sur leurs terres forestières bien souvent vierges.

Afin d'étayer nos dires, on pourrait souligner qu'en 1871, les Canadiens français formaient la majorité de la population dans les Cantons de l'Est, cantons qui avaient pourtant été créés à la fin du XVIIIe siècle pour accueillir les loyalistes britanniques qui avaient perdu un pays aux mains des rebelles américains et qui ne souhaitaient pas s'installer à proximité de ces individus inférieurs qu'étaient à leurs yeux les Canadiens français, ces papistes indécrottables. Même s'ils étaient maintenant plus nombreux que les Anglais dans cette région du Québec, cela ne signifiait nullement que le sort des Canadiens français y était meilleur qu'il ne le fut à l'ouverture des cantons. En effet, les institutions de la région et le pouvoir économique étaient toujours sous le contrôle des descendants des loyalistes.

Même les Canadiens français de vieille souche qui étaient installés sur des terres au rendement agricole plus qu'intéressant et que les Anglais ne leur avaient pas encore usurpées rencontraient des problèmes que leurs ancêtres n'avaient point connus au temps de la Nouvelle-France. Afin de défendre le régime anglais, plusieurs fédéralistes arguent aujourd'hui que les Anglais ont peut-être mis la main sur l'économie du Québec grâce à la Conquête, mais que cette conquête a tout de même été profitable aux gens d'ici, et ce, parce que les importants capitaux des Anglais ont permis de développer le pays en devenir. Il est vrai que des sommes substantielles ont été investies ici par les Anglais, mais pour développer une seule et unique chose, la richesse de ces mêmes Anglais, elle qui s'est constituée au détriment des Canadiens français. On en a d'ailleurs un bon exemple avec la commercialisation du blé. Afin de permettre un développement toujours plus efficace du Haut-Canada (Ontario), le régime anglais a débloqué d'importants capitaux au début du XIXe siècle pour le développement de canaux (principalement Rideau et Lachine) et de chemins de fer devant permettre le développement du commerce au Haut-Canada au détriment de celui du Bas-Canada.

À la fin du XIXe siècle, le Canada possédait 4500 kilomètres de voies ferrées qu'il avait fait construire dans la précipitation, ce qui l'accula presque à la faillite. Mais ces nouvelles voies de transport permirent à l'Ouest de se développer considérablement. Le hic, c'est que pour le Québec, cela ne rapporta pas beaucoup. Montréal, là où se trouvaient les marchands anglais, était la seule ville du Québec véritablement bien desservie par le train. Les autres régions du Québec, quant à elles, furent par trop lésées, à moins qu'une importante industrie anglaise y était installée. Dans quel cas, le train s'y rendait, surtout si la ville en question était située au sud du Saint-Laurent. Afin de remédier à la situation et de permettre aux Canadiens français de profiter eux aussi du train pour développer leurs affaires tout en espérant un jour devenir de dignes compétiteurs des Anglais, ce furent les services publics qui investirent dans le développement des réseaux ferroviaires du Québec. Mais, pour les Canadiens français, cela ne permit jamais autre chose que de favoriser la colonisation de régions nouvelles. Les industries demeuraient à peu près toutes aux mains des Anglais.

Grâce à ces nouveaux moyens de communication, les marchands anglais de Montréal purent vendre des produits non finis (blé, laine, sucre, lait, thé, café, bois) à leurs clients du Haut-Canada. Par la suite, ceux-ci les transformaient en beurre, en bois équarri, en madriers, en potasse, en farine, etc., et les revendaient aux simples habitants du Québec en devenir. Exactement comme cela s'est produit à Cuba avant la Révolution castriste, alors que les compagnies américaines cultivaient la canne à sucre, produisaient le sucre qu'elles expédiaient aux États-Unis pour par la suite vendre des bonbons aux Cubains[65]! La conséquence d'un tel système fut tout aussi dure pour les Cubains que pour les Canadiens français. De fait, en 1851, les Bas-Canadiens ne consommaient plus uniquement le blé qu'ils faisaient pousser et la farine qu'ils produisaient comme c'était le cas auparavant. Le marché était alors inondé par 4,3 millions de barils de blé du Haut-Canada, ce qui représenta 50 % de leur consommation. Bien sûr, la présence de tout ce blé ontarien fit chuter les prix au Bas-Canada, et mit dans l'embarras les paysans qui subsistaient grâce à cette culture.

Ce n'était pas la première, ni la dernière fois que les Anglais déplaceraient le centre d'un système économique afin de retirer une source d'enrichissement aux Canadiens français pour le donner aux Anglais du Canada. En fait, toute l'histoire canadienne est ponctuée de tels événements. Et cela n'est que normal, puisque comme le dit Carmen Bernand, tout colonialiste transfère les richesses de la colonie vers la métropole[66]. Tel fut notamment le cas en 1866, lorsque le gouvernement du Canada retira le statut de port franc à Gaspé afin de le remettre à Halifax. La Nouvelle-Écosse posait une telle condition pour faire son entrée dans la Confédération canadienne. Peu importait aux Anglais si le port franc de

Gaspé avait permis à la population locale de redresser un tant soit peu sa situation après que les Anglais lui eurent volé l'industrie de la pêche au XVIIIe siècle. Il faut savoir que le port franc de Gaspé était si important au XIXe siècle que pas moins de 11 consulats de pays tels que les États-Unis, la Suède, l'Italie, le Brésil, l'Espagne, la Norvège, etc., y étaient installés. Pour les gens de l'endroit, un tel système était très profitable. Le commandant Pierre-Étienne Fortin a raconté que la visite à Gaspé du seul navire *San Giovanni*, avec son équipage de 360 hommes, a permis aux marchands de la ville d'effectuer des ventes de l'ordre de 12 000 $, ce qui était énorme pour l'époque et pour la Gaspésie. Après 1867, ce fut au tour d'Halifax d'enregistrer de telles ventes, l'économie de la Gaspésie, elle, retomba à plat comme aux pires jours de l'après-Conquête[67]. Aujourd'hui encore, la Gaspésie ne s'est toujours pas relevée des coups que les Anglais lui ont portés. La MRC de la Haute-Gaspésie était, en 2005, la plus pauvre de tout le Canada…

Cette façon de faire fut aussi adoptée dans les années 1950 alors que le Canada a imposé le dragage du fleuve Saint-Laurent afin d'y construire la voie maritime du Saint-Laurent. Celle-ci devant permettre aux bateaux les plus imposants de poursuivre leur route jusqu'aux Grands Lacs ontariens, sans s'arrêter dans le port de Montréal. Il est aisé de comprendre quelles purent être les conséquences pour l'économie québécoise d'un tel détournement du trafic maritime!

Toujours de façon à miner les chances des Canadiens français de réussir économiquement et de devenir des compétiteurs aux hommes d'affaires anglais, les Anglais firent tout ce qu'ils purent tout le long du XIXe siècle pour que les Canadiens français n'obtiennent pas le crédit qui leur aurait permis de lancer des entreprises au rayonnement certain. Tant que les Anglais contrôlaient presque complètement le système bancaire, ils n'avaient que peu de soucis à se faire. Jamais les banques anglaises ne consentiraient à contracter un prêt avec un Canadien français. Ne restait qu'à s'assurer que les Canadiens français ne puissent pas créer leurs propres banques. Bien qu'ils tentèrent la chose à plus d'une reprise au cours du XIXe siècle comme on l'a vu précédemment, les Canadiens français ne parvinrent pas, à cette époque, à faire autre chose que de mettre au monde des banques à la vie plus qu'éphémère. Les choses devaient toutefois changer au tournant du XXe siècle. Un visionnaire de Lévis, Alphonse Desjardins, créa en 1900, dans sa propre maison, une coopérative d'épargne et de prêt destinée à relancer économiquement le Canada français. Pour une des premières fois depuis la Conquête, le clergé catholique se mit du côté des nationalistes canadiens-français, affrontant ainsi l'Anglais qu'il avait pourtant jusquelà défendu au détriment de ses propres ouailles.

Ainsi appuyé, le mouvement Desjardins se développa rapidement. En 1920, on comptait déjà 206 caisses qui étaient regroupées en dix fédérations régionales sises sur l'ensemble du territoire québécois, mais aussi de l'Ontario et de la Nouvelle-Angleterre francophones. Un tel pouvoir financier inquiéta les Anglais qui ne pouvaient dès lors plus compter sur un monopole bancaire pour écraser économiquement les Canadiens français. Il leur fallait réagir et vite. La solution imaginée par les *Canadians* et défendue par les investisseurs américains fut de mettre fin à la suprématie financière de Montréal en transférant le pouvoir économique et boursier qui s'y trouvait alors vers Toronto. En 1920, 70 % des actions vendues au Canada l'étaient à la bourse de Montréal. En 1933 seulement, ces mêmes actions étaient vendues à la bourse de Toronto dans une proportion de 55 %. Progressivement, les sièges sociaux des banques et des grandes compagnies déménagèrent du Québec vers l'Ontario. De 1941 à 1961, *l'American Prudential* et la *New York Life* ainsi qu'une douzaine de compagnies d'assurances et une quinzaine d'autres entreprises anglophones déménagèrent à Toronto. En 1961, 666 compagnies américaines étaient établies à Toronto contre 99 à Montréal. Et le mouvement s'accéléra au cours de la Révolution tranquille, époque où les Québécois se décolonisèrent en partie. Et finalement, l'élection du PQ en 1976 compléta le mouvement. Aujourd'hui, l'on peut dire sans exagérer que Toronto est pleinement parvenu à supplanter Montréal en tant que cœur économique du Canada, ce qui ne va évidemment pas sans de lourdes conséquences pour le Québec. Le retard économique qu'on y enregistre année après année a été ni plus ni moins que provoqué par les caciques d'un régime d'exploitation coloniale.

Finalement, les Anglais bénéficièrent pleinement du soutien de l'État fédéral au fur et à mesure que celui-ci développa les moyens de ses ambitions. C'est ainsi qu'Ottawa put imposer des pactes comme celui de l'automobile signé en 1965. Le pacte de l'automobile permit au Canada d'obtenir sa part des retombées de l'industrie automobile telle que développée jusqu'alors aux États-Unis. Par l'abolition des droits tarifaires entre les deux pays, des compagnies comme *Chrysler, Ford*, ou *General Motors* purent construire des usines destinées à la construction de voitures au Canada. Ce qui fut fort profitable pour ce dernier pays. Entre 1965 et 2002, le nombre d'employés dans cette industrie au Canada passa de 75 000 à 491 000. Le nombre de véhicules construits dans ce même pays au cours de cette période bondit de 846 000 à plus de 2,6 millions. En 2002, la valeur des livraisons de véhicules du Canada atteignait 66 milliards $ et celle des expéditions de pièces, 33 milliards $. L'industrie automobile représentait alors 12 % du produit intérieur brut du secteur de la fabrication au Canada. Le problème est que le fédéral s'est assuré que ce soit l'Ontario qui profite de toutes ces retombées, réservant seulement des miettes pour le Québec.

Combien tous ces vols et larcins ont coûté aux Québécois au fil des ans? Une fortune! Tel est le prix de la servitude que les André Pratte de ce monde refuseront toujours d'admettre, préférant conjecturer sur les coûts que la liberté politique imposerait aux Québécois.

6) Des conditions de vie misérables!

Dans les paragraphes qui précèdent, il a été abondamment question du vol des ressources naturelles du Québec commis par les Anglais du Canada et des États-Unis, et des horribles conditions de travail qui furent réservées aux Canadiens français dans les usines et les manufactures de ces mêmes voleurs. À la lumière de ces informations, tous auront compris que le rôle économique réservé aux Canadiens français du Québec était le même que celui réservé par tout colonialiste à son colonisé : celui de *cheap labor*. L'usurpateur tel que présenté par Albert Memmi ne fait donc pas que se faire une place au cœur de la société conquise, mais il utilise en plus les autochtones dans la mission d'exploitation qu'il développe à leur encontre, au cœur même du pays qu'ils ont perdu[68]. Ce dernier use d'ailleurs d'une formule efficace pour résumer le statut de bête de somme qui est réservé au colonisé : « Au colonisé, on ne demande que ses bras, et il n'est que cela : en outre, ces bras sont si mal cotés, qu'on peut en louer trois ou quatre paires pour le prix d'une seule »[69].

Mais il est certes possible d'être plus précis que ce qu'on a été jusqu'ici et de donner une image plus complète des conditions de vie du Canadien français de la Conquête jusqu'aux années 1960-1970.

Dès les lendemains amers de la Conquête de 1760, comme nous l'expliquions précédemment, les Anglais s'accaparèrent tous les secteurs d'activité en mesure de les enrichir, ne laissant que les miettes aux Canadiens qui durent se rabattre sur l'agriculture pour survivre. Le colonialiste modifie toujours le découpage de l'espace, et surtout la façon dont il est occupé. En Amérique du Sud, les Espagnols ont regroupé les Indiens nomades dans des villages artificiels pour ainsi mieux les exploiter. Au Québec, ils ont sorti les Canadiens français des villes pour s'accaparer leur économie. Aux dires de Marcel Rioux, c'est alors que « tout le Québec devient une classe économique dominée ». Au-delà de la théorie, cela signifia beaucoup de souffrance. Si les marchands anglais purent s'imposer aussi facilement, c'est parce que tout un pan de l'élite économique de la Nouvelle-France prit la décision de rentrer en métropole. Les historiens estiment qu'ils furent à peu près 2 000 (sur une population de 50 000 ou 60 000 personnes) à traverser l'Atlantique. Parmi eux, on comptait bon nombre de nobles, d'administrateurs et de marchands spécialisés dans l'import/export et qui résidaient principalement à Québec. En 1790, l'almanach des adresses de la ville de Québec révélait que parmi les 37 commerçants ou négociants de cet endroit, seulement quatre étaient d'origine française, les autres étaient tous anglais. Les marchands impliqués dans l'industrie de la fourrure et qui étaient principalement situés à Montréal tentèrent, eux, de relever le défi que posait l'occupation anglaise. Mal leur en prit, car quelques années seulement après 1760, ils étaient tous ruinés et durent se faire eux aussi agriculteurs pour survivre. C'est donc une véritable décapitation que subit le Québec en devenir, bien qu'André Pratte et sa cour refusent de l'admettre, prétextant que les Franco-Canadiens s'accommodèrent fort bien du transfert de la colonie à l'Angleterre. Les principaux talents français en économie ayant quitté la colonie, les Canadiens se retrouvaient fort dépourvus pour faire face à la compétition que leur livraient impitoyablement les Anglais. Ayant la partie facile, ceux-ci s'imposèrent à peu près sans conteste, et ce, dans tous les domaines d'activité.

Les nobles d'origine française qui décidèrent de demeurer au Canada ne furent point d'un grand secours pour leurs compatriotes, c'est le moins que l'on puisse dire. Constatant l'ampleur des dégâts causés par la Conquête, elle qui avait été dévastatrice pour les Canadiens, ces nobles se convainquirent que leur avenir se trouvait désormais du côté des Anglais. Les seigneurs canadiens multiplièrent les courbettes et génuflexions pour entrer dans les bonnes grâces des Anglais, tentant même de marier leur fille, la chair de leur chair, avec quelque officier britannique qui n'en espérait pas tant. L'historien Mason Wade raconte que la femme de l'aumônier de la garnison de Québec remarqua très vite que les Canadiennes françaises éprouvaient un « penchant extrême pour les officiers anglais ». Pareille félonie ne parvint toutefois pas à sauver ces nobles canadiens. Commerçants qu'ils étaient de leur statut, ils connurent le même sort que les autres marchands canadiens : la ruine. Leurs manigances ne leur auront rapporté que mésestime fort bien méritée parmi les Canadiens ordinaires. Ne reste qu'à espérer qu'ils ont souffert encore plus que les autres Canadiens français de l'occupation anglaise…

Cette dévastation économique survenue au XVIIIe siècle donna naissance à un horrible système d'exploitation au sein duquel on retrouva toujours le Canadien, ou le Québécois, aux échelons inférieurs. Un exemple parmi tant d'autres : au début du XIXe siècle, les Canadiens français parvenaient de peine et de misère à tirer leur épingle du jeu dans l'industrie de transformation du cuir. L'un des rares secteurs où ils ne furent pas complètement évacués. Les petits entrepreneurs du cuir d'origine canadienne pullulaient au Québec à cette époque. Normalement, leur petit atelier jouxtait leur maison et on y retrouvait en moyenne trois ou quatre employés. Les Canadiens français qui oeuvraient dans ce domaine parvenaient à relativement bien gagner leur vie. Dès la moitié du XIXe siècle, cependant, l'influence anglaise commença à se faire sentir durement dans ce domaine aussi. Grâce à leur capital, les Anglais transformèrent complètement cette industrie artisanale afin d'y incorporer des pratiques dignes d'un véritable travail industriel, tout répétitif qu'il est, et qui n'a pas besoin d'ouvriers spécialisés pour être efficace.

C'est à cette époque que les frères Shaw du Massachussetts s'établirent au Québec, et grâce à leurs investissements qui furent de l'ordre de 255 000 $, ce qu'aucun Canadien français ou à peu près ne pouvaient, eux, investir, ils purent s'acheter des équipements hydrauliques qui révolutionnèrent la pratique du tannage au Québec. Leurs nouvelles techniques nécessitaient toutefois d'énormes quantités d'écorce de pruche. Aucun problème, puisque le gouvernement leur concéda des kilomètres de forêts dans les Cantons de l'Est, là où l'on retrouvait cette essence en abondance. Ainsi équipés, les frères Shaw n'eurent aucun mal à faire fermer une pléthore d'ateliers de cuir de type artisanal, tous la propriété de Canadiens français. Ces derniers devinrent ainsi bien malgré eux des ouvriers non spécialisés dans les grandes usines de tannage des Anglais. Leur niveau de vie diminua alors drastiquement. Le pire, c'est que lorsque les réserves de pruche furent épuisées dans les Cantons de l'Est, les frères Shaw quittèrent le Québec pour l'Ontario. Ils avaient contribué comme pas un à l'élimination des petits ateliers, et maintenant, ils abandonnaient sans remords aucun ceux qui devinrent à cause d'eux des ouvriers non spécialisés et contraints dès lors au chômage.

Pour les agriculteurs ou les petits entrepreneurs canadiens-français, la vie dans les manufactures des Anglais leur fit un choc brutal. Les heures étaient longues, la sécurité absente, et les mauvais traitements légion. Au début du XXe siècle, les Anglais exploitaient une main-d'œuvre féminine abondante qui leur coûtait encore moins qu'un homme canadien-français, ce qui n'est pas peu dire. Aussi, ils ne se gênaient pas pour embaucher des enfants canadiens-français. Lorsque ceux-ci se faisaient turbulents sur les lieux de travail, après tout, la chose était prévisible puisque des semaines de soixante heures sont très longues pour les enfants, les contremaîtres anglais se permettaient de leur infliger de sévères châtiments corporels ou de les soumettre à l'amende! En cela, ils ne respectaient pas même les quelques lois timorées que l'État québécois avait fait adopter afin de protéger un tant soit peu les ouvriers. Les pratiques révoltantes qui ont présentement cours dans les sweat shops du tiers-monde, à cette époque, c'est au Québec qu'on pouvait les observer!

Étant relégués par les Anglais aux plus bas échelons de la vie économique du Québec, les Canadiens français connaissaient en plus des conditions de travail et salariales en deçà de celles qui étaient réservées aux ouvriers anglais d'Ontario, démontrant une nouvelle fois que le racisme était le carburant du régime colonial tel que développé par les *Canadians*. En 1926, le revenu par habitant était de 363 $ par habitant au Québec, alors qu'il était de 491 $ en Ontario. Cette paupérisation chronique eut, comme on peut se l'imaginer, des répercussions déterminantes sur la vie des familles. À Montréal, avant la Conquête, seulement 30 % des ménages louaient leur logis. En 1825, ils étaient 70 % à ne plus pouvoir s'acheter une maison et à devoir louer une résidence ou un appartement souvent trop petits pour accueillir les familles nombreuses qu'avaient à cette époque les Canadiens français. Et plus le XXe siècle approchait, et pire la situation était. De fait, l'historien Robert Lewis estime que « l'accession à la propriété dans le Montréal de la fin du XIXe siècle restait un privilège de classe, réservé à 15 % des familles ». Ne restait à peu près plus que les Anglais qui pouvaient se payer ce luxe. Comment aurait-il pu en être autrement quand on sait que 48 % des chefs de famille de Montréal, presque exclusivement francophones, gagnaient tout juste 1 000 $ par année, soit le revenu minimal pour assurer la survie d'une famille moyenne de cette époque? Lorsqu'un locataire canadien-français ne parvenait pas à payer le loyer au propriétaire anglais, ce dernier n'hésitait pas un seul instant avant de jeter le ménage à la rue, et ce, peu importe le temps de l'année. On peut imaginer le drame que cela pouvait constituer en janvier ou février!

Chez les chômeurs, seuls quelque 55 % d'entre eux se nourrissaient adéquatement. En 1933, 38 % des Montréalais francophones dépendaient de banques alimentaires pour survivre. Cette pauvreté eut aussi un impact non négligeable sur le taux de mortalité infantile que l'on retrouvait alors chez les Canadiens français. En 1885, le taux était de 408,9 par mille habitants, alors qu'il n'était que de 198,3 chez les protestants. En 1900, il était de 282,5 chez les catholiques francophones et de 102,8 chez les protestants, et en 1914, un écart certain subsistait toujours alors que le taux de mortalité infantile des catholiques francophones était de 182,3 et de 115,8 chez les protestants. En 1914, le Québec possédait toujours le triste record du plus haut taux de mortalité infantile d'Amérique du Nord. La situation n'était pas moins préoccupante ici qu'elle ne l'était en Colombie dans les années 1940 alors que 88 % des écoliers souffraient d'avitaminose, 78 % de riboflavinose et 50 % avaient un poids inférieur à la normale[70]. La pauvreté des Canadiens français et provoquée par des Anglais exploiteurs a miné l'impact de la revanche des berceaux en causant la mort de plus d'un nourrisson...

Au début des années 1960, la situation ne s'était nullement améliorée pour les Canadiens français au Québec. C'est ce qu'avait en effet démontré le rapport préliminaire de la Commission sur le biculturalisme et le bilinguisme (B-B) qui a été mise sur pied en 1963 afin de faire l'analyse de la crise que le fédéralisme canadien traversait. B-B démontra que, quelque deux cents ans après la Conquête anglaise de 1760, les entrepreneurs québécois francophones étaient toujours déclassés au Québec en comparaison des entrepreneurs américains ou canadiens-anglais. De fait, si 51,5 % des exportations totales du Québec étaient effectuées à cette époque par des entreprises étrangères installées au Québec, principalement des entreprises américaines, et 44 % par des compagnies canadiennes-anglaises, seulement 4,5 % des exportations québécoises étaient effectuées par des francophones. On rencontrait le même déséquilibre à l'intérieur des manufactures québécoises.

Qui plus est, au fur et à mesure que l'on montait dans la hiérarchie de l'entreprise, on s'apercevait que les Canadiens français devenaient de plus en plus rares, pour disparaître à peu près complètement des postes de direction. La commission B-B démontra qu'au Canada (sans le Québec), seulement 5 % des administrateurs des grandes entreprises étaient canadiens-français, là où ils constituaient pourtant 10 % de la main-d'œuvre. Au Québec (sans Montréal), 30 % des administrateurs étaient anglophones et 80 % des postes de direction leur étaient confiés, là où ils ne représentaient tout de même que 7 % de la main-d'œuvre. Lorsque l'on se penchait sur la situation de Montréal, on s'apercevait que les francophones formaient 60 % de la main-d'œuvre, mais qu'ils n'occupaient que 17 % des postes de haute administration qui elle, était par conséquent constituée à 83 % d'anglophones. Et, finalement, sept administrateurs francophones sur huit travaillaient pour des compagnies qui étaient la propriété d'anglophones. En fait, le seul secteur d'activité où les Canadiens français étaient majoritaires   et « dominants », c'était l'agriculture, le milieu de vie où les Anglais les avaient confinés après avoir volé tout ce qui avait de la valeur en terre Québec.

Dans les années 1960 donc, les Québécois étaient tout autant dépossédés de leur pays et de leur économie qu'ils ne l'étaient au lendemain de la Conquête de 1760. En fait, la situation s'était même empirée. En effet, en 1930, les Anglais du Québec comptaient pour 3,3 % de plus que la moyenne provinciale en cadres, en professionnels, et en hommes d'affaires. En 1961, ce taux était de 8,7 %. Les Canadiens français, eux, étaient passés d'un taux de 1 % en dessous de la moyenne provinciale pour ces mêmes postes en 1930 à plus de 2 % en dessous de cette même moyenne en 1961. La commission démontra aussi qu'à instruction égale, les Canadiens français gagnaient moins que tous les autres groupes ethniques du Québec. Ce sont des économistes du fédéral qui ont confirmé la chose, Pratte devrait donc pouvoir les croire

> Ce sont les Canadiens français pour qui l'instruction rapporte le moins, et que les gains qu'ils en récoltent en passant de l'élémentaire au secondaire et à l'université, sont même inférieurs à ceux des Italiens… Les Canadiens français auraient raison de se sentir moins motivés que les autres groupes quant à l'instruction.

Pour qu'il en soit ainsi, il a fallu que le colonialisme *canadian* tournât rondement, brisant tous les Canadiens français récalcitrants. Comme quoi, William Price ne fut pas le seul à s'acharner contre ceux parmi ses employés qui n'étaient pas suffisamment dociles pour accepter le système sans broncher.

Cette dépossession économique a fait en sorte que les Québécois se sont retrouvés parmi les plus pauvres de la société québécoise à l'orée des années 1960, celle qui a été jadis leur berceau. Le meilleur aperçu de ce drame a été rendu par un tableau désormais célèbre et produit par *Recensement Canada* en 1961. Celui-ci, que nous reproduisons ci-bas, démontre très clairement que les fondateurs du pays, les Canadiens français, ont été sauvagement dépouillés par le conquérant anglais, appuyé qu'il fut dans cette triste tâche par des vagues ininterrompues d'immigration et par des collabos canadiens-français qui tentèrent d'obtenir les miettes de leurs compatriotes:

Le revenu de travail moyen des salariés masculins au Québec selon l'origine ethnique, en 1961.

Origine ethnique	Dollars	Indice
Total	3 469	100,0
Britannique	4 940	142,4
Scandinave	4 939	142,4
Hollandaise	4 891	140,9
Juive	4 851	139,8
Russe	4 828	139,1
Allemande	4 254	122,6
Polonaise	3 984	114,8
Asiatique	3 734	107,6
Ukrainienne	3 733	107,6
Autres (européenne)	3 547	102,4
Hongroise	3 537	101,9
Française	3 185	91,8
Italienne	2 938	84,6
Indienne	2 112	60,8

Au cours des travaux de la commission B-B (1963-1971), des rumeurs ont circulé à l'effet que les « guides-recherchistes » du fédéral tentaient de censurer certaines informations recueillies et qu'ils tentaient, par conséquent, de dissimuler au public certaines découvertes effectuées par les vrais chercheurs de la commission. Si Ottawa désirait connaître un peu mieux la situation des Canadiens français, la capitale fédérale ne voulait tout de même pas donner un coup de pouce au mouvement indépendantiste québécois qui était alors en train de s'organiser sous la férule, tout d'abord, du Rassemblement pour l'indépendance nationale de Pierre Bourgault (1960-1968) puis du Parti Québécois de René Lévesque (1968-...) en démontrant que le Canada est un régime colonial au sein duquel les francophones sont exploités. Apprenant que des pratiques pas trop catholiques avaient cours dans les officines de la commission, certains journalistes du Québec tentèrent d'en apprendre davantage.

Lysiane Gagnon de *La Presse,* elle qui fut jadis beaucoup plus dynamique dans sa quête d'informations qu'elle ne l'est devenue depuis, obtint copie des travaux préliminaires de la commission. Dans les pages de son journal, elle écrivit que le rapport préliminaire de la commission démontrait que les Canadiens français n'étaient pas tant brimés à cause de leur langue, mais bien davantage à cause de leur origine ethnique. De fait, les chercheurs ont démontré que longtemps après s'être assimilés à la culture anglophone, les Canadiens français subissaient toujours la vindicte des Anglais, qui ressentaient à leur égard des sentiments viscéraux qui avaient bien plus à voir avec le racisme qu'avec une volonté de faire tourner rondement leurs entreprises en imposant à tous une maîtrise parfaite de la langue anglaise. En guise d'exemple, les commissaires ont fourni le cas des

Canadiens français de Terre-Neuve, qui indiquaient à 85 % l'anglais comme langue maternelle. Malgré ça, ils étaient aussi pauvres, en comparaison de leurs Anglais de Terre-Neuve, que les Canadiens français du Québec ou d'ailleurs au Canada. Comme quoi, au Canada, un simple nom évoquant des ancêtres français était suffisant pour être condamné par le système à la pauvreté perpétuelle et à l'exclusion sociale.

L'intellectuel André Laurendeau a assuré la présidence de la commission B-B jusqu'à sa mort, survenue en 1968. Fédéraliste nationaliste ayant flirté avec le séparatisme de droite dans les années 1930, Laurendeau se disait abasourdi par la méchanceté exprimée à l'égard des Canadiens français par les Canadiens anglais qui vinrent devant la commission À un point tel que ces sentiments le firent régulièrement renouer avec les idées séparatistes, avec la dévotion qu'il avait jadis ressentie pour Lionel Groulx. Dans son journal personnel, là où il pouvait colliger ses humeurs véritables car il croyait qu'il ne serait jamais lu, Laurendeau affirma que l'Ouest canadien n'était et n'est toujours pas un milieu de vie sain pour ses compatriotes. Pour appuyer ses dires, il raconta qu'un Canadien français, à Vancouver, était venu dire à la commission que les Canadiens anglais le rudoyaient s'il osait parler français en public. Les participants anglophones à la séance l'apostrophèrent : « Speak white! »; « go back to Quebec »; « why don't you go back to Quebec? ». Une telle rencontre poussa Laurendeau à écrire :

> Mais pour l'instant il est vrai que, laissé à moi-même, j'éprouve quelques fois, chaque semaine, et même quelques fois par jour, de véritables poussées intérieures vers le séparatisme. Il s'agit là de réactions élémentaires, à caractères émotif, auxquelles je n'accorde pas plus d'importance qu'il ne le faut. Mais la densité, la profondeur de l'ignorance et des préjugés sont vraiment insondables. Devant certains anglophones, j'éprouve intérieurement des poussées de séparatisme : « ils sont trop bêtes, ils ne céderont que devant la force ». Revenu ici, les séparatistes me rendent au Canada : ils sont trop naïfs, trop loin des réalités politiques – ou bien curieusement mobiles et superficiels[71].

N'est-ce pas Robert Bourassa qui disait que chaque Québécois est au moins séparatiste une seconde par jour?

Dans tout ce système d'exploitation, à peu près les seuls Canadiens français qui parvinrent à bien s'en tirer furent ceux qui collaborèrent de façon serrée et servile avec le pouvoir anglais. Les Georges-Étienne Cartier et les La Fontaine de ce monde que Pratte nous sert en exemples jusqu'à plus soif, les seigneurs rampants et l'Église catholique purent ainsi s'enrichir sans être importunés aucunement par le colonialiste. Pour les autres, agriculteurs de métier forcés ou ouvriers sans spécialisation, la Conquête a ni plus ni moins qu'été synonyme de drame. Elle a transformé ce peuple de coureurs des bois, de marchands et de guerriers en paysans et en ouvriers soumis au bon vouloir de la nouvelle administration britannique. Des décennies et la Révolution tranquille seraient nécessaires avant que le Canadien français puisse espérer redresser un tant soit peu l'échine, oser se regarder dans le miroir et reprendre une partie de la place qui lui fut volée par les usurpateurs. À propos de la Conquête, l'historien Guy Frégault a affirmé avec raison :

> En 1760, le Canada est écrasé. La colonie qui passe à la Grande-Bretagne trois ans plus tard est une ruine économique. Elle est aussi une ruine politique. En 1763, le pays est enfin une ruine sociale. En 1760-1763, le Canada n'est pas simplement conquis, puis cédé à l'Angleterre; il est défait. Défaite signifie désintégration. Éliminés de la politique, éliminés du commerce et de l'industrie, les Canadiens se replièrent sur le sol. S'ils finissent par se vanter d'être des « enfants du sol », c'est que la défaite les a altérés non seulement dans leur civilisation matérielle, mais aussi dans leurs conceptions. Ils avaient des ambitions plus hautes lorsque leur vie collective était normale.

Normalité politique pour les Canadiens que Maurice Séguin avait lui aussi cru percevoir dans la Nouvelle-France. Selon son point de vue, la Conquête avait détruite cette normalité et avait empêché le Canada français de poursuivre sa progression vers le statut d'État indépendant :

> Aussi longtemps que le Canada français demeure seul, aussi longtemps que la cause de sa naissance et de son épanouissement comme peuple, la métropole française, se tient derrière lui pour le protéger militairement, pour le coloniser avec ses hommes, ses institutions, ses capitaux métropolitains, il est apte à devenir une nation normale.

7) L'immigration pour faire disparaître les Canadiens français

Afin de s'imposer sans conteste comme les nouveaux maîtres du pays conquis, les Anglais ont très tôt compris qu'ils ne devaient pas seulement appauvrir les Canadiens français en s'emparant de leur économie et en les transformant en *cheap labor*, mais qu'ils devaient en plus miner le pouvoir politique qu'ils possédaient en tant que collectivité nationale. Cela devait se faire en les minorisant, voire en les assimilant complètement. L'*Annuaire du Canada* eut beau, en 1966, affirmer que :

> Le Canada a toujours cherché à accroître sa population au moyen de l'immigration, en vue d'élargir son marché domestique, de réduire ses frais d'administration par habitant, de stimuler son activité économique par un nouvel apport de talents, d'idées et d'enthousiasme, et de maintenir à un niveau plus élevé son indépendance culturelle et sa puissance créatrice.

...Il n'en demeure pas moins que le Canada est une création anglaise qui s'est constituée contre les descendants des premiers arrivants français. Rares sont ceux qui osent le dire aujourd'hui parmi les troupes fédéralistes qui s'abreuvent des propos d'André Pratte et de toute cette clique de pseudo-intellectuels qui s'acharnent au jour le jour, de par leur tribune, contre les libérateurs du peuple québécois. L'historien Michel Brunet propose une analyse beaucoup plus lucide de ce qu'est et fut le Canada de même que de l'utilisation que fit ce pays des immigrants contre sa minorité colonisée. Lors d'une conférence donnée dans les années 1950, il concluait en affirmant que :

> Au cours de leur histoire depuis la Conquête anglaise, les Canadiens français n'ont eu aucune raison d'être favorables à l'immigration et aux immigrants. Ceux que ce fait scandalise ignorent l'enjeu de la lutte que se sont livrée les deux collectivités fondatrices du pays depuis les débuts de la colonisation britannique. Cependant, il est urgent pour les Franco-Québécois de se libérer des traumatismes du passé. Peuvent-ils continuer à demeurer impassibles quand 90% des immigrants établis dans les villes du Québec jugent préférable de s'assimiler à la minorité anglophone de la province? Plusieurs d'entre eux, d'ailleurs, s'interrogent de plus en plus sur la sagesse de leur option. Aucune collectivité majoritaire qui n'a pas renoncé à l'avenir ne peut tolérer un tel phénomène sociologique.

Et quelle est au juste la nature de cette lutte que les Anglais ont livrée aux Canadiens français en utilisant l'arme assimilationniste que peut se révéler être l'immigration lorsqu'elle est dans de mauvaises mains? Lord Durham est très certainement l'un de ceux qui ont présenté le plus clairement les objectifs poursuivis par les assimilationnistes anglais :

> Je n'ai aucun doute au sujet du caractère national qui doit être donné au Bas-Canada; ce doit être celui de l'Empire britannique, celui de la grande race qui, dans une courte période de temps; sera prédominante dans tout le continent nord-américain. Sans effectuer le changement tellement rapidement ou rudement qu'il choquerait les sentiments ou piétinerait le bien-être de la génération actuelle, ce doit être dorénavant le but premier et constant du gouvernement britannique d'établir une population anglaise, ainsi que les lois et la langue anglaises dans cette province et de ne confier son gouvernement à aucune législature que positivement anglaise. Je serais vraiment surpris si la partie la plus réfléchie des Canadiens français entretenait quelque espoir de continuer à conserver sa nationalité. En dépit de leur résignation acharnée, il est évident que le processus d'assimilation est déjà commencé. La langue anglaise gagne du terrain, comme doit le faire naturellement la langue des riches et des employeurs de main-d'œuvre.

Tout d'abord, comme nous le disions précédemment, le conquérant anglais a tenté de faire venir des immigrants anglais qui permettraient au régime britannique de noyer les Canadiens français comme il était parvenu à assimiler complètement les Hollandais et les Suédois qui s'étaient installés dans la région de New York au XVIIe siècle, et comme il tenta de se débarrasser de l'influence catholique en Ulster en y implantant des colons provenant majoritairement d'Écosse. Mais les Anglais du Québec et du Canada furent rapidement déçus et comprirent que leurs objectifs étaient irréalisables. De 1760 à 1776, seulement 2 000 Britanniques sont venus s'installer dans la vallée du Saint-Laurent, un nombre qui ne devait jamais permettre de supplanter la population canadienne-française qui, à la même époque, dépassait tout juste les 70 000 âmes. Les décideurs anglais n'avaient pas pris en compte, dans leurs prédictions assimilationnistes, le fait que le Québec ne pouvait pas faire vivre une population importante en ces années. Le climat, l'éloignement des grandes voies commerciales et la pauvreté du sol en plusieurs endroits ne favorisaient pas l'implantation d'une pléiade d'immigrants, eussent-ils parlé anglais.

La guerre d'indépendance américaine de 1776, et surtout sa conclusion de 1783 tout au détriment de l'Empire britannique et de ses suppôts permirent aux Anglais du Canada de recommencer à espérer se débarrasser dans un avenir rapproché des vaincus d'hier qui refusaient obstinément d'adopter les valeurs de la race « supérieure » : l'anglaise à n'en point douter. Ne pouvant accepter de vivre dans une république qui avait répudié l'empire britannique, quelque 8 000 loyalistes, des parasites qui se sont toujours collés à Londres pour s'enrichir, vinrent s'installer dans la vallée du Saint-Laurent, dans une colonie qu'ils voulaient, à l'instar de leurs coreligionnaires, purement britannique. Quel ne fut toutefois pas leur dégoût de constater que cette terre était en fait habitée par une pléthore de papistes au « sale parler ». Il n'était aucunement question pour eux de vivre parmi ces peuplades, ce qui aurait, à plus ou moins long terme, signifié leur assimilation, trop peu nombreux qu'ils étaient pour penser vivre sans contact avec leurs voisins, contacts qui auraient un jour ou l'autre eu raison du caractère anglais de leurs descendants, c'est l'évidence même. Répondant favorablement à leur désir d'isolement, les autorités britanniques décidèrent de leur créer de jolis petits ghettos dans les Cantons de l'Est, là où ils pourraient vivre en vase clos et pleinement à l'anglaise.

Ces loyalistes furent parmi les plus ardents partisans du rappel de l'Acte de Québec de 1774, qui avait redonné quelques rares droits aux Canadiens, et ce, parce que Londres souhaitait les cajoler pour qu'ils ne s'allient point aux rebelles américains. L'indépendance étant désormais consommée au sud des frontières de la *Province of Quebec*, les loyalistes, et les Anglais du Québec en général, ne voyaient pas pourquoi ils devaient continuer de favoriser les perdants qu'étaient les Canadiens. Londres non plus d'ailleurs!

L'Acte de Québec fut ainsi envoyé aux orties, et en lieu et place, on plaqua l'acte constitutionnel de 1791 qui créa les provinces du Haut et du Bas Canada. Cette nouvelle entente constitutionnelle, si elle ravit bon nombre de Canadiens français et les Anglais du Haut-Canada parce qu'elle mettait fin au pouvoir aristocratique du gouverneur, représentant de Sa Majesté au Canada, en introduisant un pouvoir législatif électif, provoqua tout de même la furie des marchands anglais du Bas-Canada. Ces derniers, surpris que l'élimination de l'Acte de Québec n'ait pas été l'occasion dont aurait pu profiter Londres pour saper encore davantage le rayonnement français en Canada, ne pouvaient accepter le fait d'être séparés de leurs frères de sang du Haut-Canada et soumis par le fait même au bon vouloir des papistes du Québec. Adam Lymburner, marchand montréalais, se rendit à Londres afin de dénoncer la séparation de ce qui fut jadis la *Province of Quebec* en Haut et Bas Canada. Les autorités de l'empire à Londres tentèrent du mieux qu'elles le purent de rasséréner un Lymburner qui ne décolérait pas et tous ceux qui n'en revenaient pas d'être soumis à un conseil où les Canadiens français pouvaient envoyer une majorité de députés de même confession qu'eux. Pour ce faire, on leur expliqua qu'une telle situation ne saurait qu'être temporaire. Londres ourdissait alors un plan d'immigration qui devait transformer en profondeur la démographie au Bas-Canada en redonnant enfin tout le pouvoir aux éléments anglais, leur confia-t-on. Les Anglais de Montréal acceptèrent en conséquence de prendre leur mal en patience. Ils profitèrent de ce laps de temps pour tenter d'imposer la langue anglaise à l'Assemblée législative du Bas-Canada, en vociférant que seule cette langue avait droit de cité dans un parlement britannique.

Au fil des ans, le conflit entre francophones et anglophones ne cessa de s'envenimer. Bien qu'ils ne formaient qu'une minorité au Bas-Canada, les Anglais étaient appuyés par Londres et l'administration britannique, eux qui étaient prêts à leur fournir des armes et des troupes dès que les choses ne seraient plus tenables, pour ainsi écraser la racaille canadienne-française. Une telle attitude belliciste donna naissance aux Rébellions de 1837-1838.

Parmi les causes des Rébellions, on néglige trop souvent le fait que l'immigration débridée qu'encourageait et que permettait l'administration britannique du Canada a considérablement nourri le mécontentement des Canadiens, qui n'étaient pas dupes parce que pauvres. Ils avaient depuis longtemps compris que tous ces nouveaux arrivants au patois anglais étaient utilisés par le régime pour faire disparaître la culture canadienne-française des colonies britanniques d'Amérique du Nord. Pour les émules de Benjamin Franklin, lui qui avait jadis rêvé à la création d'un grand empire britannique dans la vallée du Saint-Laurent, il fallait à tout prix mettre en minorité les francophones catholiques du Bas-Canada. Et la seule façon d'y arriver, c'était par le truchement d'une efficace et combien perfide politique de peuplement. Car, comme le disait Michel Brunet, « en histoire, ce qui compte, c'est le nombre ».

Le contexte du début du XIXe siècle était propice à la chose. Depuis quelques décennies, l'Angleterre avait eu à combattre l'idée de la Révolution française et l'Empire napoléonien un peu partout sur le théâtre européen. Cela avait laissé les finances de l'Empire britannique dans un sale état. Celui-ci traversait donc une période économiquement difficile, ce qui est toujours propice au départ de plusieurs vers des cieux nouveaux. Ce qui devait combler d'aise les assimilateurs de peuples des Amériques. Du côté de l'Irlande, la vie était encore plus dure. Les famines et l'exploitation de la population locale par les autorités anglaises avaient préparé plusieurs personnes à l'exode. Ces éléments permirent à l'Empire britannique de relancer sa politique assimilationniste via l'immigration au Bas-Canada. De 1822 à 1837, le port de Québec accueillit entre 8 000 et 50 000 immigrants parlant anglais par année. Considérant que la population du Bas-Canada était alors de 600 000 à 650 000 individus, on peut s'imaginer l'impact que pouvait avoir cette immigration sur l'équilibre des forces en présence. Pendant ces 15 années, s'il n'y eut que 10 000 immigrants anglais qui se s'installèrent au Bas-Canada par année (les autres se dirigeant vers le Haut Canada ou les États-Unis), cela équivaut tout de même à 150 000 Anglais au bout du compte! Assez pour bouleverser complètement démographie, au profit des Anglais et au détriment des Canadiens français, cela va sans dire.

Évidemment, le Parti Patriote s'insurgea contre de telles pratiques assimilationnistes. D'une part, parce que leur nationalisme leur interdisait de flirter avec l'idée que la nation qu'ils formaient puisse être éliminée au profit de la race « supérieure ». Et d'autre part, parce que la *British American Land Co.* leur avait déjà volé suffisamment de terres. Il n'était très certainement pas question d'accepter en plus que les autorités anglaises réservent les quelques lopins de terre libres à des immigrants anglophones. Pour décourager les immigrants à s'établir au Bas-Canada, en menaçant ainsi la survivance de la nation canadienne-française, le Parti Patriote usa de toute son influence à l'Assemblée législative afin de mettre en garde les immigrants tentés par un établissement ici qu'ils se mettraient de ce fait au service de compagnies de colonisation qui étaient formées de spéculateurs à la solde de Londres et que dans de telles circonstances, il n'était aucunement question que le peuple canadien-français reconnaisse la légitimité de ces concessions arbitraires. Dès que le contexte politique le permettrait, ajoutaient avec fermeté les députés patriotes, ces terres seraient saisies par le gouvernement et retournées au peuple canadien qui en avait bien besoin. De tels messages contribuèrent certainement à ce que les immigrants anglais ne soient pas en trop grand nombre à se risquer à s'installer ici, ce qui aurait indubitablement signé l'arrêt de mort de la culture canadienne-française. Concrètement, ce que souhaitait le Parti Patriote était de la même engeance que ce que le mouvement indépendantiste contemporain espère. C'est-à-dire que Papineau et ses supporteurs invitaient les Anglais à mettre fin à toute distinction de race et à s'intégrer à la majorité canadienne. S'ils s'y refusaient, rappelle Michel Brunet, ils étaient invités à émigrer.

L'Acte d'Union que les Anglais inventèrent en guise de punition pour les Bas-Canadiens qui avaient osé se soulever contre l'Empire a tout de même contribué à freiner un tant soi peu le processus assimilationniste des Anglais s'effectuant par le truchement de l'immigration. De quelle façon? Michel Brunet explique que le nouveau régime ainsi créé a tout de même permis à plusieurs députés canadiens-français de faire leur entrée au parlement uni, là où ils purent s'opposer avec véhémence à tout projet s'inspirant des vues assimilationnistes de Lord Durham. Il ne faut pas oublier que le Canada-Est (Québec) comptait quelque 650 000 personnes, dont 400 000 francophones, et que le Canada-Ouest (Ontario) n'en regroupait que 400 000. Pour un temps, la survivance des Canadiens français était assurée, et ce, parce que le poids politique des francophones était encore considérable au Canada.

Au cours de la seconde moitié du XIXᵉ siècle, c'est l'Ouest canadien qui devint le terrain sur lequel devaient s'affronter les deux nations en guerre au sein du même système politique. Avec la création de nouvelles provinces dans la fédération canadienne fondée en 1867, dont le Manitoba qui comptait une forte proportion de francophones, les élites canadiennes-françaises du Québec qui tentaient par tous les moyens de freiner l'exode des leurs vers les manufactures de la Nouvelle-Angleterre, imaginèrent que l'Ouest canadien pourrait devenir une terre d'accueil intéressante pour les Québécois qui ne parvenaient plus à survivre au Québec. Mais cela était sans compter les orangistes de l'Ouest eux qui après avoir constaté que leur projet assimilationniste en terre Québec battait de l'aile refusaient que les francophones colonisent l'Ouest. Le recensement de 1871 avait démontré que les Canadiens français formaient désormais la majorité dans les Cantons de l'Est, ce fief assimilationniste anglais. Cela indisposa tous ceux qui rêvaient d'un Canada purement britannique. Nul Anglais qui se respectait ne pouvait accepter qu'il en fut de même dans l'Ouest canadien dont le développement ne faisait alors que débuter. Il fallait par conséquent empêcher par tous les moyens imaginables les francophones de s'y installer.

Les orangistes trouvèrent un fidèle allié en la personne de Clifford Sifton, ministre de l'Intérieur dans le gouvernement de Wilfrid Laurier de 1896 à 1905 et aussi responsable des chemins de fer et de... l'immigration. Sifton était le lieutenant de Laurier pour l'Ouest. Antérieurement à ces fonctions, il avait été ministre de l'Éducation dans le gouvernement provincial de Greenway au Manitoba. C'est lui qui avait piloté le projet de loi destiné à interdire les écoles séparées dans cette province. C'est donc dire s'il avait les Canadiens français en haute estime. Afin d'empêcher tout petit Canada français de s'implanter dans l'Ouest, Sifton donna une impulsion nouvelle aux politiques d'immigration au Canada. Il s'assura qu'un nombre important de Britanniques, mais aussi d'Allemands, de Scandinaves, d'Italiens, de Polonais, de Roumains, de Russes, d'Ukrainiens, de

Serbes, de Croates, de Slovaques et de Juifs s'installent au Manitoba, mais aussi en Saskatchewan, en Alberta, et un peu partout dans l'Ouest. Ce groupe d'immigrants devait permettre d'y poser les bases d'un Canada anglais pur et exempt le plus possible d'éléments canadiens-français. Le duc de Connaught, lui qui souhaitait une « immigration exclusivement britannique pour combattre la natalité canadienne-française », pouvait y trouver de quoi se réjouir.

Mais le simple fait de remplir l'Ouest d'immigrants anglais, ou qui pourraient le devenir facilement, ne fut point jugé suffisant par les orangistes. Ces derniers ne voulaient absolument pas être contraints à côtoyer quelque papiste que ce soit dans leur vie de tous les jours. Avec les contacts qu'ils avaient au gouvernement de Wilfrid Laurier, un Canadien français lui-même faut-il le rappeler, ils s'assurèrent que les sommes que devrait débourser un Canadien français pour partir du Québec en direction du Manitoba par exemple soient supérieures à celles que devrait débourser un émigrant d'Europe de l'Est pour venir s'installer au Canada. « L'État fédéral *Canadian* ou *British American*, de dire Michel Brunet, subventionnait le transport de l'émigrant européen mais refusait le même avantage aux Québécois ». Par conséquent, les Québécois continuèrent de s'expatrier aux États-Unis en très grand nombre, où ils étaient relativement bien accueillis, et ce, parce qu'ils allaient renflouer les rangs d'une main-d'oeuvre docile qui faisait tourner rondement les manufactures des *Yankees*. De 1860 à 1929, c'est tout près d'un million de Québécois qui allèrent ainsi s'établir aux États-Unis. Ils furent remplacés par 3,5 millions d'immigrants qui s'installèrent un peu partout au Canada. Les démographes estiment aujourd'hui qu'environ 20 millions d'Américains sont de descendance canadienne-française. Imaginons un seul instant ce que serait devenu le Canada si ces 20 millions de descendants de Canadiens français vivaient présentement dans l'Ouest canadien au lieu de la Nouvelle-Angleterre et des États-Unis en général. Le rapport de force entre francophones et anglophones au sein du Canada serait certes très différent, et ce, parce qu'ici, contrairement aux États-Unis, il est assuré qu'un grand nombre de Canadiens français auraient conservé le français comme langue d'usage. Mais cela, les Anglais et les orangistes du XIXᵉ l'avaient bien compris. Ce n'est pas pour rien qu'ils ont bloqué l'accès de leur terre promise aux Canadiens français.

Le début du XXᵉ siècle fut plus difficile pour les orangistes et leurs politiques combien sélectives d'immigration. Le Canada, plongé qu'il était dans les guerres de l'Empire britannique et secoué par la Grande dépression, n'était pas une terre très attirante pour des immigrants désireux d'améliorer leur sort. Au cours de la Deuxième Guerre mondiale, ils furent tout juste 70 000 à s'installer au Canada, ce qui minait considérablement les chances des Anglais de noyer à court terme les populations Canadiennes-françaises. Surtout qu'à cause de la Grande dépression, les Américains avaient en plus fermé leurs frontières; les Canadiens français ne pouvaient dès lors plus s'installer en Nouvelle-Angleterre, à proximité des manufactures. Ils durent donc rester au Québec, et y trouver envers et contre tous une façon de survivre. Si la vie ne fut pas des plus faciles pour ces derniers, il n'en demeure pas moins qu'ils contribuèrent au maintien d'un certain équilibre démographique entre anglophones et francophones au Québec et au Canada. À un point tel qu'en 1941, le dépôt du recensement canadien sut comme nul autre horrifier le Canada anglais.

Parce que l'exode canadien-français vers les États-Unis avait pris fin, et parce que le taux de natalité que l'on retrouvait au Canada français était supérieur à celui du Canada anglais, les francophones étaient en train de renverser la courbe d'évolution linguistique au Canada. Les démographes estimèrent alors que si les natalités au Canada français s'effectuaient au même rythme au cours des trente prochaines années, les francophones seraient alors majoritaires au Canada. Rien de moins. Mais aux yeux des Anglais, cela ne devait et ne pouvait se faire. Foi d'Orangiste, ils sauraient renverser la tendance. Pour y parvenir, tout devait être fait. Comme le dit si bien Michel Brunet, « la population linguistiquement homogène qui forme la majorité ne peut pas tolérer d'être mise en minorité si elle possède les moyens politiques de s'épargner cette déchéance ». Et l'État fédéral devait servir les basses besognes de ces *canadians* anti-français et procurer les outils nécessaires à la relance du processus assimilationniste des francophones au Canada.

Le gouvernement de William Lyon Mackenzie King, cet individu adepte comme à peu près nul autre de sciences occultes et un antisémite admiratif d'Hitler, s'astreignit à la tâche de relancer l'immigration pour empêcher que le pire ne survienne, c'est-à-dire que les Canadiens français ne deviennent majoritaires au Canada. De 1946 à 1966, le Canada accueillit pas moins de 2,7 millions d'individus provenant tous – ou à peu près – de pays plus près de l'anglophonie que de la francophonie. Parmi eux, ils furent environ 2 millions à établir définitivement résidence au Canada, les autres ayant plutôt poursuivi leur chemin plus vers le sud, question de s'installer au pays de l'oncle Sam. Dès 1951, les effets se firent sentir. L'évolution de la démographie canadienne ne laissait absolument plus présager que les Canadiens français formeraient un jour la majorité au pays. Loin de là, puisque les hordes d'immigrants avaient rétabli comme jamais auparavant le déclin de la francophonie canadienne. La revanche des berceaux apparaissait alors comme la chimère qu'elle avait toujours été. Les Anglais et leurs sbires orangistes pouvaient de nouveau respirer. Ils soufflèrent d'autant lorsqu'ils constatèrent que les recensements de 1956, de 1961 et de 1966 démontraient tous la même tendance démographique, laissant ainsi présager que le Canada deviendrait un jour un pays purement anglais, comme ils l'avaient toujours souhaité.

Les Canadiens français, pour leur part, comprirent dès lors que leur influence ne ferait jamais autre chose que de diminuer au Canada. Michel Brunet, à l'instar de bien des indépendantistes contemporains, réservait un destin funeste à la plupart des communautés canadiennes-françaises du reste du Canada. Pour cet historien, elles étaient toutes condamnées à l'assimilation à plus ou moins brève échéance. Ce qui, à ses yeux, était tout à fait normal puisque la résistance, dans pareil contexte, est inutile parce qu'utopique:

> Une résistance stérile et sans imagination aux pressions assimilatrices toutes-puissantes condamne ceux qui s'y réfugient à demeurer des citoyens de classe inférieure, incapables d'ascension sociale et économique dans des cadres qui leur sont étrangers, sinon hostiles, et auxquels ils ne sont pas adaptés. Dans l'Ouest canadien, seuls quelques illuminés attardés conservent encore les mythes dont se nourrissaient les propagandistes du nationalisme franco-catholique messianique du XIXe siècle. Les porte-parole les plus dynamiques de la jeunesse francophone des Prairies savent que, s'ils veulent faire carrière et réussir dans leur milieu natal, ils devront accepter les conditions que celui-ci leur impose. Ils sont prêts à devenir Canadians. Ceux d'entre eux qui désirent fermement demeurer membres de la nation canadienne-française émigrent ou songent à émigrer vers le Québec.

C'est à cette époque que les élites canadiennes-françaises saisirent que la lutte ultime entre les deux nations se mènerait au Québec même, là où cette guerre avait d'ailleurs commencé au temps de la Nouvelle-France. L'immigration avait été un puissant outil pour empêcher que la francophonie ne se répande dans le reste du Canada, les orangistes souhaitaient désormais régler le cas du Québec. Bien que cette dernière province ait aujourd'hui son mot à dire dans le dossier de l'immigration, il n'en demeure pas moins que l'immigrant est toujours un élément qui joue un rôle fort important dans la survivance ou la disparition du fait français au Québec. Mais c'est pratiquement violer un tabou que de le dire.

8) 1960-1980 : la décolonisation partielle

Une majorité d'historiens au Québec circonscrivent le phénomène appelé Révolution tranquille aux seules années 1960. Pour eux, le retour de l'Union nationale en 1966, avec à sa tête Daniel Johnson, est la preuve que le peuple québécois était fatigué de cette vague de réformes et qu'il désirait alors faire une pause. Le changement avait été assez important pour le satisfaire. Une telle analyse de la situation s'avère déficiente. Pourquoi? Parce que la Révolution tranquille n'était pas, à son fondement même, un simple mouvement de réforme des institutions québécoises destiné à les adapter à la contemporanéité comme trop de gens sont portés à le croire encore aujourd'hui. Le cœur de la Révolution tranquille, ce fut bien plus qu'un simple processus de rattrapage institutionnel. Il est ici question d'un important mouvement de libération de la nation canadienne-française qui s'enclencha avec l'arrivée au pouvoir de l'équipe du tonnerre de Jean Lesage le 22 juin 1960 et qui s'éteignit lamentablement un certain soir de 1980, alors que le Parti Québécois perdit son référendum sur la souveraineté-association. De 1960 à 1980, le Québec a fait des gains qui sont sans conteste les plus importants de toute son histoire et dont les effets se font toujours ressentir aujourd'hui. Ce fut une folle époque où les rêves les plus délirants semblaient tout ce qu'il y a de plus raisonnable.

De 1980 à aujourd'hui, le Québec en tant que province canadienne n'a pratiquement connu que des revers. Il fut soumis au ressac qu'il a provoqué en tentant de mettre K-O son colonialiste à l'aide d'un simple référendum. Le colonialisme *canadian* en avait vu d'autre. Il puisait son inspiration à Londres, le berceau du pire colonialisme a avoir existé dans l'histoire de l'humanité, ce qui lui permettait d'entrevoir mieux que quiconque les coups tordus que pouvait préparer dans son dos le colonisé. Pour être victorieux dans une joute l'opposant à pareil adversaire, force est d'admettre que le Québec devait faire beaucoup plus que de fonder la Caisse de dépôt et placement et d'organiser un référendum pour obtenir un simple mandat de négocier un réaménagement de la politique à l'échelle canadienne avec celui qui tient le gros bout du bâton dans la fédération et qui l'exploite sans vergogne depuis des siècles.

Au cours de la Révolution tranquille, les différents gouvernements du Québec ont utilisé l'État québécois pour développer des outils qui redonneraient une place moindrement confortable aux Canadiens français qu'on commença alors à appeler « Québécois ». Dans l'esprit de tous les francophones, ou peu s'en faut, il n'était plus question que les Québécois ne soient que des nègres blancs d'Amérique, des esclaves dans leur propre pays. Les meilleures places dans les institutions appelées à être créées leur seraient sans hésitation réservées, de façon à ce qu'ils aient enfin de bons emplois. Simultanément, on tenterait de donner davantage de pouvoirs à la province de Québec, ce rempart québécois contre l'adversité *canadian,* en créant des ministères et des institutions publiques. Plusieurs se permirent même de rêver qu'elle pourrait devenir un véritable État national…

Le gouvernement de Jean Lesage, sous la pression de ministres particulièrement nationalistes (Paul Gérin-Lajoie ou René Lévesque par exemples), se donna donc dans les années 1960 la mission de corriger le fait que les francophones du Québec ne possédaient pas leur économie. Pour y parvenir, ces libéraux nationalistes avaient compris qu'il leur faudrait tout d'abord envoyer les Québécois à l'école, eux qui affichaient l'un des plus faibles taux de scolarité dans les pays industrialisés, pour les préparer ainsi à prendre les commandes de leur économie. Tout d'abord, il faudrait donner au peuple québécois un ministère de l'Éducation qui démocratiserait enfin l'instruction au Québec, secteur qui fut trop longtemps l'apanage des mieux nantis de la société. En effet, seulement 5 % de tous les francophones, à cette époque, accomplissaient des études universitaires, prouvant mieux que toute autre statistique que le Québec qui désirait se reprendre en main ne possédait pas les compétences pour le faire.

Dès 1963, le ministère de l'Éducation fut créé. Il se confia la mission de préparer toute une cohorte de techniciens et de professionnels qui seraient en mesure de faire fonctionner les institutions et les entreprises du Québec, et ce, en lançant le réseau des cégeps et des universités du Québec. Les jeunes Québécois pourraient ainsi acquérir les connaissances qui firent cruellement défaut à des générations de Canadiens français. Bien leur en pris, car le succès fut au rendez-vous. Aujourd'hui, les Québécois affichent l'un des taux de scolarisation universitaire les plus élevés en Occident. Les anglophones du Québec les devancent toujours à ce chapitre, mais l'évidence est qu'il y eut un rattrapage certain d'effectué par les francophones. Le cas du décrochage scolaire au secondaire est par contre beaucoup moins reluisant. Le Québec est toujours affecté par un taux de décrochage qui est très élevé, plus élevé que ceux qu'on retrouve dans la plupart des autres provinces canadiennes. Malgré tout, il est possible de dire que depuis les années 1960, grâce à l'État québécois et à lui seul, les Québécois sont parvenus à renverser quelque peu la tendance et à former des gens qui devraient être en mesure de relever le défi de l'autonomie provinciale.

Mais un seul ministère de l'Éducation n'était point suffisant pour relancer le Québec sur la voie du succès. C'est pourquoi le gouvernement Lesage créa, au cours d'un seul mandat, toute une série de nouveaux ministères qui devaient appuyer ce premier dans la mission de libération nationale : les Relations fédérales-provinciales, les Affaires culturelles et les Ressources naturelles notamment, tous des ministères qui concernaient des dossiers très chauds dans les années 1960.

La montée du néo-nationalisme québécois qui carburait à l'urgence de sauver la langue française alimenta généreusement la compétition que se livraient alors Québec et Ottawa. Si les plénipotentiaires de l'État du Québec désiraient obtenir plus d'autonomie pour celui-ci et mettre un terme au système d'exploitation qui asservissait le peuple qu'ils représentaient, force est de constater qu'à Ottawa, on ne l'entendait pas ainsi. On tenta par tous les moyens de freiner cet élan émancipateur qui animait le Québec. Mais malgré bien des tentatives de ce type, les Québécois parvinrent à reprendre en partie leur économie en mains. En 1968, si 38 % de l'économie québécoise était possédée par des étrangers, elle ne l'était plus qu'à hauteur de 26 % en 1982. Il faut toutefois noter que les francophones contrôlaient surtout le secteur des petites et moyennes entreprises et que tout ce qui concernait la grande industrie, le capital bancaire ou les entreprises multinationales était encore sous le contrôle du bloc anglo-saxon.

Par ailleurs, les nouveaux ministères québécois ainsi que la création de la Société générale de financement (SGF), la Caisse de dépôt et placement ou Hydro-Québec procurèrent de nombreux emplois dignes de ce nom aux Québécois, eux qui jusqu'à tout récemment n'avaient occupé que des postes d'ouvriers mal rémunérés dans les entreprises des Anglais. De 1961 à 1987, le nombre d'employés de l'État au Québec passa de 60 980 à 141 468. Les revenus de ce dernier État, lui qui pouvait depuis 1954 compter sur une source de financement non négligeable, c'est-à-dire un impôt provincial sur les revenus des particuliers et des entreprises, passèrent quant à eux de 3,2 milliards $ en 1961 à 18,3 milliards $ en 1987. Grâce à cet argent, le Québec était en mesure de faire face avec beaucoup plus d'efficacité aux nombreux empiètements de ses compétences perpétrés par un fédéral qui n'a jamais cru bon respecter la constitution qu'il a imposée aux Canadiens français en 1867[72] et enfoncée dans la gorge des Québécois en 1982. Une course effrénée aux dépenses s'enclencha alors pour l'obtention du pouvoir politique, décuplant les déficits d'Ottawa et de Québec.

Le geste de reconquête économique le plus spectaculaire qu'ait posé l'État québécois lors de la Révolution tranquille fut sans conteste la nationalisation du réseau et de l'ensemble des ressources hydro-électriques du Québec, une richesse que contrôlaient à peu près totalement les Anglais jusqu'en 1962. Depuis les années 1920 et 1930, les nationalistes canadiens-français rêvaient de nationaliser ce secteur d'activité pour ainsi favoriser enfin les entrepreneurs francophones. Il fallut attendre l'arrivée d'un ministre des Richesses naturelles courageux, René Lévesque, pour que le processus soit vraiment lancé. Cela ne fit évidemment pas le bonheur de compagnies telles que la *Shawinigan Water and Power* et la *Quebec Power Company* qui s'enrichissaient depuis des lustres grâce au potentiel hydro-électrique du Québec. Un tel projet déplu aussi profondément aux financiers de la rue Saint-Jacques à Montréal qui voyaient le pouvoir anglo-saxon du Québec commencer à s'égrainer. Mais rien n'y fit. Lévesque était décidé à aller au bout des ambitions qu'il avait pour le Québec. Investissant 604 millions $ que des firmes américaines lui consentirent sous forme de prêt, le Québec parvint à donner beaucoup de pouvoir à Hydro-Québec. Cette institution publique lança dès lors de vastes chantiers à la Manicouagan, puis par la suite à la Baie-James, créant des milliers d'emplois pour des Québécois. Et pas seulement au bas de la hiérarchie comme c'était le cas dans les compagnies anglaises. Hydro-Québec prouva que la réussite économique pouvait être au rendez-vous même si des francophones étaient en charge. À l'instar de la fonction publique, qui était constituée à 85 % de francophones, les postes d'ingénieurs chez Hydro-Québec furent confiés à 190 Québécois francophones sur 243. Et malgré cela, les barrages de la Manic tiennent toujours en 2006! Ce qui démontre bien que l'exclusion dont étaient victimes les francophones dans les entreprises anglaises n'avait rien à voir avec leurs compétences, mais bien avec leurs origines ethnique et linguistique.

L'arrivée des souverainistes à la tête de l'État québécois le 15 novembre 1976 devait permettre aussi aux Québécois de se prémunir contre une immigration débridée dont s'était servi régulièrement le colonialiste *canadian* pour noyer la nation canadienne-française. Conscient de ce problème historique, le gouvernement Lévesque entama rapidement après son élection des négociations avec Ottawa afin que le Québec ait enfin son mot à dire dans cet épineux dossier. Il parvint à se faire concéder l'accord Cullen-Couture qui entra en vigueur en 1978 et qui venait compléter les accords antérieurs Cloutier-Lang (1971) et Bienvenue-Andras (1975). Négociée par les ministres Jacques Couture et Bud Cullen, cette entente assura au Québec une certaine emprise sur son immigration, depuis le choix des candidats jusqu'à leur adaptation à la société d'accueil. Concrètement, cela signifiait que le Québec venait d'obtenir le droit de sélection des immigrants dits indépendants[73] alors que les réfugiés politiques et les personnes admises dans le cadre du programme de « regroupement » des familles relevaient toujours de l'autorité fédérale. Or, de 1985 à 1994, de tous les immigrants qui se sont installés au Québec, seulement 38 ou 39 % pouvaient être considérés comme des immigrants indépendants. L'entente Cullen-Couture a été bonifiée en 1991 par l'accord Canada-Québec sur l'immigration, mais l'on y retrouvait le même biais en ce qui a trait à la sélection des nouveaux arrivants qui s'installent sur le territoire québécois. Ce qui revient à dire que malgré les quelques concessions, le fédéral contrôle toujours aujourd'hui près de 65 % de toute l'immigration destinée au Québec, ce qui lui laisse tout le loisir de sélectionner des individus qui seront à même de s'intégrer au monde anglo-saxon nord-américain plutôt qu'à la francophonie québécoise. Et après ça, certains s'étonnent que les nouveaux arrivants au Québec s'intègrent toujours très majoritairement à la culture anglaise.

À l'instar de la Révolution cubaine, la Révolution tranquille aura permis au peuple québécois de prendre en partie en main son économie. Pour juger des bienfaits de la décolonisation, il est possible d'établir davantage de comparaison entre les deux situations nationales précitées. Après le renversement du régime corrompu et fantoche de Batista en 1958, Cuba a pu investir l'argent produit par les activités commerciales sur son territoire dans le développement d'une économie nationale qui soit vraiment profitable aux Cubains et plus seulement à une clique d'étrangers qui brisent des vies pour accumuler plus facilement les capitaux. À partir de 1958, les importations de machinerie ont progressé de 40 % à Cuba. Avant la Révolution, il y avait tout juste 5 000 tracteurs dans ce pays, alors qu'après l'arrivée de Castro au pouvoir, il y en avait 50 000. On a noté la même progression fulgurante du côté des industries du ciment et des centrales électriques. Les usines d'engrais chimiques fournissaient alors cinq fois plus de ce produit aux agriculteurs qu'auparavant. Les barrages retenaient 73 fois plus d'eau que sous la dictature Batista, ce qui a permis d'irriguer maintes terres qui ont ainsi produit incommensurablement plus. De nouvelles routes ont été construites afin de relier toutes les régions de l'île entre elles. Et finalement, les bagnards de la canne à sucre ont pu enfin envisager d'autres métiers, améliorant ainsi leurs conditions de vie[74].

Même si la Révolution tranquille fut infiniment moins radicale que la Révolution cubaine de 1958, il est possible de noter des évolutions semblables. Le mouvement ayant permis la Révolution tranquille a été lancé par les gouvernements de l'Union nationale de Maurice Duplessis, mais surtout de Paul Sauvé. Ce parti nationaliste tenta d'améliorer les conditions de vie de ses congénères. De ce fait, il permit l'électrification rurale et accorda certains avantages à des agriculteurs qui purent ainsi se procurer de nouveaux équipements. En 1931, seulement 2 % des agriculteurs du Québec possédaient un tracteur. En 1961, ils étaient 63 % à en détenir un. On a également vu ce que la nationalisation de l'électricité a permis au Québec. Elle a fourni de l'énergie aux Canadiens français, qui ont amélioré leur niveau de vie et développé leurs entreprises, tout comme elle a permis de mettre au monde une société d'État qui a donné de bons emplois à bien des gens d'ici. À l'instar des Cubains qui ont pu quitter la canne à sucre, les Québécois ont pu, en partie du moins, cesser de jouer les nègres blancs dans les usines des Anglais. Tous ces succès que l'on doit enregistrer au palmarès du peuple québécois firent dire à René Lévesque que :

> En économique, par la nationalisation de l'électricité, la création de la S.G.F., de Soquem, de la Caisse de dépôt, nous avons posé les premiers jalons de cette maîtrise collective d'un certain nombre d'instruments essentiels faute de quoi aucune communauté humaine ne peut se sentir vraiment chez elle[75].

Mais ces succès furent aussi jugés par plusieurs comme insuffisants. Selon eux, l'on se devait d'aller au bout du raisonnement proposé par la Révolution tranquille, ce qui impliquait l'indépendance nationale du seul État contrôlé par des francophones en Amérique. Ces nationalistes qui donnèrent naissance au mouvement indépendantiste savaient lire entre les lignes et saisissaient que les acquis de la Révolution tranquille ne faisaient bien souvent que dissimuler l'exploitation coloniale telle qu'elle se vivait ici. Ils comprenaient que la partie était loin d'être gagnée pour les Québécois. Tout d'abord, il fallait bien voir que si ces mêmes Québécois avaient amélioré leur niveau de vie au cours de ces années, faisant passer leur revenu familial de 22 120 $ (en dollars de 1986) en 1961 à 37 282 $ en 1986, cela était tout simplement dû au fait que le faible taux de natalité avait permis aux femmes de se lancer en plus grand nombre sur le marché du travail. L'amélioration ainsi connue était due au fait que les deux conjoints devaient maintenant travailler pour joindre les deux bouts, ce qui est un progrès tout relatif, on en conviendra.

Les indépendantistes comprenaient aussi que le fédéral intervenait toujours dans l'économie de façon à favoriser le reste du Canada, plus particulièrement l'Ontario, au détriment du Québec. Entre autres, Ottawa et la banque centrale du Canada maintenaient artificiellement dans les années 1960, et comme ils le firent ultérieurement, des taux d'intérêts élevés qui étaient tout à l'avantage du sud de l'Ontario, mais qui minaient le développement de l'économie québécoise. L'abandon, à la même époque, des programmes fédéraux de développement régional n'était rien non plus pour servir la cause du Québec. Bien que le Québec soit devenu, au cours des années 1970-1980, le chef de file de la production d'aluminium au Canada, mais aussi au monde, et ce, parce que les constructeurs automobiles s'étaient entichés de ce léger métal qui leur permettait de diminuer le poids de leurs véhicules et donc de réduire leur consommation de carburant, l'industrie automobile demeura confinée encore et toujours à l'Ontario, province qui s'enrichit grandement grâce à ce secteur d'activité.

Tous se rendaient aussi compte que depuis l'ouverture de la voie maritime du Saint-Laurent en 1958, l'économie montréalaise se portait mal. L'activité portuaire et ferroviaire qui avaient fait les beaux jours de Montréal n'étaient plus que l'ombre d'elles-mêmes, et ce, parce que le trafic se dirigeait désormais tout droit, sans s'arrêter, à Toronto. Le taux de chômage au Québec présentait quant à lui un portrait similaire. C'est-à-dire que s'il avait considérablement diminué et s'était ainsi rapproché de la moyenne canadienne, particulièrement au moment des grands chantiers de la Manicouagan, il était toujours supérieur à celui qu'on retrouvait en Ontario, par exemple. En 1977, il était de 10 % au Québec, alors qu'il atteignit les 13,9 % en 1983, pour diminuer à 9,3 % en 1989 et se fixer à environ 11 % ou 12 % dans les années 1990, alors qu'en Ontario il était toujours de trois, quatre ou cinq points de moins. On retrouvait, bien évidemment, le même décalage en ce qui concerne le taux d'emploi, une mesure qui est d'ailleurs plus adaptée pour présenter la pauvreté ou la richesse d'un ensemble économique quelconque. Ainsi, le taux d'emploi était de 58 % au Québec en 1989, l'un des plus faibles en Amérique du Nord, alors qu'il était de 66,4 % en Ontario. En 2000, le taux d'emploi était de 57,9 % au Québec et de 63,3 % en Ontario, ce qui signifie que l'écart s'était quelque peu résorbé, mais à peine. Et lorsque l'on regarde du côté du salaire hebdomadaire moyen et de la hausse des prix à la consommation, on s'aperçoit que la richesse relative des Québécois ne s'est pratiquement pas améliorée au cours de ces années. Le salaire moyen est passé de 543 $ à 613 $ au Québec, et de 577 $ à 698 $ en Ontario, mais en considérant que les prix à la consommation ont augmenté au cours de la même période de 12,7 % au Québec et de 15,4 % en Ontario, le salaire réel a de ce fait stagné à 554 $ au Québec (en pouvoir d'achat de 1992) alors que celui de l'Ontario a atteint 611 $[76].

Les Québécois apprirent aussi à la même époque ce qu'il en coûtait de faire affaire avec des compagnies étrangères pour exploiter ses ressources naturelles. En effet, c'est au cours de cette période que les grandes compagnies américaines commencèrent vraiment à lorgner du côté du tiers-monde où ils pouvaient relocaliser leurs industries et les faire fonctionner à moindre coût. Les Québécois ne constituaient plus à leurs yeux une main-d'œuvre aussi intéressante qu'elle ne le fut par le passé, alors qu'on pouvait tout exiger d'elle, la maltraiter, la briser, tout ça pour augmenter les profits de quelques riches industriels Anglais. Dans les années 1960, cette même main-d'œuvre ruait dans les brancards pour améliorer ses conditions de travail et ses conditions salariales. Les syndicats décuplèrent aussi leur puissance et défendirent beaucoup plus efficacement les droits des travailleurs. Des pratiques meurtrières comme celles que l'on trouvait dans les usines de la *John's Manville Corporation* à Asbestos, où la santé des travailleurs de l'amiante était constamment menacée, étaient férocement combattues par les syndicats. Ceci combiné aux hausses successives des salaires des ouvriers du Québec provoqua la fermeture de plusieurs usines américaines qui étaient ici installées. Les Anglais ne trouvaient plus aucun intérêt à la « belle province » du moment où les nègres blancs défendaient leurs droits et ne se laissaient plus exploiter sans mot dire. Pour les Anglais, mieux valait donc trouver de vrais nègres qu'ils pouvaient encore exploiter en toute impunité, d'où leur intérêt pour le tiers-monde.

La dépossession économique de tout un peuple, de même que les injustices qui perduraient poussèrent des nationalistes qui comprenaient que la Révolution tranquille n'allait pas assez loin à relancer les idées indépendantistes au Québec, elles qui avaient animé, un tant soit peu et pour la dernière fois, ce territoire au cours des années 1930. L'Alliance laurentienne de Raymond Barbeau, l'Action socialiste pour l'indépendance du Québec de Raoul Roy, le Rassemblement pour l'indépendance nationale de Marcel Chaput et André D'Allemagne, le Ralliement national de Gilles Grégoire, le Front de libération du Québec de Raymond Villeneuve, Gabriel Hudon et Georges Schoetters, mais surtout le Mouvement souveraineté-association et le Parti Québécois de René Lévesque donnèrent vie à ce renouveau indépendantiste au Québec. René Lévesque, libéral démissionnaire, sut percevoir peut-être mieux que quiconque les limites inhérentes à la Révolution tranquille au Québec :

> Notre province doit croître et elle doit croître à l'avantage toujours grandissant de cette nation appelée canadienne-française qui n'a et qui n'aura jamais qu'une base physique qu'elle pourra appeler sienne : la Province de Québec. Notre tâche est de voir que cette majorité obtienne la part qui lui revient, qu'elle n'a jamais eue dans le passé. Nous avons l'intention de planifier notre croissance dans cette direction parce que personne d'autre ne le fera pour nous.

Ou encore :

> Interminablement, avec une insistance qui tient du masochisme, nous faisons et nous refaisons le tableau de nos insuffisances. Nous avons longtemps dédaigné l'éducation. Nous manquons de savants, d'administrateurs, de techniciens qualifiés. Nous sommes économiquement, des colonisés dont les trois repas par jour dépendent trop souvent de l'initiative et du bon vouloir de patrons étrangers. Avouons aussi que nous sommes loin d'être les plus avancés dans le domaine social, celui où s'évalue le mieux la qualité d'une communauté humaine. Nous avons laissé très longtemps notre administration publique croupir dans l'incurie et la corruption, et notre vie politique entre les mains de hâbleurs et de « rois nègres »[77].

Le nationalisme indépendantiste des années 1960 carbura donc en bonne partie à la décolonisation économique. Plusieurs porteurs d'eau et les scieurs de bois avaient enfin décidé de redevenir pleinement maîtres chez eux et de mettre un bon coup de botte au fond de culotte de ceux qui les spoliaient depuis trop longtemps. Pour y parvenir, une seule solution donc. Briser le carcan fédéral canadien pour en laisser émerger un nouveau pays qui se ferait ainsi le libérateur des espérances de ceux qui plièrent l'échine trop longtemps, à force de frotter les beaux parquets des fortunés du *west island*.

Plus radicalement que tous les autres acteurs indépendantistes de cette époque, le FLQ formula un message qui était très clairement tourné contre la bourgeoisie anglophone et l'oppression économique qu'elle faisait peser sur les Canadiens français. Pour le FLQ, les ennemis à abattre étaient les symboles et les institutions du colonialisme *canadian,* les médias anglais et les entreprises anglaises qui pratiquaient la discrimination envers les Québécois. Mais ce nationalisme ne puisa pas seulement son inspiration dans le domaine économique. Il trouva également maints arguments en mesure de le faire progresser et de justifier son existence dans l'identité et la langue.

Parce que trop de Québécois associaient – et associent encore– le français à une langue de dominés, de perdants et qu'ils croient que telle est la cause de leur infériorité économique, ils furent trop souvent fort mitigés dans la défense de celle-ci. Il y eut toujours des Québécois pour renier cet apport culturel extraordinaire et qui n'ont jamais souhaité rien d'autre que de s'assimiler complètement à la culture anglo-saxonne d'Amérique. Ils croyaient qu'ils pourraient ainsi améliorer vraiment leur sort. Heureusement, ce ne fut jamais qu'une minorité qui perçut ainsi le contexte ô combien particulier du peuple québécois en Amérique. La majorité, elle, fut toujours prête à investir maintes énergies dans la défense de cette langue au Québec et au Canada. Les années 1960 relancèrent comme jamais cette entreprise nationaliste inhérente à la survivance culturelle de tout un peuple.

Ce fut tout d'abord le gouvernement de l'Union nationale de Jean-Jacques Bertrand qui tenta de sauver, par le truchement d'une loi, le français au Québec. Il faut dire qu'il n'eut pas vraiment le choix d'ouvrir ainsi cette boîte de pandore qui est toujours difficile à refermer au Québec. C'est qu'en 1969, la banlieue montréalaise de Saint-Léonard était en ébullition depuis deux ans déjà. Parce que les immigrants d'origine italienne qui s'installèrent à Saint-Léonard au cours des années 1960 y firent passer la proportion de francophones de 90% à 60% en seulement sept ans, le Mouvement pour l'intégration au français avait toutes les difficultés du monde à développer un rapport de force qui eût permis d'imposer la fréquentation de l'école française à tous les immigrants de ce secteur de Montréal. Les Italiens tenaient mordicus au privilège dont ils jouissaient depuis l'arrivée des premiers des leurs au Québec d'envoyer leurs enfants à l'école anglaise. Et leur nombre croissant leur permettait de défendre toujours plus efficacement ce privilège dont ils jouirent trop longtemps.

Évidemment, les nationalistes québécois étaient bien conscients qu'en fréquentant l'école anglaise, les enfants des Italiens de Saint-Léonard ne faisaient rien d'autre que s'intégrer à la communauté anglaise du Québec. Ils apportaient de ce fait des renforts au colonialiste anglais qui espérait, et ce, depuis 1760, faire disparaître les Canadiens français sous un flot continu d'immigrants anglophones. Pour empêcher qu'un tel scénario catastrophique ne se concrétisât, les parents québécois en appelèrent aux tribunaux afin de vérifier s'il y avait une possibilité de contraindre les Italiens de Saint-Léonard à envoyer leurs enfants à l'école française. Dès l'instant où les francophones accentuèrent la pression sur les Italiens, les comités de parents où les deux communautés se côtoyaient directement devinrent autant de foire d'empoigne, donnant naissance aux scènes les plus disgracieuses. Des parents francophones et italiens en vinrent aux mains, les deux groupes refusant que des étrangers décident de l'univers culturel dans lequel évolueraient leurs enfants, les francophones voulant un Québec français, et les Italiens souhaitant que leurs enfants aillent encore et toujours à l'école anglaise. C'est afin de mettre un terme aux émeutes qui embrasaient Saint-Léonard que le gouvernement de Bertrand décida de ne point attendre les recommandations de la Commission Gendron qui se penchait justement sur la situation linguistique au Québec et il adopta, le 20 novembre 1969, le bill 63 pour « promouvoir » la langue française au Québec.

Le bill 63 ne parvint malheureusement pas à calmer le jeu. Plus exact serait de dire que cette loi attisa la crise. C'est que les Québécois ne pouvaient accepter le fait que le gouvernement Bertrand, bien qu'il proclama son désir de protéger le français au Québec, confirmait les privilèges linguistiques des anglophones et des allophones qui pouvaient continuer d'envoyer leurs enfants à l'école anglaise. En fait, tout ce que fit le gouvernement Bertrand via le bill 63, c'est de dire que toute personne immigrant au Québec devait apprendre le français dès son arrivée et faire instruire ses enfants en français. Mais rien ne les y obligeait. Comme on pouvait s'y attendre, le bill 63 n'eut aucun effet positif sur la fréquentation de l'école française par les enfants d'immigrants. Après l'adoption de cette loi, seulement 1,7% des immigrants optèrent pour l'école française, à peu près le même taux qu'avant. Le bill 63 n'était donc qu'un discours creux qui repoussait le problème linguistique à plus tard. L'un des principaux porte-parole des nationalistes du temps ne se laissa pas berner. François-Albert Angers trancha en affirmant que le « gouvernement Bertrand a fait ce que le conquérant n'a jamais osé faire ».

Les nationalistes s'attaquèrent ensuite à l'université McGill, jugeant avec raison que la minorité anglophone avait bien suffisamment d'institutions scolaires de ce type au Québec et qu'il était temps de transformer cette institution en université française. Le Québec était alors une véritable « poudrière linguistique » pour reprendre l'expression de Pierre Godin. Pour tenter de mettre un peu d'ordre dans le dossier linguistique, le nouveau gouvernement de Robert Bourassa, équipe qui avait battu l'Union nationale en 1970, se donna comme mission de corriger les travers du bill 63 en adoptant la loi 22. Cette dernière législation établissait le français comme seule langue officielle du Québec, ce qui indisposa considérablement les fédéraux de Trudeau qui, seulement quelques années auparavant, avaient confirmé le caractère bilingue du Canada. Le fait que le Québec se déclara quant à lui unilingue français n'était rien pour faciliter la tâche du gouvernement Trudeau, qui voulait faire croire à tous que le Canada était vraiment bilingue. Évidemment, ce nouvel épisode linguistique ne fut rien pour améliorer les relations entre les deux paliers de gouvernement.

Si la loi 22 aviva les tensions entre Québec et Ottawa, cette loi ne permit pas davantage que la loi 63 d'améliorer la situation linguistique au Québec. En ne mettant pas définitivement un terme à la liberté de choix dans la langue d'enseignement, Bourassa ne faisait qu'appliquer un baume sur une plaie et, par conséquent, ne parvint pas à satisfaire les demandes d'une majorité de Québécois qui espérait que son gouvernement agisse de façon à sauver le français au Québec. Il leur fallut donc attendre l'élection du PQ en 1976 et l'adoption de la Charte de la langue française en 1977 pour voir leurs espérances à peu près comblées et atteindre ainsi un semblant de paix linguistique au Québec.

En imposant la fréquentation de l'école française aux enfants d'immigrants pour le primaire et le secondaire, et en établissant le français comme langue de travail dans les entreprises comptant plus de 50 employés, les nationalistes du Québec croyaient avoir, grâce au gouvernement Lévesque, enfin mis la langue française à l'abri. Mais dans les faits, et comme l'a depuis démontré très clairement le mathématicien Charles Castonguay, la loi 101 n'a eu qu'un effet mitigé sur l'évolution linguistique du Québec. Si le français s'est quelque peu redressé dans les années 1980 et 1990, cela est bien davantage dû au fait que la crise d'Octobre en 1970 et surtout l'élection d'un gouvernement souverainiste en 1976 ont convaincu bon nombre d'anglophones que le temps était venu de rentrer dans leurs terres et de quitter pour de bon ce territoire que contrôlait un peuple ne voulant absolument pas abandonner son parler de France. Entre 1971 et 1986, il y eut tout près de 200 000 anglophones qui quittèrent le Québec, ce qui eut un impact certain sur le portrait linguistique du Québec. Dès que cet exode fut terminé, le français recommença à décliner au Québec, ce qui démontre bien que les immigrants s'intègrent ici, dans ce régime post-charte de la langue française, encore majoritairement à l'anglais. D'ailleurs, une étude de Statistiques Canada a démontré qu'en 2006, les descendants d'immigrés allophones (qui ne parlaient ni le français ni l'anglais à leur arrivée au Canada), et ils étaient 175 000 dans cette situation au Québec, ne parlaient le français à la maison que dans une proportion de 11%. La même étude a démontré que seulement 25% d'entre eux vivent présentement leur vie publique en français au Québec. C'est un recul important par rapport aux parents de ces jeunes issus de l'immigration qui ne sont même pas nés, eux, au Québec[78]! Mais cela, André Pratte refuse de le voir, préférant faire croire aux Québécois que le français se porte bien au Québec, alors que tel n'est pas le cas. L'éditorialiste sait pertinemment que le jour où les Québécois seront majoritairement convaincus que péril il y a en la demeure et que le français est véritablement menacé, ils prendront alors le mors aux dents, ce qui ne sera certainement pas de bon augure pour le régime canadien.

Tout ça pour dire qu'il y a bel et bien eu une décolonisation qui s'est mise en branle au cours des années 1960-1970 au Québec, mais cette décolonisation ne fut que relative et partielle. Économiquement, il est indéniable que les Québécois ont amélioré leur sort. Mais ils souffraient toujours, dans les années 2000, de la comparaison avec les Anglais du Canada, et en particulier avec les Ontariens. Socialement, l'État providence qu'ils se sont donné parvint à venir somme toute efficacement au secours des indigents, eux qui autrefois étaient laissés à eux mêmes dans un système contrôlé entièrement par les Anglais et leurs sous-fifres canadiens-français. Cet État a également pris soin de la population en général en lui offrant de généreux services sociaux. Mais à la fin de la Révolution tranquille comme aujourd'hui, l'État du Québec était et est toujours inféodé à un autre, l'État fédéral, et ce dernier a toujours été décidé à l'empêcher d'obtenir davantage de pouvoir. Pour ce faire, Ottawa imagina moult stratagèmes pour pénétrer violemment les compétences du Québec.

Culturellement, les Québécois se sont donné une charte qui leur laissa croire un moment qu'ils pouvaient sauver leur langue à l'intérieur même du Canada. Mais dans les faits, la persistance et la progression de l'anglais au sein des communautés canadiennes-françaises à l'échelle du Canada, mais aussi du Québec, ne s'est jamais démentie depuis l'époque où Durham jurait dur comme fer que le français ne pourrait jamais survivre en terre d'Amérique. Et politiquement, on s'est très vite aperçu que pour aller au bout des ambitions que le Québec a exprimées au cours de cette fructueuse période, il eut fallu qu'il se donnât un statut de pays indépendant, ce que les Québécois se refusèrent en 1980 en votant à 60% pour le Non, se laissant ainsi charmer par les fausses promesses de Pierre Elliott Trudeau. Dès lors, le temps où le Québec améliora de façon accélérée son sort en Amérique était bel et bien terminé. Ce pays français qui aurait dû être s'engagea ainsi dans une voie où il devait connaître recul par dessus recul et brimade par dessus brimade.

* * *

À la lumière des informations présentées dans cette première partie, les fédéralistes endurcis ne se diront très certainement pas impressionnés par la démonstration qui tend à prouver que le Québec et les francophones furent bien, quoi qu'en dise Pratte dans *Aux pays des merveilles*, les victimes historiques du système politique qu'est le Canada. Pour rejeter ma thèse dédaigneusement, mes adversaires soutiendront sûrement qu'il ne fallait certes pas s'attendre à ce qu'un indépendantiste tel que moi présente positivement les relations historiques entre francophones et anglophones en Amérique. Tel serait bien évidemment leur droit.

Mais une chose demeure malgré tout, et c'est que contrairement à ce qu'André Pratte a fait dans son livre, mon propre exposé historique est exhaustif et repose sur des faits vérifiables. Contrairement à l'éditorialiste mercenaire de *La Presse* qui se contente de dire que l'histoire du Canada et du Québec prouve que francophones et anglophones ont tissé des liens de confiance qui leur ont permis d'évoluer dans la bonne direction, je ne désirais, pour ma part, nullement sombrer dans la même facilité. Important était pour moi d'étayer mes dires à l'aide de preuves quasi irréfutables. C'est pour cette raison que j'appuie tous mes dires sur les propos d'historiens et politicologues reconnus. Évidemment, ça exige beaucoup plus de travail, mais la paresse intellectuelle n'est jamais un bon guide.

En sombrant dans la facilité et en utilisant les formules toutes faites pour défendre son camp, Pratte eut recours à une méthode de travail qui discrédite complètement sa démarche fédéraliste. Il ne saura jamais être acceptable de simplement dire que le Québec et le Canada sont de parfaits partenaires sans apporter de preuves bien concrètes qui permettent d'affirmer une telle chose. Peut-être que l'approche qu'a retenue Pratte saura en satisfaire quelques-uns, des lecteurs assidus et crédules de *La Presse* sans doute, mais assurément, nous ne serons jamais du nombre.

Sachant pertinemment cela et ne voulant pas s'humilier trop facilement, Pratte pourrait abandonner le volet historique et se défendre en arguant que le passé ne saurait faire foi de tout. Il pourrait ainsi prétendre que j'ai passé beaucoup trop de temps à analyser l'histoire dans cet essai alors que la réalité contemporaine, elle, justifie pleinement l'unité canadienne. Il pourrait aller plus loin et faire valoir que je radote de vieilles histoires, un peu comme l'a fait stupidement Sheila Copps lors du débat qui l'a opposée aux dirigeants du *Québécois* un certain 22 juin 2006 sur les ondes de LCN, alors qu'elle affirmait qu'il était futile de parler du rapatriement de la constitution canadienne sans l'accord du Québec (1982), et ce, parce que 1982, c'est loin maintenant!?! Peu importe ce que disent Copps et Pratte, l'évidence est que l'histoire a tout à fait sa place dans le débat qui oppose toujours, en 2006, indépendantistes et fédéralistes. Il est clair que tous les coups que les Anglais et les fédéraux ont jadis portés au Québec se font toujours sentir aujourd'hui, d'une façon ou d'une autre, parce que ces coups ont miné le développement de tout un peuple. Pour comprendre le mieux possible notre situation actuelle, force est d'admettre qu'il faille retourner dans le passé pour, comme le dirait Pierre Vadeboncoeur, « retourner les monuments pour voir les vers qui grouillent ».

Produisant comme il l'a fait un travail intellectuel bâclé et d'une superficialité historique sans nom, André Pratte a lui-même placé quelques clous dans son propre cercueil. Il tend en plus le marteau à ceux qui voudraient le sceller enfin. En démontrant dans la prochaine partie du présent essai que la situation actuelle du Canada ne justifie pas davantage que l'histoire du Québec et du Canada la perpétuation du fédéralisme, peut-être nous rapprocherons-nous encore un peu plus de cette finalité combien souhaitable? Un jour ou l'autre, André Pratte devra payer pour sa félonie et sa duplicité. La honte sera alors sa seule compagne. Il aura bien mérité de partager avec elle son quotidien…

Chapitre II
Périple au pays de la démagogie gescaïenne

De façon à expliquer la prégnance constante du mouvement indépendantiste au Québec, André Pratte avance qu'une telle situation ne peut être que la conséquence des manipulations effectuées au quotidien par une bande d'intellectuels qui façonnent des mythes, qui transforment la réalité canadienne pour que le projet de pays du Québec apparaisse faussement intéressant à un nombre important de Québécois, tous ignares qu'ils sont parce que -si l'on suit la logique de Pratte jusqu'au bout- trop bêtes pour repérer les mensonges des imagineurs de nouveaux mondes. Résumant de façon fort arbitraire le discours de certains indépendantistes, comme Pierre Falardeau par exemple, Pratte en profite pour glisser au passage qu'il est tout à fait inadmissible que l'on puisse proposer de faire un pays pour « faire payer ces chiens d'Anglais »[79]. Comme si le discours de Falardeau pouvait être ainsi synthétisé! Beaucoup plus riche et pertinent que cela est le discours véhiculé par la frange la plus radicale du mouvement indépendantiste, cela est plus qu'évident. Tous en conviennent sauf les fédéralistes véhiculant une intolérance extrême à l'égard de la liberté québécoise. Bien sûr, on peut être en désaccord avec les indépendantistes les plus vigoureux, mais une chose demeure, et c'est qu'il faut être d'une malhonnêteté spectaculaire pour oser dire qu'ils souhaitent briser le Canada tout simplement pour se venger des exactions commises par le vieux brûlot (Colborne) en 1837!

Par ailleurs, André Pratte n'admettra jamais que lui, le premier, invente des mythes pour mousser sa cause. Dépeindre la relation historique canado-québécoise comme harmonieuse et éminemment positive pour le Québec relève du pire des sophismes. On peut proposer, comme Pratte le fait, de repousser toute idée de séparation aux calendes grecques parce qu'on a peur de ce qui pourrait advenir en quittant le Canada, mais certainement pas justifier le refus de la liberté en affirmant que tout est beau au pays du *coast to coast*. En fait, les fédéralistes ne peuvent plus aujourd'hui que défendre leur projet politique en expliquant que l'intégration (assimilation) est la seule des solutions pour les Québécois. Comme nous tous, ils ne peuvent qu'être conscients que le Québec est soumis au tir des fédéraux depuis 1995, ce qui a des conséquences dramatiques pour la minorité nationale que nous formons. S'ils étaient tous honnêtes, les fédéralistes affirmeraient en bloc que le Québec ne peut plus persister dans cette confrontation stérile avec le Canada anglais. Pour le bien de tous, les fédéralistes devraient oser admettre que le Québec devrait cesser de se prétendre distinct et devenir enfin une province comme les autres. Un tel discours serait beaucoup plus près de la réalité que de prétendre qu'Ottawa aime et respecte la différence québécoise.

Jamais à court d'imagination lorsque vient le temps d'inventer de nouvelles idées fallacieuses lui permettant de défendre l'ordre canadien au Québec, Pratte, le mercenaire gescaïen, ose aussi dire que si les Québécois n'ont pas encore fait le choix clair de la liberté, c'est tout simplement parce qu'ils n'en ressentent aucunement le besoin puisqu'ils sont si bien traités au Canada. Pour Pratte, les tentatives d'assimilation, les bravades, les attaques frontales dirigées contre l'État québécois, l'humiliation, les va-t'en en guerre qui imposent leurs croisades aux Québécois, les vols, le pillage, les fraudes électorales et référendaires, les traitements de faveur réservés aux obséquieux qui vouent un culte au colonialiste *canadian*, tout ça n'a jamais existé. Ce n'est que pure fumisterie au service d'un mouvement politique qui empire les faits pour favoriser son option politique :

> Presque que quarante ans après l'Option Québec de René Lévesque, malgré neuf campagnes électorales et deux campagnes référendaires, malgré une multitude de livres, d'articles de journaux, de colloques et de campagnes publicitaires, une majorité de Québécois ne comprennent toujours pas ce qu'ils gagneraient si le Québec se séparait du Canada. Voilà qui est assez paradoxal. En général, lorsque les peuples opprimés ont la chance de se prononcer sur leur libération, ils votent OUI sans hésitation, à une très forte majorité. L'indépendance, pour eux, est synonyme d'espoir, l'espoir que leurs malheurs prendront fin. Pourquoi les Québécois réagissent-ils si différemment? La réponse saute aux yeux : parce qu'ils ne sont pas et ne se sentent pas opprimés[80].

Décrit d'une telle façon, le conflit opposant les indépendantistes québécois et les fédéralistes *canadians* donne l'impression que les premiers ont toujours joui des mêmes facilités pour défendre leurs idées que les seconds alors que tel n'est absolument pas le cas. Comme nous l'avons démontré à l'automne 2005 à l'aide de l'essai *Nos ennemis, les médias*, il est clair que les moyens de communication que contrôlent totalement les fédéralistes au Québec leur permettent de désinformer comme bon leur semble les Québécois. Ces coups de force dirigés contre les principes mêmes que l'on retrouve à la base de tout idéal démocratique, eux qui exigent que les deux côtés de la médaille soient présentés aux électeurs, deviennent plus importants et réguliers à mesure que les échéanciers électoraux apppprochent. Si le mouvement indépendantiste avait tout simplement eu un hebdomadaire pour contredire un tant soit peu la propagande du Canada, il y a déjà belle lurette que le pays du Québec serait.

Bien que Pratte prétende que les Québécois se sentent bien dans le Canada et nullement opprimés, important est de préciser qu'il y a toujours une masse critique de Québécois qui croient le contraire. Ceux-ci savent lire les médias de l'ennemi entre les lignes. Ils parviennent à décoder les mensonges formulés par Pratte. Ils comprennent bien la nature des relations « unissant » Québec et Ottawa, relations qui sont tout à l'avantage du second au détriment du premier. Bon an mal an, cette masse est composée d'environ 40% de la population québécoise qui désire mettre un terme à cette relation d'esclavage en donnant le statut de pays libre au Québec. Ce qui est énorme dans un supposé contexte où tout serait rose pour les Québécois!

Pour ceux qui demeurent encore à convaincre du bien-fondé de l'indépendance, force est de constater que les indépendantistes, pour y parvenir, devront posséder des canaux leur permettant vraiment de faire de l'éducation politique. La question du Québec prise dans ses moindres détails en est une fort complexe même si le principe à la base, lui, est très simple (libérer un peuple). Pour en saisir tous les tenants et les aboutissants, cela prend du temps et de l'énergie. Et l'on ne peut très certainement pas se fier à *La Presse* et à André Pratte pour mettre à la disposition des Québécois les informations dont ils ont besoin pour faire un choix éclairé. *Aux pays des merveilles* prouve qu'il est un propagandiste fédéraliste et qu'il ne sera jamais plus un journaliste digne de ce nom.

Il est également faux de prétendre, comme le fait Pratte dans le dernier passage cité, que seuls les peuples qui se savent opprimés peuvent faire le choix de la liberté, les autres se confinant dans le « confort et l'indifférence ». Si tel était le cas, le peuple basque se serait libéré du joug espagnol depuis des lustres. Le fait que Madrid emprisonne et torture des prisonniers basques au jour le jour, que l'euskal (la langue basque) soit à peu près disparu de l'Euskadi (pays basque), que ce dernier n'ait jamais signé la constitution espagnole (comme le Québec), tout ça devrait faire comprendre à une majorité des gens de ce pays ce qu'ils doivent attendre de l'Espagne : répression et exploitation. Or, l'opinion publique basque est encore moins favorable à l'indépendance que l'opinion publique québécoise ne l'est aujourd'hui. Parfois, la peur agit comme un efficace repoussoir à liberté. Cette stratégie fonctionne en Espagne, et elle fonctionne aussi au Québec. Ce n'est que la façon de l'instiller dans l'esprit de ceux qui composent les minorités nationales opprimées qui diffère. Au Québec, le colonialiste et ses sbires ont préféré mettre l'accent sur un discours prétextant, afin d'atteindre leurs objectifs, l'incapacité congénitale des Québécois à se prendre en mains et la grandiloquence du Canada plutôt que de procéder à des arrestations en masse et à la torture pour maintenir l'ordre établi…Mais l'objectif demeure malgré tout le même!

A) Un besoin de reconnaissance

En se lançant dans une analyse visant à démolir le discours du mouvement indépendantiste, André Pratte a tout de même dû justifier le pourquoi de sa démarche de propagande, justification qui ne pouvait se trouver que dans le fait qu'un nombre important de Québécois sont toujours tentés, en 2006, par la liberté nationale. Parce que tel est toujours le cas, Pratte s'est décidé à monter aux barricades et à combattre encore plus efficacement les tenants de la liberté québécoise. Ce faisant, il a développé un argumentaire stipulant que les mythes entretenus par une élite séparatiste maintenaient artificiellement les appuis au projet indépendantiste au Québec. Mais il ne put tout de même pas qu'articuler des mensonges pour donner vie à son livre. Il savait qu'une telle approche cousue de fil blanc était par trop limitée pour être efficace. C'est pourquoi il s'est aussi permis de faire quelques concessions aux indépendantistes. La plus importante d'entre elles fut que le Canada refuse encore et toujours de reconnaître le Québec comme nation distincte!

Aux yeux de l'éditorialiste en chef de *La Presse*, si le Canada n'avait pas commis la maladresse d'occulter l'existence du peuple québécois en 1982 et s'il avait eu l'intelligence de coucher une telle réalité dans la constitution canadienne nouvelle engeance, tout ce débat national aurait comme par magie disparu. Ce qui revient à dire que si 45-50 % des Québécois souhaitent toujours mettre fin aux relations qui les unissent au Canada, cela n'aurait rien à voir avec toutes les exactions et les crimes que nous avons présentés dans la première partie de cet essai. Pas plus que ce ne serait à cause du dysfonctionnement actuel de la fédération canadienne et des impacts négatifs que cela implique pour le Québec. Non. Aux dires de Pratte, cela serait tout simplement dû au fait que le Canada n'a pas encore inscrit dans la constitution canadienne qui fut rapatriée en 1982 par le gouvernement libéral de Pierre Elliott Trudeau (sans l'accord du Québec) qu'il reconnaît enfin la spécificité québécoise. Le nationalisme québécois carburerait donc aux enfantillages. Dire aux Québécois qu'ils sont beaux et fins serait suffisant pour qu'ils acceptent encore et toujours de demeurer dans un régime qui les a asservis historiquement et qui les desserrent toujours aujourd'hui.

Cette absence de reconnaissance, que déplore amèrement Pratte, amènerait le Québec à militer toujours plus énergiquement pour obtenir davantage de pouvoirs pour son État au sein du Canada. Pratte croit que cette quête serait simplement une façon pour le Québec de panser ses blessures à la suite des refus répétés d'Ottawa de le reconnaître pour ce qu'il est vraiment, c'est-à-dire une fière nation francophone au beau milieu d'une mer anglophone. Si Pratte déplore que le Canada n'ait pas encore consenti à corriger l'affront commis à l'égard de la sensibilité du Québec en 1982, cela serait, ultimement, loin d'être dramatique. Pourquoi? Tout simplement parce que dans les faits, si la constitution canadienne de 1982 ne reconnaît pas la spécificité québécoise, le fédéral, lui, dans ses agissements de tous les jours la considérerait pleinement. « [...] la spécificité québécoise, de dire Pratte, si elle n'est pas reconnue dans la Constitution, est concédée dans les faits depuis la naissance même de la Confédération[81]». Et cela, vraiment, il faut avoir du front pour l'écrire.

S'appuyant sur les analyses du politologue Guy Laforest, Pratte parle d'une reconnaissance du caractère distinct du Québec à « l'anglaise »! À l'anglaise, c'est le cas de le dire! Depuis 1867, les *Canadians* se sont aperçus que le fait français était toujours vigoureux au Québec. Il y a donc eu une reconnaissance de ce fait, mais non pas pour alimenter cette vigueur, mais bien pour trouver un moyen de l'éliminer. La reconnaissance à l'anglaise, ce fut les fermetures des écoles séparées, la noyade perpétrée par l'immigration, l'empêchement du fait français de s'établir dans l'Ouest canadien, les brimades et les injustices dans l'armée et dans toutes les institutions canadiennes en général, mais aussi dans les grandes entreprises qui ont exploité impunément, et des décennies durant, un peuple conquis par la force des armes en 1760. C'est aussi la triche pour maintenir le Québec sous son joug lorsque le contexte l'exige (campagnes référendaires). Et 1982 a prouvé amplement que là était la seule reconnaissance que le Canada pouvait offrir au Québec. Si cette reconnaissance « à l'anglaise » satisfait Pratte, force est de constater qu'elle ne peut absolument pas convenir aux Québécois, enfin ceux qui aiment vraiment la terre qui les a vus naître et la culture qui s'y est développée! Les adeptes de la reconnaissance à l'anglaise ne sont donc que des traîtres qui travaillent main dans la main avec le colonialiste *canadian* pour qu'il accomplisse le plus rapidement possible la mission qu'il s'est lui-même confiée : la destruction du Québec français!

En articulant un tel discours, André Pratte joue admirablement son rôle de désinformateur. Il tente sciemment de dissimuler le fait que le Canada a été fondé selon l'idée qu'il fallait faire disparaître, un jour, la spécificité de la nation québécoise pour ainsi faire fonctionner efficacement un pays que les Anglais ont toujours souhaité, à l'instar d'ailleurs de leur père fondateur John A. MacDonald, unitaire. Georges-Étienne Cartier est parvenu en 1867, par la force du nombre que possédait alors le Québec en Amérique du Nord, à freiner le processus assimilationniste *canadian* en forçant la création d'une fédération centralisatrice plutôt qu'un État carrément unitaire. S'il est parvenu à le freiner, il ne l'a très certainement pas arrêté! Et si 1982 n'est pas parvenu à concrétiser totalement le rêve de MacDonald, il n'en demeure pas moins que l'esprit de la nouvelle constitution avait toujours pour objectif de faciliter encore davantage la marginalisation de la spécificité québécoise au sein du Canada. Comme quoi, les libéraux de Trudeau n'ont en rien inventé pareille stratégie. À ce chapitre, la juriste Eugénie Brouillet résume fort bien la situation :

> La mise en œuvre judiciaire du texte constitutionnel originaire opéré par la Cour suprême du Canada, particulièrement celle qui a eu lieu au cours des trois dernières décennies ainsi que la réforme constitutionnelle de 1982 ont réduit significativement les outils juridiques que s'était réservés le Québec en 1867, afin d'assumer son destin culturel particulier[82].

Malgré tout, Pratte ne se sent nullement mal à l'aise en disant que s'il est malheureux que la constitution de 1982 nie l'existence même du peuple québécois, ce Québec devrait se consoler en se disant qu'il y a tout de même une clause qui stipule qu'il a droit à l'instruction dans la langue de la minorité linguistique canadienne, c'est-à-dire le français. Ça fait une belle jambe au Québec, surtout lorsqu'on considère le fait que la Cour suprême du Canada a, en s'appuyant sur le texte de cette même constitution, charcuté la Charte de la langue française du Québec (loi 101) à plus d'une reprise, principalement en éliminant la clause

Québec pour imposer la clause Canada[83]. Mais le pire dans le propos qu'a couché Pratte dans son livre demeure le fait qu'il passe complètement sous silence l'échec que connurent les redresseurs de tort qui tentèrent, de bonne foi il est vrai, de corriger l'affront de 1982.

Important aurait été de dire que plusieurs gouvernements ont tenté depuis 1982 de réparer les torts causés par Trudeau. Pour ce faire, il aurait fallu faire état des épisodes de Meech (1987-1990), de Charlottetown (1992) et de la déclaration de Calgary (1997) en soulignant que leurs promoteurs ont lamentablement échoué, et ce, parce que le Canada ne peut confirmer d'une quelconque façon la différence de son colonisé. Cela reviendrait à lui donner l'impulsion dont il a besoin pour se libérer. C'est pourquoi il tente plutôt d'alimenter la tendance naturelle du colonisé à ressembler au colonialiste pour ne plus avoir à subir l'exploitation dont il est victime à cause de sa différence. Ce qui est la meilleure façon de se départir d'une minorité distincte encombrante. Il ne faut pas oublier que l'assimilation totale du peuple québécois est l'objectif ultime que poursuit le colonialiste *canadian*. Il doit toutefois agir en maintenant l'unité canadienne, ce qui impose parfois de faire quelques concessions sans réelles importances. Meech ne pouvait décidément pas s'inscrire dans un tel registe!

Le mouvement de réparation fut lancé le 6 août 1984 à Sept-Îles par le candidat conservateur au poste de premier ministre du Canada, Brian Mulroney. Celui-ci, bien conscient qu'un pays peut difficilement prétendre être fonctionnel lorsque l'une de ses plus importantes provinces a été sciemment exclue de la constitution du pays par les plus hautes autorités fédérales, tenta de réintégrer dans « l'honneur et l'enthousiasme » le Québec dans la « famille » canadienne. À Sept-Îles, Mulroney lança la campagne de Meech en déclarant :

> Il y a au Québec – cela crève les yeux – des blessures à guérir, des inquiétudes à dissiper, des enthousiasmes à ressusciter et des liens de confiance à rétablir. Je sais bien que les Québécois ne se contenteront pas de simples paroles. Il faudra donner des gages et poser des gestes pour atteindre l'objectif que je me suis assigné et que je réitère ici : convaincre l'Assemblée nationale du Québec de donner son assentiment à la nouvelle Constitution canadienne avec honneur et enthousiasme[84].

Pour les réunificateurs de pays, le contexte était fort propice à la chose au milieu des années 1980. De fait, le PQ ne s'était toujours pas relevé de sa défaite référendaire du 20 mai et du poignard planté dans le dos du Québec par Trudeau et Chrétien en 1981-1982. De ce fait, le parti de René Lévesque était prêt à s'aventurer dans un « beau risque » qui le poussa à faire battre les libéraux au Québec, mais ce en s'acoquinant avec des fédéralistes qu'il avait âprement combattus seulement quelques années auparavant. Les péquistes vendirent ainsi leur âme au diable.

Les conservateurs de Mulroney, grâce à l'appui de péquistes qui n'étaient plus que l'ombre d'eux-mêmes, parvinrent à se faire élire en 1984. L'année suivante, le PQ dut payer le prix de son retournement de veste et perdit les élections. Les libéraux de Robert Bourassa, plus crédibles pour redorer le blason du Canada, prirent donc le relais dans ce mouvement d'acceptation mutuelle. Ils posèrent cinq conditions minimales, pour ne pas dire minimalistes, pour qu'ils acceptent, au nom des Québécois, de signer l'horrible papier qui leur fut imposé en 1982 : 1- La reconnaissance du Québec comme société distincte; 2- Des pouvoirs accrus en matière d'immigration; 3- Un droit de regard sur les nominations au Sénat et à la Cour suprême; 4- Le droit de retrait avec compensation de certains programmes fédéraux; 5- Un droit de veto sur les réformes constitutionnelles.

Lors d'une réunion au Lac Meech en 1987, le fédéral ainsi que les 10 législatures provinciales appuyèrent les demandes du Québec. Les fédéralistes jubilaient. Ils se croyaient vraiment engagés dans un processus qui permettrait de sauver le Canada une fois pour toutes.

Mais ce ne furent pas tous les *Canadians* qui s'enthousiasmèrent à la seule idée de concéder, dans le cadre de l'entente du Lac Meech, de tels pouvoirs à la minorité colonisée. Certaines élites *canadians* se mirent à interpréter quelque peu différemment le projet qui leur était proposé. Pour eux, accepter les demandes du Québec revenait à favoriser la libération d'une minorité qu'ils colonisaient depuis si longtemps. Il ne pouvait en être question! Enfin, pas selon les conditions posées. Le mouvement d'opposition fut officiellement lancé par celui-là même qui, quelques années auparavant, avait façonné le nation building à Ottawa et qui avait exclu le Québec de la constitution canadienne en 1982 : Pierre Elliott Trudeau, l'homme fort des *Canadians* pour écraser les *frenchies*! Dans un texte envoyé aux journaux, Trudeau se fit cinglant et très méprisant à l'égard de Mulroney :

> Quel magicien quand même que ce M. Mulroney et quel fin renard! Il n'a pas réussi tout à fait à réaliser la souveraineté-association, mais il a mis le Canada sur la voie rapide pour y parvenir. Point n'est besoin d'être grand clerc pour prédire que la dynamique politique attirera les meilleurs esprits vers les capitales provinciales, là où résidera le véritable pouvoir, et que la capitale fédérale sera le dévolu des laissés-pour-compte de la politique et de la bureaucratie.
>
> Hélas, on avait tout prévu sauf une chose : qu'un jour le gouvernement canadien pourrait tomber entre les mains d'un pleutre. C'est maintenant chose faite. Et Brian Mulroney, grâce à la complicité de dix premiers ministres, est déjà entré dans l'Histoire comme l'auteur d'un document constitutionnel qui – s'il est accepté par le peuple et ses législateurs – rendra l'État canadien tout à fait impotent. Dans la dynamique du pou-

voir, cela voudrait dire qu'il sera éventuellement gouverné par des eunuques[85].

Évidemment, lui, Trudeau, n'aurait pas laissé une telle chose se faire. Avec l'aide de l'armée, comme il l'a fait en 1970, il aurait certainement empêché les Québécois de s'exprimer et de, cette fois-ci, réclamer cinq concessions pour réintégrer la « famille » canadienne! Bourassa au cachot pour avoir osé parler au nom de la grandeur du Québec, telle aurait pu être l'issue si on avait laissé Trudeau agir… Mais avec Mulroney, le Québec eut un vis-à-vis quelque peu plus respectueux des libertés civiques, c'est un euphémisme que de formuler ainsi la chose. Malgré tout, il n'en demeure pas moins que la sortie virulente de Trudeau eut son effet. Ceux parmi les *Canadians* qui s'inquiétaient depuis le début de cette aventure que le Québec puisse obtenir suffisamment de pouvoirs pour se défaire un tant soit peu du joug colonialiste du Canada s'exprimèrent dès lors beaucoup plus librement. Ils commencèrent à formuler des accusations ethnicistes, dépeignant Mulroney comme un Québécois bien plus qu'un des leurs. Le fait qu'il parlait français parfaitement l'empêchait d'être vraiment un *Canadian*, et c'était pour cela qu'il se faisait tant conciliant envers une minorité colonisée qui avait bien besoin d'être remise à sa place, croyaient-ils. Sans l'ombre d'un doute, les échelons inférieurs de la hiérarchie canadienne devaient leur être réservés pour toujours.

William Johnson sauta alors dans la mêlée. Dans un texte publié dans *The Gazette*, il soutint que la société distincte allait transformer les Anglais du Québec en citoyens de seconde zone, ce qui ne pouvait être qu'un renversement de l'histoire tout aussi radical qu'inacceptable :

> Le discours de « l'identité » est particulier, exclusiviste. Il établit des catégories parmi les citoyens – ceux qui correspondent au Nous et ceux qui n'y correspondent pas, ceux qui ont des droits particuliers, et ceux qui n'en ont pas. Il crée une situation où les citoyens doivent se conformer ou être exclus du Nous.
> Établir des droits selon la langue est toujours périlleux. Ils deviennent le privilège d'une petite minorité plutôt que les droits accordés à tous. Pendant que la définition du groupe éligible peut être limitée progressivement, les droits des autres ne deviennent plus que l'ombre de ce qu'ils étaient.
> Les Anglo-Québécois le savent par expérience. Maintenant, la constitution du Canada va incorporer l'esprit glorieux de la Loi 101(traduction libre).[86]

Il fut appuyé virilement par bon nombre de chroniqueurs du Canada anglais qui ne ménagèrent pas leurs efforts pour couler l'Accord du Lac Meech. Pour y parvenir, le meilleur moyen demeurait l'agitation populaire qui favorisait l'émergence de discours à saveur raciste et tournés contre le Québec.

Pour bien démontrer que le Québec ne serait pas, grâce à Meech, vraiment différent du reste du Canada, et ce, bien qu'on lui accordait le statut de société distincte, le gouvernement conservateur adopta des modifications à la Loi sur les langues officielles afin d'accroître les services en français dévolus par le fédéral. Ce qui tendait à prouver que toutes les communautés francophones étaient distinctes, et pas seulement le Québec. En Ontario, par exemple, on tenta de rendre les services municipaux beaucoup plus bilingues qu'ils ne l'avaient été jusque-là. La Loi 8, adoptée dans ce dessein, ne fit pas l'unanimité, loin s'en faut. Les orangistes de la province ne voulaient rien concéder aux papistes qu'étaient selon eux les Franco-Ontariens. L'Ontario devait demeurer unilingue anglaise. Cela donna naissance à des scènes fort disgracieuses comme celle de Brockville, qui survint en 1989 alors que des citoyens du coin s'eurent donné rendez-vous pour marcher et cracher sur le fleurdelysé. Dans la même foulée, Sault-Sainte-Marie se déclara ville unilingue anglaise.

Si le gouvernement fédéral tenta de redorer le blason de la Loi sur les langues officielles à l'échelle canadienne, il ne détourna pas pour autant son attention des législations linguistiques du Québec. De fait, il accepta avec joie les principes contenus dans le jugement de la Cour suprême du Canada en 1988 eu égard à la Loi 101, jugement qui invalida des pans complets de celle-ci, en particulier les dispositions concernant l'affichage unilingue français. Afin de défendre la spécificité culturelle du Québec, le gouvernement Bourassa imposa la clause dérogatoire pour empêcher le jugement de la Cour suprême du Canada de s'appliquer au Québec. Montréal ne devait pas redevenir la ville qu'elle fut dans le passé alors qu'elle arborait presque exclusivement des panneaux unilingues anglais. Étant donné que cette clause dérogatoire n'a qu'une durée de vie de cinq ans (renouvelable toutefois), les libéraux de Bourassa, Claude Ryan en tête, se mirent à la tâche d'imaginer le plus rapidement possible une loi qui protégerait le français, tout en se conformant aux désirs de la Cour suprême, cette combien utile institution du colonialiste *canadian*. Ainsi naquit la loi 178 qui permettait l'affichage bilingue à l'intérieur des commerces – en autant que le français y fut prédominant – tout en maintenant l'unilinguisme français dans l'affichage extérieur.

Bien que mièvre, la loi 178 provoqua l'ire du colonialiste *canadian*! Par le fait même, l'appui à Meech, déjà fragile, fondit comme neige au soleil dans le reste du Canada. Il passa de 52 % à seulement 31 % en l'espace de quelques semaines. Une vague de Québécophobie déferla d'un océan à l'autre. Le Québec, qui n'avait jamais su accepter le fait qu'il avait été vaincu en 1759 sur les Plaines d'Abraham, avait besoin d'une nouvelle leçon. Tel était le sentiment qui animait les orangistes de tout acabit. Ils s'apprêtaient à la lui servir sans ménagement aucun.

C'est alors que les médias *canadians* se déchaînèrent et dépeignirent la province de Québec comme une bourgade intolérante où les Anglo-Québécois étaient maltraités par des quasi nazis. Dans l'Ouest, la furie journalistique se fit activiste et par trop irrationnelle pour être acceptable en démocratie :

Mercredi, le quotidien *The Providence* jette un peu plus d'huile sur le feu : « les procès en français, un gaspillage en Colombie-Britannique », proclame la manchette. Le journal omet de préciser que la Colombie-Britannique et l'Alberta sont les deux seules provinces à ne pas accorder des procès de droit pénal en français. Il oublie également de mentionner que c'est une loi fédérale, le dernier amendement à la loi des langues officielles qui oblige ces provinces à se mettre au diapason du reste du pays. « Les bigots de la langue (lire les Québécois), conclut le *Vancouver Sun*, l'autre quotidien de Vancouver, méritent une rebuffade[87].

D'autres textes anti-Québec publiés au Canada anglais se caractérisèrent par leurs propos carrément racistes :

Pour Yolanda East (ancienne fonctionnaire fédérale, née à Dolbeau, écrivaine), la « mentalité traditionnelle de la plupart des Canadiens français » se résume à ceci : « superficiels, ils ne s'intéressent qu'à ce qui paraît; pour eux, la réflexion, le courage, la générosité, la loyauté et autres qualités ne comptent pas, en règle générale. La majorité des Canadiens français ruraux traditionnels ont la mentalité de peuples du tiers monde. Ils sont obnubilés par leur obsession sexuelle alors qu'ils semblent n'avoir aucune soif de connaissance. La plupart d'entre eux sont complètement incapables de réflexion. Ils ne font que répéter slogans ou idées à la mode. Leur ignorance est révoltante! Québec est un État policier. Il n'y existe ni liberté de presse ni liberté de parole. Les journaux anglais, les stations de radio et de télévision anglaises y appartiennent à des Franco-Canadiens. L'Office de la langue française, cette organisation ridicule, pompeuse et fanatique, y contrôle l'usage du français. Il faut converser, lire, écrire et même penser en français[88].

Certains autres prétendirent (à l'instar de Pratte qui le fait en s'appuyant uniquement sur des sondages, il faut le faire!) que *Canadians* et Québécois sont beaucoup plus semblables que différents (p.44), ce qui impliquait qu'on ne pouvait considérer le Québec comme une société distincte comme le clamait le gouvernement Bourassa. Ceux-ci complétaient leurs dires en soutenant que le Québec n'a aucune culture digne de ce nom :

« entendre parler de culture québécoise donnerait envie à Herman Goering de sortir son revolver. » Et il ajoute : « Une culture au Québec? Please! Je sens que je vais avoir une attaque au Magnum 44. Une culture-copie au carbone, distincte seulement à cause de trois choses : catholicité, éducation classique et adhésion à de vieux concepts dépassés (old land-settlement patterns). »

Peter Stockland réduit la culture québécoise à Mitsou, « une pauvre imitation de Madonna », une société où on ne trouve dans les librairies que des traductions d'auteurs américains et où la restauration est de même farine : McDonald's et Cie.[89]

Est-ce cela être semblable aux *Canadians* dans l'esprit de Pratte?

Bien évidemment, toute cette hargne anti-Québec que le projet du Lac Meech avait suscitée dans l'opinion publique canadienne-anglaise a amené plusieurs politiciens du Canada anglais à réviser leur position dans le dossier. Ce fut le cas notamment dans le Nouveau-Brunswick de Frank McKenna, au Manitoba de Gary Filmon et dans la province de Terre-Neuve de Clyde Wells. Tous ces politiciens considéraient dès lors que le Québec agissait encore une fois comme l'enfant gâté de la fédération et qu'il devait prendre son trou et cesser d'exiger des conditions toutes plus farfelues les unes que les autres pour signer une constitution qui s'imposait à lui de toute façon. Dans de telles circonstances, il n'était nullement question de le considérer comme une société distincte, on s'en doute. À l'époque, donc, ils furent de plus en plus nombreux les *Canadians* qui se mirent à réfléchir exactement comme le candidat du parti Égalité au Québec, Philip Chrysafidis : « Le Québec me laisse un arrière-goût dans la bouche, je crois qu'il faut prendre ces bâtards et les lancer dans l'océan![90]»

Afin de tenter de sauver Meech *in extremis*, le gouvernement conservateur accepta qu'un comité se penche sur le texte de l'accord afin d'y apporter des modifications (pour réduire la portée des concessions accordées au Québec, bien sûr), modifications qui pourraient obtenir l'aval de tous. Une telle démarche était par contre en violation parfaite avec les positions du Québec. De fait, le Québec avait dès le départ annoncé que les cinq conditions de Meech étaient le plancher en dessous duquel le Québec n'accepterait jamais de négocier. Peu importaient au Canada anglais les sensibilités du Québec, l'unité canadienne était alors menacée, il fallait donc trouver une solution à Meech et au plus vite. Et dans un tel contexte, les jérémiades du Québec n'intéressaient plus personne, même si ce dernier accord avait pour objectif premier de réintégrer le Québec, dans l'honneur et l'enthousiasme SVP, dans la famille canadienne!

C'est à Jean Charest, parfait valet de service, que fut confiée cette délicate mission. Lucien Bouchard, faisant lui aussi partie des conservateurs de Mulroney, déchira alors sa chemise :

> La négociation avait déjà eu lieu, les compromis avaient déjà été faits, le point d'équilibre était déjà fixé. Là où est passé Robert Bourassa, il ne reste plus rien à concéder. Tout était gratté à l'os. De sorte qu'à partir du moment où le Canada réussissait à relancer la négociation, nous étions condamnés à l'intransigeance ou à l'abandon[91].

Ces événements marquèrent le début de la fin de la carrière fédéraliste de Lucien Bouchard, lui qui fonda quelque temps après le Bloc Québécois. Et jamais Bouchard ne pardonna à Jean Charest d'avoir ainsi trahi les siens en acceptant de modifier la portée de l'accord du Lac Meech!

La félonie de Charest demeura cependant sans conséquence, et ce, parce qu'un indien du Manitoba, Elijah Harper, se chargea de fermer définitivement les livres. Ce député néo-démocrate utilisa les règles de procédure de l'Assemblée législative du Manitoba pour bloquer la ratification de l'Accord du Lac Meech. Ce faisant, il détruisit le travail de Mulroney qui lui avait exigé trois ans d'efforts… Mais cet épisode pouvait-il vraiment se terminer autrement, considérant qu'un colonialiste ne reconnait jamais son colonisé pour ce qu'il est vraiment, car cela ouvre la porte sur toute une série de récriminations? Absolument pas. Tout comme les Britanniques refusèrent historiquement de reconnaître les Aborigènes australiens en tant que nation et de leur accorder un statut en conséquence, les Anglais du Canada ont toujours réfuté que le Québec formait une nation. Cela a, pour eux, le mérite de conserver tout le monde à sa place dans la hiérarchie canadienne…

Le même jour de 1990, Robert Bourassa prononçait son discours célèbre à l'Assemblée nationale, discours qui aurait pu signifier l'enclenchement d'un véritable processus indépendantiste au Québec, enfin si celui qui était alors premier ministre du Québec avait été plus courageux qu'opportuniste : « Le Canada anglais doit comprendre de façon très claire que, quoi qu'on dise et quoi qu'on fasse, le Québec est, aujourd'hui et pour toujours, une société distincte, libre et capable d'assumer son destin et son développement ».

Pour remercier ceux qui avaient contribué sans conteste à couler Meech, les libéraux de Jean Chrétien, eux qui prirent le pouvoir en 1993, accueillirent Elijah Harper à bras ouverts au sein du PLC. Sharon Carstair, qui avait contraint Filmon à renier la signature du Manitoba au bas de l'Accord du Lac Meech, fut quant à elle reçue au sénat avec tous les honneurs et Clyde Wells, après sa retraite politique, fut nommé à la Cour supérieure de Terre-Neuve. Ces gens furent récompensés pour avoir fait en sorte que le Québec ne puisse rétablir sa dignité dans la fédération canadienne en imposant à Ottawa et aux autres provinces le respect de ses droits.

Mais ce que les *canadians* n'on pas compris lors de l'épisode du Lac Meech, c'est que lorsqu'un colonialiste n'est même pas prêt à concéder quoi que ce soit aux représentants du nationalisme modéré tel qu'il s'exprime au sein de la colonie, cela contribue toujours à envenimer considérablement la situation, à un point tel que le régime colonial finit bien souvent par tomber. C'est ce qui est arrivé aux Français au Vietnam, eux qui refusèrent d'entamer tout dialogue avec le modéré Phan Chau Trinh. Le rigidité coloniale les conduisit tout droit à Diên Biên Phu, là où la France connut la défaite!

André Pratte, dans son livre, passe complètement sous silence l'épisode de l'histoire canadienne que fut Meech, préférant s'en prendre à une de ses cibles préférées : Pierre Falardeau. Pratte y déplore que Falardeau, lui qui a toujours défendu honnêtement les droits des siens, mais sans jamais réclamer le viol de ceux des autres comme le firent Harper, Wells et cie, ait un jour été nommé patriote de l'année par la Société Saint-Jean-Baptiste de Montréal (p. 43)! Encore une fois, Falardeau devient le méchant de l'affaire, alors qu'il aurait été beaucoup plus intelligent que Pratte analyse l'héritage de Meech. Mais lorsqu'on est malhonnête comme le sont les mercenaires gescaïens, on préfère s'attarder aux broutilles sans conséquence qui turlupinent les enragés fédéralistes plutôt que d'analyser les scandales honteux comme le torpillage de Meech, torpillage effectué par de racistes Anglais qui détestent le Québec et des collabos serviles qui sont prêts à tout pour obtenir des privilèges du maître Ottawa! Après ça, d'aucuns tenteront de nous vendre les analyses de Pratte comme autant de paroles d'évangile!

Un nouveau refus de reconnaître la différence québécoise et d'accorder à la province française les outils dont elle aurait eu drôlement besoin pour la maintenir se produisit seulement quelques années après Meech. Au cours de ce dernier épisode, le premier ministre Bourassa avait bluffé en laissant sous-entendre que si le Québec n'obtenait pas une réponse favorable à ses demandes traditionnelles, cela ne signifierait nullement la consolidation du *statu quo* comme certains *Canadians* pouvaient raisonnablement l'espérer. Cela signifierait plutôt le début de quelque chose qui pourrait aller aussi loin que l'indépendance du Québec. Une façon comme une autre de menacer des Anglais qui s'apprêtaient à s'essuyer les pieds sur la dignité québécoise.

Bien sûr, Bourassa ne crut jamais ce qu'il disait alors, mais plusieurs au Québec ont donné foi à ses propos politiciens. Il devait donc donner l'impression qu'il était prêt à concrétiser ses mises en garde, maintenant que le Québec avait été humilié par l'échec de Meech. Bourassa imagina deux stratagèmes devant lui permettre d'utiliser le nationalisme québécois à ses propres fins, mais sans jamais aller trop loin. Il confia tout d'abord à Jean Allaire, membre de la commission politique du PLQ, la mission de préparer la nouvelle plate-forme constitutionnelle du parti en considérant les orientations qu'il avait insufflées dans ses discours les plus nationalistes lors de la campagne de Meech. Allaire remit son rapport qu'il intitula *Un Québec libre de ses choix* en 1991. *Grosso modo*, il y était proposé une large décentralisation des pouvoirs au Canada pour ne laisser au fédéral que des pouvoirs comme la monnaie, les douanes, la défense, la dette et la péréquation. Le Québec, lui, devait contrôler 23 secteurs d'activité des plus importants, alors que huit autres seraient de compétence partagée. Bref, Allaire produisit la position la plus nationaliste que le PLQ n'a jamais endossée de toute son histoire.

L'autre stratégie mise de l'avant par Bourassa fut la commission Bélanger-Campeau de 1990. Après avoir entendu des milliers de Québécois, cette dernière en conclut que les seules positions acceptables pour le Québec étaient soit une très forte décentralisation de la fédération canadienne, soit l'indépendance du Québec. Afin de donner du sérieux à sa démarche, la commission considéra que le gouvernement du Québec devait tenir un référendum sur la souveraineté partenariat en 1992 si, entre temps, le Canada n'avait pas présenté au Québec d'offres de réforme du fédéralisme canadien dignes de ce nom. Tout portait à croire que le Québec était enfin décidé à faire respecter ses droits par les *Canadians* ou à quitter ce pays qui avait si souvent foulé au pied sa dignité. Le scénario de l'indépendance était alors tout à fait plausible puisque 70 % des Québécois se disaient prêts à voter en faveur du projet du pays du Québec.

Mais tout cela n'était que poudre aux yeux. Comme l'a fort bien démontré Jean-François Lisée dans ses œuvres monumentales (*Le tricheur* et *Le naufrageur*), Bourassa ne faisait que gagner du temps. Plus les mois passaient, et moins les Québécois se montraient entichés du projet de pays proposé depuis 1968 par le PQ et plus il était possible d'imaginer une nouvelle stratégie fédéraliste devant mener le Québec à signer la constitution de 1982. Le premier geste qui démontra que le gouvernement Bourassa cherchait à se ménager une porte de sortie et qu'il ne comptait nullement libérer le Québec de l'emprise coloniale du Canada fut le dépôt de la loi 150. Celle-ci, bien qu'elle entérinait les conclusions de la commission Bélanger-Campeau, mettait sur pied deux commissions parlementaires parallèles : une pour étudier la brisure du Canada, et l'autre pour étudier sa réforme dans le sens des aspirations de la collectivité québécoise, processus qui exigerait bien du temps avant d'être complété. Le Canada avait alors tout le temps de réfléchir à la situation et, surtout, toute la latitude voulue pour mettre en branle un processus destiné à sauver l'unité canadienne en présentant de nouvelles offres au gouvernement libéral du Québec… Bourassa avait bel et bien floué son peuple!

Les mouvements de recul de Robert Bourassa prirent considérablement d'ampleur au cours de 1992. 1992 constituait la date butoire pour un fédéral qui devait présenter des offres de réforme raisonnables au Québec. Tout d'abord, lors d'un voyage qu'il effectua à Bruxelles en février, Bourassa maintint que si le Canada ne se pliait pas enfin aux exigences du Québec, il était véritablement décidé à lancer son peuple dans une croisade indépendantiste. Ce qui était, à peu de mots près, la position qu'il avait formulée quelque temps après la mort de Meech et que défendait désormais Bélanger-Campeau. En mars, son discours avait déjà perdu beaucoup de sa vigueur. Incapable de maintenir l'échine droite trop longtemps, le premier ministre au dos recourbé supplia, à l'Assemblée nationale, le Canada de faire enfin des offres acceptables pour le Québec, de façon à rendre futile toute étude concernant la séparation du Québec. Et finalement, en avril, lors d'une entrevue qu'il accorda au quotidien français *Le Monde*, Bourassa confia qu'il n'avait jamais eu l'intention de tenir un référendum sur l'indépendance en octobre 1992 et qu'on avait donc mal interprété ses propos. Toujours fédéraliste, voilà ce qu'il était. En lieu et place, il annonça qu'il consulterait les Québécois sur un projet de réforme du fédéralisme canadien, ce qui était en contradiction totale avec les recommandations effectuées par la commission Bélanger-Campeau puisque le fédéral n'avait, pour sa part, présenté aucune offre permettant de faire dévier le Québec de sa voie indépendantiste. Encore une fois, les Québécois se voyaient trompés par un des leurs qui était bien davantage au service de l'ennemi que du leur.

Cette décision devait devenir officielle en août, à Charlottetown, alors que le gouvernement du Québec acceptât de donner son appui à un projet de réforme qui n'était rien d'autre qu'un brouillon qui situait les concessions accordées au Québec bien en deçà de ce qui était contenu dans Meech. Le libéral Claude Castonguay dira d'ailleurs:

> Ce qu'il fallait craindre s'est produit. Dans cette entente, on trouve une vision qui est celle du Canada anglophone, fondée sur l'égalité des provinces; un contrôle accru des petites provinces sur le pouvoir central et, malgré les apparences, un raffermissement du pouvoir central. Et puisque le partage des pouvoirs reste, pour l'essentiel, inchangé, et que le pouvoir fédéral de dépenser est consacré : on a régressé[92].

Bien des collègues libéraux de Robert Bourassa l'abandonnèrent alors à son triste sort de roi-nègre. Les jeunes libéraux claquèrent la porte du parti, rejoignirent Jean Allaire et firent campagne pour le Non. Même le principal conseiller constitutionnel du premier ministre libéral, André Tremblay, répudia le travail de son chef lors d'une conversation sur cellulaire qu'il eut avec la sous-ministre Diane Wilhelmy. Tremblay confia alors à sa collègue : « En tout cas, on s'est écrasé, c'est tout ».

Le nationalisme au Québec, qui était ravivé depuis Meech et les quelques sorties que Trudeau effectua à nouveau et qui furent, comme on peut se l'imaginer, acclamées au Canada anglais, eurent raison de l'Entente de Charlottetown. Lors du référendum d'octobre 1992, les Anglais dirent Non à 56,7% et le Québec donna la même réponse dans une proportion de 57%.

Meech et Charlottetown sont très certainement les deux meilleurs exemples contemporains qui prouvent que jamais le Canada n'accordera la moindre concession au Québec dans le registre de son développement national. Jamais le colonialiste ne fait de telles faveurs à son colonisé, les preuves historiques qui vont en ce sens abondent. Il n'y a que les Pratte de ce monde pour croire le contraire. Et lorsque ceux-ci s'aperçoivent que le Canada n'évolue jamais dans le sens des aspirations du Québec, ils préfèrent alors regarder dans une autre direction et nier l'évidence; comme le fait d'ailleurs Pratte dans son livre en se refusant de parler de Meech et de Charlottetown, feignant d'ignorer que le pays qu'il voudrait tant chérir – le Canada – nia alors jusqu'à l'existence même du Québec et réfuta le droit des Québécois de vivre leur différence. Comment peut-on malgré tout se sentir à l'aise dans un tel contexte politique sans être profondément atteint de schizophrénie?

Faisant malhonnêtement abstraction des échecs de Meech (1990) et de Charlottetown (1992), ce qui est difficilement défendable lorsque l'on se propose d'analyser le besoin de reconnaissance des Québécois au sein du Canada, Pratte saute ensuite à pieds joints dans le dossier de la déclaration de Calgary de 1997. Il espère ainsi démontrer que le Canada, quoiqu'on en dise ci-haut, a vraiment fait preuve d'ouverture et de bonne foi pour parvenir à un arrangement avec le

Québec, arrangement qui devait permettre de corriger les torts qui lui ont été causés lors du rapatriement de 1982. Pratte indique alors que :

> Il y avait-là, alors que l'enthousiasme pour le « plan B » était à son apogée au Canada anglais, une manifestation spectaculaire de bonne volonté. C'était en tout cas une base pour effacer l'échec de Meech, pour mettre de côté la frayeur du référendum de 1995, et pour relancer les discussions. Alors premier ministre, Lucien Bouchard a balayé le tout avec mépris[93].

Jamais Pratte n'a cru bon de préciser que la déclaration de Calgary était bien en deçà des conditions exigées par Bourassa dans le cas de Meech, ce qui constituait de l'aveu même du chef libéral provincial le minimum acceptable pour le Québec; jamais il ne mentionna que l'Entente de Calgary stipulait très clairement que les provinces étaient toutes égales entre elles et que l'on devait les considérer ainsi, ce qui ne correspondait en rien aux positions traditionnelles du Québec; jamais il n'a même pris la peine de souligner que le « caractère unique » du Québec tel que contenu dans la déclaration de Calgary n'était nullement une règle interprétative telle que l'était la clause dite de la société distincte de Meech. Une telle règle interprétative aurait imposé que toute décision politique prise par les gouvernements du Canada tienne compte de la société distincte qu'est le Québec. Évidemment, une telle clause aurait ouvert la porte à maintes démarches judiciaires, et ce, parce qu'il était possible d'interpréter de diverses façons la société distincte québécoise. Mais comme le disait Robert Bourassa, c'était au moins une bonne base à partir de laquelle le Québec aurait pu entreprendre une démarche visant à réintégrer vraiment la « famille » canadienne.

Rien de tout cela n'était contenu dans le « caractère unique du Québec » tel qu'énoncé dans la déclaration de Calgary. Loin s'en faut puisque la déclaration de Calgary barrait en fait la route à toute démarche du Québec désireux de voir accroître son autonomie dans la fédération canadienne, et cela en confirmant plutôt le principe de la stricte égalité entre toutes les provinces canadiennes[94]. Pire. La déclaration de Calgary était de nature à faire disparaître la Loi 101 au Québec. C'est ce que prétendait André Tremblay, un ancien conseiller de Robert Bourassa (donc fédéraliste). Devant une commission de l'Assemblée nationale, il avait déclaré que :

> La Déclaration de Calgary établit manifestement une hiérarchisation de valeurs au profit de l'unité canadienne, de la diversité, de l'égalité et du bilinguisme. Elle présente donc une menace d'affaiblissement de notre compétence législative en matière de langues, d'autant que, contrairement aux accords de Charlottetown et de Meech, elle ne propose aucune clause de sauvegarde de cette compétence[95].

Et cela, le journaliste qu'est Pratte le sait pertinemment. Mais contrairement au fédéraliste Robert Bourassa, qui souhaitait tout de même et malgré toutes ses faiblesses que le Québec garde l'échine droite dans la fédération canadienne, Pratte, lui, n'aurait vu aucun problème à ce que le Québec, et le gouvernement péquiste de Lucien Bouchard, s'humilient en 1997 en faisant preuve d'ouverture face au gouvernement de Jean Chrétien qui lui riait en pleine face avec sa déclaration de Calgary... C'est ça la fin des mythes que propose le scribouilleur de *Gesca*! Et à ce chapitre, force est donc de le constater, André Pratte est plus près d'un Stephen Harper que d'un Robert Bourassa, c'est tout dire!

S'il nous est permis de prétendre une telle chose, c'est tout simplement parce que le dernier épisode en lice de la longue série de refus du Canada anglais de reconnaître la spécificité de la nation québécoise eut lieu au cours de l'été 2006, alors que le premier ministre minoritaire Stephen Harper a refusé de reconnaître l'existence même de la nation québécoise. En cela, il est tout à fait fidèle à l'esprit de 1982! Le jour même de la Fête « nationale » des Québécois, Stephen Harper, qui était dans la Capitale « nationale » des Québécois, refusa tout net de considérer d'une façon ou d'une autre le Québec comme une nation digne de ce nom. En lieu et place d'une telle admission, Harper a préféré renvoyer le problème à l'Assemble nationale et surtout aux calendes grecques : « C'est un débat de l'Assemblée nationale. Je reconnais que l'Assemblée nationale a adopté une telle déclaration, mais je ne sais pas, franchement, qu'est-ce que cela représente au point de vue juridique », puis il a dit que cela n'était pas ce qui animait actuellement la politique québécoise et que cela n'intéressait pas les gens, alors pourquoi perdre son temps à réfléchir à la question[96]? Commentant l'affaire dans *La Presse*, André Pratte a donné en bonne partie raison au premier ministre du Canada, en expliquant qu'il y avait de fait des problèmes plus urgents à régler[97]!

Mais pouvait-on s'attendre à une autre prise de position de Stephen Harper? Rappelons que ce dernier a été un farouche partisan du concept de Sénat triple E : élu, efficace, avec une représentation égale des provinces. Partant de là, on ne pouvait très certainement pas l'imaginer prendre position en faveur de l'Accord du Lac Meech, qui accordait une position privilégiée au Québec au sénat. L'actuel premier ministre du Canada fut tout aussi contre l'Entente de Charlottetown, qui accordait au Québec une représentation à vie d'au moins 25% à la Chambre des communes. Harper dénonça ce principe parce qu'il estimait tout d'abord que la démographie québécoise était déclinante, et ensuite parce que cela violait l'idée que toutes les provinces sont égales entre elles[98]. Peu lui importait si l'Île-du-Prince-Édouard, pour sa part, jouissait d'un tel traitement de faveur au sein du Canada. Après tout, entre frères de sang, il est permis de s'accorder des passe-droits!

Ce que ce court portrait de Stephen Harper démontre, c'est qu'André Pratte rêvera encore longtemps avant que le Canada ne concède une quelconque forme de reconnaissance au Québec. Les conservateurs, malgré leurs beaux discours selon lesquels ils sont mieux disposés à l'égard du Québec que les libéraux de Trudeau, de Chrétien ou de Martin, sont tout aussi décidés à ne reconnaître la différence québécoise que dans un seul contexte : celui où il importe d'identifier son ennemi pour mieux le combattre. Ce qui, on en conviendra tous, n'implique aucun privilège pour le Québec, bien au contraire! Hier comme aujourd'hui donc, les Québécois se doivent d'accepter le Canada comme il est, c'est-à-dire un bulldozer qui écrase lentement mais sûrement leur dignité et leur spécificité. S'ils ne peuvent s'y résoudre, ils doivent faire en sorte de sortir enfin de cette maison de fous que s'entête à nous vendre, parce que payé pour le faire, André Pratte…

B) Le viol des compétences du Québec

La pseudo-reconnaissance officieuse de la spécificité québécoise qu'il a cru déceler dans l'évolution récente du Canada (la reconnaissance à l'anglaise dont il était plus tôt question) permet ensuite à André Pratte de prétendre que celle-ci a eu dans les faits des répercussions bien tangibles et positives pour les Québécois, et ce, dans une pléiade de domaines. Loin de faire dans l'exhaustivité, c'est le moins que l'on puisse dire, Pratte souligne dans son livre que le Québec a obtenu une dérogation dans le cadre du programme fédéral de Prestation nationale pour enfants (PNE), dérogation qui n'a nullement réfréné les velléités centralisatrices d'Ottawa puisque les plénipotentiaires de la capitale fédérale ont malgré tout jugé bon verser cet argent directement aux familles québécoises à faibles revenus. L'auteur d'*Aux Pays des merveilles* avance aussi que le Québec a bénéficié d'un traitement de faveur dans le cadre du programme fédéral des bourses du millénaire. Pratte applaudit à la seule évocation de la très grande générosité du fédéral qui a accepté de remettre quelque 70 millions $ par an au gouvernement du Québec pour que celui-ci engraisse son programme de prêts et bourses : « Voilà donc l'effet épouvantable de cette "intrusion" : un meilleur programme d'aide aux étudiants[99]», de railler d'ailleurs Pratte! Ces deux exemples isolés et triés sur le volet permettent ensuite à l'auteur d'affirmer que :

> Au cours des années, presque toutes les demandes du gouvernement du Québec visant une plus grande autonomie ont abouti à une entente avec le fédéral. Avant qu'elles ne soient satisfaites, ces demandes étaient dépeintes comme absolument fondamentales, au point où la difficulté de parvenir à un accord était censée démontrer la nécessité de l'indépendance ou d'un fédéralisme renouvelé de fond en comble. Lorsque des ententes ont été conclues, les politiciens québécois se sont empressés de passer à l'exigence suivante, lui attribuant la même valeur cruciale[100].

Évidemment, dans sa démonstration bancale, André Pratte n'aborde jamais le fait que la très grande générosité du fédéral qu'il dénote ne sert à ce dernier palier de gouvernement qu'à violer impunément les compétences exclusives des provinces, ce qui est en contradiction totale avec les principes mêmes couchés dans la constitution canadienne de 1867 et renouvelée en 1982. Les deux cas qu'il nous présente ci-dessus font bien évidemment partie de cette catégorie.

Qui plus est, jamais Pratte n'ose même énoncer dans son livre le fait que si le Québec est parvenu à faire reculer un tant soit peu le fédéral dans certains dossiers, lui qui n'a de cesse de renouveler ses tentatives d'envahissement de ses champs de compétence, cela n'est jamais survenu autrement qu'après d'âpres luttes au cours desquelles le Québec dut investir maintes énergies pour protéger ses prérogatives. Le cas de la formation de la main-d'œuvre en constitue très certainement un bon exemple. Et que l'inverse, c'est-à-dire si le Québec pénétrait une sphère de compétence fédérale, ne serait pas toléré, pas même une seule seconde. Le fait que le très fédéraliste gouvernement du Québec de Jean Charest ait réclamé un droit de participation pour le Québec sur la scène internationale, lorsqu'il était question de ses propres compétences (doctrine Gérin-Lajoie), le prouve fort bien. Et ce, parce que le fédéral ne fit alors ni une ni deux et rabroua violemment le Québec, en expliquant que le Canada ne devait parler que d'une seule voix au reste du monde. La générosité fédérale en serait donc une à deux vitesses?

Nul doute, le livre *Aux Pays des merveilles* est une tentative du mercenaire de *La Presse* pour justifier l'injustifiable. Agissant comme il le fait, André Pratte donne pleinement l'impression qu'il est un analyste atteint d'une profonde schizophrénie politique, maladie qui l'amène à cliver et à s'inventer une réalité moins douloureuse pour le fédéraliste qu'il est. Réécrire l'histoire et réinventer le fédéralisme de façon à gommer les passages qui établissent clairement que le Québec, dans sa nature même, n'est nullement respecté par le Canada, voilà la mission que Pratte s'est lui-même confiée.

Afin de défendre sa vision positive du fédéralisme canadien, système politique que les nationalistes québécois ont depuis toujours décrié parce qu'ils le considéraient comme contrôlant et centralisateur, André Pratte affirme qu'il ne faut pas déchirer sa chemise pour des peccadilles. À ses yeux, la fédération canadienne, malgré le portrait qu'on vient d'en dépeindre dans les paragraphes ci-dessus, est respectueuse des compétences des provinces. Pour étayer ses dires, il affirme que les pouvoirs que possédait le fédéral en 1867 pour contrôler les provinces sont depuis tombés en désuétude. C'est alors qu'il aborde les cas du pouvoir de désaveu (il néglige étrangement de citer du même coup le pouvoir de réserve que possèdent les lieutenants-gouverneurs, ces valets du fédéral, dignes représentants de la monarchie anglaise, chargés de surveiller les provinces en s'installant au cœur même de celles-ci), des pouvoirs déclaratoire et d'urgence. Ces pouvoirs n'étant à toutes fins pratiques plus utilisés aujourd'hui, cela confirmerait, selon Pratte, que les provinces sont parvenues, au fil des ans, à se ménager un espace les protégeant relativement efficacement des tentatives du fédéral de s'approprier leurs compétences.

Ce que ne dit toutefois pas André Pratte, c'est qu'aujourd'hui le fédéral utilise d'autres pouvoirs qui lui furent concédés dans la constitution de 1867 pour miner les prérogatives des provinces, mais surtout celles du Québec, lui qui possède un État quasi national qui indispose grandement les *Canadians*. En effet, Pratte ne mentionne alors même pas que le fédéral use abondamment du pouvoir fédéral de dépenser pour investir dans des programmes parallèles appelés à être implantés directement dans les compétences du Québec. Ce pouvoir est tellement efficace qu'Ottawa a jugé bon le faire officialiser en 1999 en adoptant l'Union sociale, et ce, malgré le fait que le Québec, lui, l'ait rejetée tout de go, parce que trop pernicieuse eu égard à ses compétences. Pratte néglige aussi d'informer ses lecteurs de l'existence d'une clause concernant les pouvoirs résiduaires. Ces pouvoirs sont ceux qui étaient impossibles à consigner dans la constitution de 1867, et ce, parce qu'ils n'existaient tout simplement pas à l'époque. Les pères de la confédération canadienne ont donc convenu que tous les nouveaux pouvoirs qui apparaîtraient au fur et à mesure que le grand Canada progresserait seraient attribués au fédéral. C'est ainsi que le fédéral a pu mettre la main, entre autres, sur les pouvoirs concernant les télécommunications… Pouvoir non négligeable s'il en est un! Bref, André Pratte effectue une lecture combien partisane du phénomène dit de la centralisation au Canada, tellement partisane qu'elle sombre dans une malhonnêteté qui est digne de *La Pravda*…

Afin de démontrer plus concrètement que le Québec n'est en rien le martyr de la fédération canadienne, André Pratte soutient qu'il est tout à fait faux de prétendre que le Canada est un pays qui carbure depuis ses débuts à la centralisation. Les nationalistes auraient inventé cet autre mythe de la centralisation à outrance afin de tenir en alerte les Québécois quant aux risques qu'il y a à demeurer dans le Canada, ou à tout le moins de le conserver dans sa forme actuelle. Plus le temps passera, de dire ces mêmes nationalistes, et moins le Québec pourra conserver les instruments qui lui permettent d'assurer la pérennité de son identité particulière, car ceux-ci passeront progressivement mais sûrement entre les mains du fédéral. Avec les années, le fédéral deviendra le seul et unique maître d'œuvre de la destinée québécoise. Et l'État québécois obtiendra ainsi le statut « d'eunuque ». Ne souscrivant nullement à une telle lecture de la situation, André Pratte prétend plutôt « que l'histoire canadienne est celle de tensions constantes entre les deux paliers de gouvernement ». Ce qui signifie qu'à certaines époques, le fédéral a l'avantage sur les provinces et le Québec, alors qu'à d'autres moments de « notre » histoire, ce sont plutôt les provinces qui parviennent à tirer plus habilement leur épingle du jeu.

Et pour une fois, il ne dit pas que du faux. Il est en effet exact que la fédération canadienne fut, à certaines époques, moins centralisée qu'à d'autres. Mais l'évolution globale démontre malgré tout que la centralisation prévaut en ce pays.

Dès les premières années du Canada (1867-1896), Ottawa a tenté d'imposer son hégémonie dans la fédération. L'un des principaux objectifs poursuivis alors par le gouvernement central était d'unifier le territoire à l'aide du chemin de fer notamment, de façon à créer un semblant de sentiment national d'un océan à l'autre. Pour y parvenir, il fallait contraindre les provinces à marcher dans le droit chemin. Ce fut une époque où le pouvoir de désaveu servit abondamment aux centralisateurs canadiens qui puisaient leur inspiration dans les enseignements de John A. MacDonald. Pas moins de 65 lois provinciales furent alors désavouées (éliminées pour être plus précis) et 57 réservées par les lieutenants-gouverneurs des provinces, ce qui revient à peu près au même que le désaveu. Heureusement pour les Québécois, ils pouvaient compter sur le soutien d'un gouvernement provincial qui refusait de s'en laisser ainsi imposer, celui d'Honoré Mercier. Étant donné que le Canada était toujours un simple dominion de l'empire britannique, appel au conseil privé de Londres fut régulièrement fait par les provinces, et par le Québec en particulier, et ce, pour freiner les appétits centralisateurs d'Ottawa.

Le premier jugement rendu par le conseil privé dans le dossier de la centralisation fédérale le fut dans le cadre de l'affaire *Russell v. The Queen*. Et le conseil privé donna alors raison au fédéral. Ce jugement permettait à ce dernier palier de gouvernement canadien d'intervenir comme bon lui semblait dans les domaines de compétence des provinces. Au Québec, les nationalistes étaient en furie. Seulement quelques années après le pacte de 1867 que les politiciens du Québec avaient adopté avec les *Canadians*, mais sans l'aval du peuple québécois qui ne fut jamais consulté, voilà que son esprit était violé grossièrement. Le Canada n'avait donc été qu'un marché de dupes! Le Québec en faisait maintenant les frais. Redoublant d'ardeur, les provinces en appelèrent de nouveau à Londres afin que la capitale britannique corrige ce premier jugement qui était tout sauf acceptable. Ce qui fut fait du bout des lèvres.

En 1892, Londres déclarait que les provinces étaient souveraines dans les domaines qui leur furent assignés lors de l'adoption de la constitution de 1867. Le Québec croyait qu'il venait de gagner le bras de fer qui l'opposait à un régime colonial qui ne cessait de se développer. Il avait évité de justesse que l'esprit centralisateur du fédéralisme canadien ne s'impose dès le début. Comptant pas moins de 30% de la population du Canada, le rapport de force dont le Québec jouissait alors était toujours assez fort pour assurer la protection d'une partie de ses prérogatives Mais ce n'était, évidemment, que partie remise…Le colonialiste peut parfois ralentir sa cadence assimilationniste, mais jamais il ne l'abandonne. Le faire serait renoncer à ce qu'il est fondamentalement.

L'arrivée de Wilfrid Laurier à la tête du Canada en 1896 sembla assurer la consolidation des pouvoirs du Québec au sein du Canada. C'est que Laurier, bien que fort peu courageux, était un défenseur certain des compétences des provinces. Ayant acquis au cours de la période précédente l'assurance qu'elles étaient souveraines dans les domaines qui leur furent concédés en 1867, les provinces se donnèrent alors pour mission d'obtenir leur autonomie financière. C'est que l'argent était alors concentré dans les mains du fédéral. Et dans de telles circonstances, Québec et les autres provinces pouvaient bien se dire souveraines dans leurs compétences, il s'avérait qu'elles ne l'étaient pas puisqu'elles ne pouvaient pas financer les secteurs d'activité qui étaient sous leur responsabilité. On commença alors à réclamer des subventions provenant du fédéral. Et ce sont les conservateurs de Robert Borden qui battirent le gouvernement Laurier en 1911 qui répondirent favorablement aux demandes pressantes des provinces. Québec obtint alors des subsides pour développer l'enseignement agricole et technique, le secteur de la construction et l'aménagement des routes. Ce début de fédéralisme coopératif fut toutefois rapidement et violemment remisé dès lors que le Canada entra en guerre (tout simplement parce que l'Angleterre l'était) avec l'Allemagne. Dès 1914, la Loi des mesures de guerre fut décrétée au Canada. Le fédéral obtint donc tous les pouvoirs pour intervenir dans tous les secteurs. C'est à cette époque que le fédéral envahit le champ de l'impôt direct, en taxant les profits du monde des affaires et le revenu des particuliers. Une telle mesure ne devait durer que le temps de la guerre disait-on…

À l'évidence, les maigres gains obtenus par le Québec depuis 1867 n'étaient dès lors plus que de l'histoire ancienne. Pire : les Québécois furent contraints de se battre dans une guerre à laquelle ils ne croyaient pas. À l'issue de celle-ci, les provinces récupérèrent la responsabilité des ressources naturelles et obtinrent la garantie qu'elles devaient recevoir une subvention fédérale si elles instauraient un programme de pensions de vieillesse qui répondait aux critères fixés par Ottawa. Mais rien de plus!

Ces quelques concessions furent les dernières avant que le fédéral ne reprenne l'offensive contre les compétences du Québec. De 1930 à 1957, les historiens s'entendent pour dire que le fédéral fut prédominant et hégémonique dans la fédération canadienne. Le rapport Tremblay de 1956 déclara que l'on avait assisté, en ces sombres années, « à la décadence de l'autonomie provinciale et au progrès de l'impérialisme fédéral ». Ce fut tout d'abord la Grande Dépression des années 1930 qui donna le prétexte au fédéral pour violer les pouvoirs du Québec. S'étant accaparé la majeure partie du pouvoir financier au cours de la Première Guerre mondiale, il était évident qu'il était le seul palier de gouvernement en mesure de venir au secours des chômeurs et des défavorisés, et ce, bien que de tels dossiers étaient de compétence provinciale. Afin de coordonner la politique financière du Canada, Ottawa créa en 1934 la Banque du Canada. Le pouvoir économique s'éloignait de plus en plus de Québec! Mais ce n'était toujours rien en comparaison des accrocs à la constitution de 1867 qui seraient commis par le gouvernement de Richard Bennett. Sur les huit lois que contenait son *Bennett's New Deal* (calqué sur le plan du président américain Roosevelt pour sortir son pays de la crise économique), cinq furent déclarées inconstitutionnelles parce qu'elles violaient directement des champs de compétence des provinces. Peu importe, elles s'appliqueraient tout de même.

Mais le fédéral ne s'arrêta pas là. Afin de concentrer toujours plus les pouvoirs entre ses mains, il mit sur pied la commission Rowell-Sirois en 1937. Le rapport qu'elle rendit en 1940 allait, comme on pouvait le prévoir, dans le sens des espérances d'Ottawa. La commission recommanda en effet que les pouvoirs fiscaux importants (droits exclusifs en matière d'impôts directs) relèvent désormais exclusivement du fédéral, que ce même fédéral puisse légiférer dans le domaine du travail et prendre à sa charge les chômeurs au Canada, ce qui était alors une compétence des provinces. Afin d'éviter que Québec ou toute autre province n'en appelle aux tribunaux, le fédéral demanda à Londres de modifier la constitution canadienne de 1867 afin d'accorder le pouvoir sur l'assurance-chômage au fédéral. Ce qui fut fait *illico*! Le colonialiste use toujours des lois et des règles à son seul profit.

Comme on peut s'en douter, le déclenchement de la Deuxième Guerre mondiale ne freina en rien les velléités centralisatrices du fédéral. Loin s'en faut! Tout d'abord, le fédéral se réappropria entièrement le champ de l'impôt sur le revenu des particuliers et sur les corporations. Il établit par la suite une série de lois s'inscrivant directement dans les champs de compétences du Québec : sécurité sociale, amendement sur l'assurance-chômage, allocations familiales, ministère de la Santé nationale et du Bien-être social; amendement sur les pensions de vieillesse, programme national d'hygiène et de santé; et allocations aux universités. Le fédéral eut en plus le culot de développer des programmes de subventions conditionnelles. C'est-à-dire que les provinces pouvaient obtenir de l'argent pour la mise sur pied d'un programme fédéral dans leurs compétences, en autant qu'elles le développent en poursuivant les objectifs fixés par Ottawa. Ce fut le cas notamment dans les dossiers de l'allocation familiale, l'hygiène et la santé, l'aide aux aveugles, l'aide aux invalides, l'assurance-hospitalisation, la formation professionnelle, l'assistance-sociale et l'assurance-santé. Bref, le Québec ne faisait alors absolument plus le poids face à Ottawa qui développait sans relâche l'impérialisme canadien, aux dépens bien sûr des pouvoirs politiques des Québécois. Il est possible d'illustrer très clairement ce recul en analysant les dépenses effectuées alors par le fédéral et les provinces. En 1938, les provinces effectuaient 67% des dépenses étatiques au Canada, et le fédéral seulement 33%. En 1942, ces taux sont passés à 16,5% pour les provinces et à 83,5% pour le fédéral. En 1944, la situation s'empirait toujours : 13% pour les provinces contre 87% pour le fédéral. À la fin de la guerre, 27,6% des dépenses étaient faites par les provinces et 72,4% par le fédéral. Il fallut que le gouvernement de Duplessis instaure, en 1954, l'impôt provincial sur le revenu, au risque d'y perdre des plumes, pour que le pouvoir financier du Québec se rétablisse un tant soit peu[101]!

Tous ces viols des compétences du Québec, et le fait, bien sûr, que les Canadiens français étaient, en tant qu'individus, exploités économiquement et socialement par les *Canadians* depuis des décennies, voire des siècles maintenant, relancèrent comme jamais auparavant le nationalisme québécois. Ce dernier courant se développa même en donnant naissance à une frange indépendantiste. Quoi qu'en disent les fédéralistes qui affirment que le fédéral est plus tendre envers le Québec quand celui-ci est dirigé par des fédéralistes, ce contexte politique démontre tout le contraire. Les nationalistes québécois et le développement d'un discours séparatiste décupla enfin le rapport de force du Québec face à Ottawa la très impériale. Le fédéral enregistra dès lors quelques reculs.

Ce fut l'époque du province-building en réaction au nation-building du fédéral. Et grâce à ses nouvelles sources de financement (impôt sur le revenu des particuliers), Québec put faire quelques gains significatifs aux dépens du fédéral. Certes, André Pratte aurait pu applaudir à l'annonce d'une telle nouvelle. Mais il faut quand même savoir que les seules victoires du Québec à cette époque concernaient des pouvoirs qui lui furent en fait concédés en 1867[102]. Il est donc question d'un simple rattrapage des pouvoirs perdus par le Québec au cours des décennies précédentes (un portrait a été brossé de la Révolution tranquille lors de la première partie du présent essai). Pas de quoi pavoiser donc! Mais au moins, le nationalisme québécois a permis de freiner l'offensive du fédéral. Le Québec devait y parvenir tant que la Révolution tranquille ne se serait pas abîmée lors du référendum de 1980. D'ailleurs, la constitutionnaliste Eugénie Brouillet trace un portrait très sombre de l'évolution que le fédéralisme canadien a connu au cours de la seconde moitié du XXᵉ siècle :

> L'évolution centralisatrice que connaît progressivement le régime fédératif canadien depuis un demi-siècle n'a manifestement pas respecté l'esprit qui a amené le Québec, collectivité nationale historique, à décider d'adhérer au pacte fédératif originel: s'unir avec d'autres entités politiques en des matières d'intérêt commun, tout en conservant une entière liberté d'action quant aux matières liées à la survie et à l'épanouissement de son identité culturelle distincte[103].

Au début des années 1980, le fédéral a pu relancer plus activement que jamais son processus centralisateur. Le coup d'envoi fut d'ailleurs donné en 1982 en rapatriant la constitution canadienne sans l'accord du Québec. Ottawa profita de l'occasion pour la modifier aux dépens du peuple québécois qui ne fut même pas reconnu dans le nouveau document constitutionnel, lui qui se veut pourtant l'esprit même du Canada contemporain. Ce qui en dit long sur la place que les Québécois peuvent s'attendre d'occuper dans ce pays aux valeurs anti-québécoises! Les deux principaux outils utilisés par le fédéral dans cette nouvelle phase de centralisation furent le déséquilibre fiscal et le pouvoir de dépenser, pouvoir qui fut reconnu officiellement pour la première fois lors de l'adoption de l'Union sociale en 1999.

Le pouvoir de dépenser, tout d'abord. Ce pouvoir qui n'était pas reconnu clairement dans le texte de la constitution de 1867, elle qui en portait tout de même les germes et que les juristes du fédéral se sont empressés d'exploiter au profit du gouvernement central, est l'un des outils qui fut utilisé par Ottawa pour créer le déséquilibre fiscal et pénétrer les compétences des provinces toujours plus profondément. Grâce au pouvoir de dépenser, le fédéral peut utiliser son argent comme bon lui semble – ou à peu près – et investir dans les compétences exclusives des provinces. On a d'ailleurs vu, ci-haut, que ce pouvoir a permis à Ottawa de faire du chantage auprès de Québec. « Je suis prêt à te donner l'argent que ça te prend pour financer les services que tu dois à ta population, mais à la seule condition que tu appliques mon programme et que tu respectes les normes nationales que j'ai unilatéralement fixées », a été le discours que le fédéral a formulé plus souvent qu'autrement depuis la Seconde Guerre mondiale. Si Québec se refusait à se plier aux diktats du fédéral, celui-ci usait de son pouvoir de dépenser pour n'en faire qu'à sa tête et financer, à la place de la province récalcitrante, le service en question. Ce faisant, le fédéral devenait l'un des principaux pourvoyeurs de services au Canada, ce qui lui a permis de développer un sentiment d'appartenance des citoyens à son égard, puisqu'il apparaissait comme la principale force gouvernementale au Canada. Bien sûr, André Pratte n'acceptera jamais d'accréditer une telle analyse du pouvoir de dépenser, et ce, parce qu'elle est effectuée plus souvent qu'autrement par des indépendantistes. Fort bien. Mais mentionnons tout de même que des gens qui ne peuvent qu'être crédibles aux yeux de l'éditorialiste de *La Presse*, parce que fédéralistes, partagent sensiblement le même point de vue que nous sur le sujet…

En guise d'exemples, nous pourions avancer que le pouvoir de dépenser du fédéral est tellement insidieux et pernicieux, que l'ex-premier ministre du Québec, le très libéral Robert Bourassa, avait fini par en faire une obsession. Au cours des négociations entourant l'Accord du Lac Meech de 1987, il avait fait de la limitation de ce pouvoir du fédéral une condition *sine qua non* pour que le Québec accepte enfin de signer là constitution qu'il s'était fait imposer arbitrairement par le gouvernement de Trudeau en 1982. On sait maintenant que la volonté du Québec de réduire la portée du caractère centralisateur du Canada n'a pas fonctionné, Meech se brisant lamentablement les dents un certain 23 juin 1990. Mais depuis, le pouvoir de dépenser du fédéral n'est pas le moins du monde tombé en désuétude et bon nombre de nationalistes québécois – et pas tous des indépendantistes- cherchent toujours le moyen de le limiter. Ils croyaient avoir trouvé un allié en la personne du nouveau premier ministre du Canada, Stephen Harper. De fait, pour charmer les Québécois, ce dernier a tenu, en décembre 2005, un discours fort critique à l'égard de cet outil que possède le fédéral pour écraser le Québec : « Le pouvoir de dépenser exorbitant, dont ont tellement abusé les libéraux fédéraux, a donné naissance à un fédéralisme dominateur, un fédéralisme paternaliste, qui est une menace sérieuse pour l'avenir de notre fédération[104]». Mais cela ne constituait qu'un discours éminemment électoraliste, des élections fédérales approchaient alors à grands pas. Harper n'a jamais plus parlé de limiter le pouvoir de dépenser du fédéral depuis qu'il est devenu premier ministre.

En fait, lorsque le temps fut venu de donner suite au discours, les conservateurs désormais au gouvernement ont tout simplement renié la parole donnée aux Québécois. À *Niagara-on-the-Lake*, à l'été 2006, le ministre des Finances du Canada, Jim Flaherty, a clairement laissé entendre que le fédéral comptait conserver son pouvoir de dépenser et continuer d'imposer des conditions dites nationales aux provinces et au Québec. Flaherty a même annoncé que le fédéral comptait poursuivre ses empiètements dans la compétence exclusive du Québec qu'est l'éducation. Faisant face aux récriminations de cette dernière province, le ministre des Finances canadien a laissé tomber : « les provinces n'ont qu'à augmenter leurs impôts si elles veulent plus de revenus »! Il n'y a que les chroniqueurs niais du type d'André Pratte pour avoir cru un jour– ou avoir feint de croire- que le discours de Québec de Harper pouvait laissait présager l'ouverture d'une nouvelle dynamique dans la fédération canadienne. Comme nous le verrons plus en détails dans la troisième partie, le Canada est un État colonial, et lorsque le colonialiste, sous le poids du nombre, tient son colonisé dans les câbles, il ne lui fait alors jamais de cadeau! Le rapport de force du Québec dans la fédération canadienne allant en s'amenuisant, et l'État du Québec étant aux mains de libéraux serviles, il n'y a aucune raison pour que des conservateurs fédéraux songent, d'une façon ou d'une autre, à satisfaire les demandes traditionnelles du Québec. C'est tout le contraire qui est vrai, et le discours de Flaherty le démontre bien…

Le déséquilibre fiscal fut un autre outil fort utile pour le colonialiste *canadian* pour contrôler toujours plus efficacement le Québec. On attribue généralement la paternité de ce dernier phénomène au gouvernement de Jean Chrétien en général, et à son ministre des Finances en particulier, Paul Martin, et ce, bien que le Canada étrangle financièrement le Québec depuis des lustres. Sans faire état de détails que nous présentons plus loin de toute façon, mentionnons simplement que le déséquilibre fiscal a permis ces dernières années au fédéral d'accumuler des surplus au détriment des provinces, et que tout cet argent a été en très bonne partie investi dans les compétences de ces mêmes provinces. Ce qui signifie qu'en coupant les ressources financières des provinces, les fédéraux se sont assurés d'avoir un avantage indéniable sur ces dernières : de l'argent qui leur fait cruellement défaut lorsque vient le temps de financer des secteurs d'activité fort coûteux comme la santé ou l'éducation. La marge de manœuvre que possède le fédéral lui permet de prendre la place du gouvernement québécois en rendant des services à la population québécoise qui le perçoit toujours davantage comme le véritable État national au Canada. C'est donc le sentiment d'appartenance des Québécois qui est visé via cette stratégie combien hypocrite.

Malgré tout cela, Pratte se demande pour quelles raisons bien précises les Québécois les plus conscients se plaignent? En fait, pour rien s'il faut en croire les propos de ce mercenaire qui estime, dans son livre, que le Canada est l'une des fédérations les moins centralisées au monde. Puisant aux enseignements de l'horripilant et désagréable Stéphane Dion, André Pratte ose dire :

Le politologue devenu politicien Stéphane Dion a brillamment démoli le mythe de la centralisation. N'eût été son ton cassant, il aurait peut-être convaincu plus de gens. Quand on relit aujourd'hui, à froid, certains de ses textes, on est à même de constater la qualité de la démonstration. Les souverainistes ne sont d'ailleurs jamais parvenus à l'attaquer efficacement[105].

Si Pratte s'était donné la peine de lire sérieusement la myriade d'analyses produites par *L'Action nationale* à ce sujet ou les chroniques du journal *Le Québécois*, il se serait aperçu que bon nombre de souverainistes sont parvenus, au fil des ans, à déboulonner plus qu'efficacement les études fallacieuses de Dion. Mais il est vrai que Pratte préfère dire que Robert Laplante, le directeur de *L'Action nationale*, est un type qui perd facilement les « pédales » (p.54) plutôt que de réfléchir vraiment à la portée des propos de cet intellectuel. Il est aussi exact que Pratte n'est pas payé pour faire preuve d'intelligence, mais tout simplement pour faire œuvre utile de propagande en faveur du Canada. Partant de là, ses propos sont cohérents avec ce qu'il est!

Comme on ne peut très certainement pas espérer que le mercenaire Pratte fasse un jour correctement ses devoirs et qu'il se mette à la lecture de tout ce qui a été dit et écrit dans le mouvement indépendantiste à l'égard de la centralisation canadienne, nous effectuerons ici une petite comparaison, gracieuseté du politologue Edmond Orban, entre la centralisation des fédérations canadienne, américaine et allemande. Tout d'abord, loin d'être la seule fédération à se centraliser à outrance afin de faire face aux nouvelles réalités du monde d'aujourd'hui, le Canada est à ce chapitre en tout point comparable aux Etats-Unis et à l'Allemagne. Là aussi, les pouvoirs sont de plus en plus concentrés dans les mains du fédéral, bien qu'aux Etats-Unis, cette centralisation n'ait pas atteint le même degré extrême qu'au Canada. Première prise donc contre les tenants du « Canada, la fédération la plus décentralisée au monde ». Hypocritement comme ça s'est fait au Canada, les pouvoirs ont été centralisés subtilement en Allemagne. Aucun amendement n'a en effet été apporté à la loi fondamentale de l'Allemagne (constitution), mais il n'en demeure pas moins que le *Bundesrat* prend de plus en plus d'importance politiquement dans ce pays, et ce, au détriment bien évident des *Länder*. Et comme au Canada, la centralisation allemande s'est effectuée au niveau des politiques financières. C'est-à-dire que le gouvernement central y a créé un phénomène qui ressemble en tous points au déséquilibre fiscal canadien. Ce qui a eu un impact déterminant puisque les paliers inférieurs de gouvernement sont presque toujours ceux qui sont responsables des domaines les plus coûteux : santé et éducation, alors que le central se charge des Affaires étrangères, secteur d'activité qui consacre plus d'autorité « nationale », mais qui coûte beaucoup moins cher. Bref, la centralisation des pouvoirs en Allemagne se déroule de façon fort similaire à ce qui se produit au Canada. La grande différence étant que les *Länder* ne sont pas les créatures politiques de minorités nationales dominées par un colonialiste qui contrôle le *Bundesrat*, comme c'est le cas au Canada, alors que l'État québécois est l'outil qui a permis la survivance culturelle et sociale des Québécois et le fédéral sa déliquescence. C'est donc dire, n'en déplaise à l'adorateur de Dion qu'est Pratte, que la centralisation canadienne a une portée beaucoup plus pernicieuse que ce à quoi on assiste en Allemagne…

Depuis le 11 septembre 2001, les pouvoirs dans la fédération très décentralisée que forment les États-Unis d'Amérique (beaucoup plus décentralisée que le Canada) tendent eux aussi à se centraliser. Depuis les attentats terroristes, Washington a renforcé ses pouvoirs essentiels et ses moyens de contrôle législatifs et financiers des États membres de l'union. À l'instar du Canada, ces politiques ont placé les États face à de graves problèmes. Étant donné que ces derniers acteurs sont responsables des services en santé, en éducation et en matière sociale, ils ne parviennent plus que très difficilement à financer le système, et ce, à cause des importantes coupures fédérales. Tout comme cela se produit aussi au Canada, les États américains ont dû réduire la portée de leurs services, ce qui a permis au fédéral d'occuper des champs qu'ils ont ainsi laissés vacants.

En fait, le meilleur exemple d'un regroupement fortement décentralisé d'États est le même que les fédéralistes servent le plus souvent aux Québécois afin de démontrer que le projet défendu par les indépendantistes va à contresens de l'histoire. Il est bien sûr ici question de l'Union européenne. Contrairement à ce que plusieurs prétendent, les acteurs les plus importants de l'Union européenne demeurent encore et toujours les États nationaux. Ceux-ci ont décidé de se regrouper pour simplement se donner un rapport de force plus intéressant sur la scène internationale, et face aux Américains en particulier. Mais il est faux de parler dans ce cas de disparition des identités nationales au profit d'une structure fédérale européenne. Il faut aussi dire que cette espèce de confédération est beaucoup plus décentralisée que ne pourra jamais l'être le Canada. Afin de démontrer que l'Union européenne donne beaucoup plus de pouvoir à ses États membres que ne le fait le Canada envers ses provinces, Edmond Orban s'est prêté à un exercice des plus intéressants. Il a évalué quelle place le Québec occuperait s'il était un pays scandinave au sein de l'Union alors qu'elle ne comptait que 15 membres (elle en a maintenant 25).

Orban explique tout d'abord qu'avec sa population, c'est-à-dire près de 8 millions d'habitants, le Québec figurerait dans un groupe intermédiaire de pays ayant entre 10 et 7 millions d'habitants. Il y retrouverait la Suède et l'Autriche par exemples. Le pouvoir économique du Québec lui conférerait aussi la huitième place sur 15, alors que sa position s'améliorerait considérablement si l'on refaisait l'exercice en considérant une Union européenne comptant 25 membres. De fait, les nouveaux pays d'Europe de l'Est qui ont été dernièrement intégrés à l'Union sont économiquement plus faibles que le Québec. Ce dernier pays ferait donc partie des pays membres de l'UE dont l'économie est la plus forte. Au sein des institutions européennes, le Québec aurait aussi une place de choix. Au Conseil européen, il aurait un siège comme chaque pays membre, alors qu'au

Conseil des ministres, il posséderait 10 voix sur 237. À titre de comparaison, mentionnons que la France ou l'Allemagne n'en ont chacune que 29. Au sein de la Commission européenne, le Québec jouirait d'un siège alors que les grands pays comme ceux que l'on vient tout juste de mentionner en possèdent deux et il en aurait 17 sur 535 au Parlement européen. Finalement, le Québec participe-rait aux décisions du gouvernement des États membres de l'Union pour choisir les 15 juges de la cour de justice et les directeurs de la Banque centrale euro-péenne. Ce qui pousse Orban à dire « qu'il est évident que dans un tel système, un pays comme le Québec serait manifestement sur-représenté et aurait beau-coup plus de chances de voir ses intérêts défendus aux endroits stratégiques déterminants pour son développement économique[106]». Et tout ça, en consa-crant environ 1 % de ses taxes et impôts au financement d'une telle structure alors qu'il en donne plus de 50 % à Ottawa qui ne cesse jamais de le harceler et d'empiéter sur ses champs de compétence!

Jamais André Pratte n'ose aborder dans son livre le fait que depuis que le Québec voit sa population péricliter, son rapport de force face au fédéral ne cesse de diminuer. Ce qui revient à dire que les périodes où le Québec parvenait efficacement à défendre ses compétences face au fédéral sont bel et bien révo-lues et que le contexte actuel se caractérise par une centralisation sans nom des pouvoirs aux mains du fédéral et que ce phénomène ira en empirant avec les années. À 23 %, la seule province française ne parvient plus à obtenir certaines concessions que lorsqu'il est question de ses propres compétences que le fédé-ral hésite tout de même à fouler aux pieds purement et simplement, parce qu'un mouvement indépendantiste veille au grain. Mais qu'en sera-t-il lorsque le Québec ne représentera plus que 15 % de l'ensemble canadien? Il se fera alors écraser, sans aucune concession, qu'il soit question de ses compétences exclusi-ves ou pas! C'est cette perspective que Pratte tente par tous les moyens de dissi-muler aux Québécois.

C) Le fédéral fait fi du droit à l'autodétermination du Québec

Afin de clouer le dernier clou dans le cercueil de ceux qui véhiculent une vision du Québec qui consiste à le faire passer pour opprimé dans la fédération canadienne, André Pratte s'évertue ensuite à démontrer le plus clairement qu'il le peut que le référendum de 1995 n'a pas été volé par les fédéralistes. Contrairement à ce que prétend Robin Philpot dans son livre publié aux Édi-tions *Les Intouchables*, André Pratte croit que le simple fait que les fédéraux aient triché en organisant frauduleusement le *love-in* à seulement quelques jours du référendum de 1995 ne peut absolument pas permettre à quiconque de conclure que le référendum aurait été gagné par le Oui si les fédéralistes s'étaient bien comportés. C'est ce qu'il écrit en page 36 :

> Mais les sondages menés par les deux camps dans les heures qui ont suivi ont montré que le grand rassemblement avait nui aux fédéralistes,

faisant perdre un point ou deux au Non. Si tentative de « vol » il y a eu, elle a lamentablement échoué.

Bien naïf serait celui qui pourrait croire que le *love-in* frauduleux fut la seule entorse commise par le camp du Non à la loi référendaire du Québec. Normand Lester et Robin Philpot ont très clairement établi que la nébuleuse organisation qu'est Option Canada et que présidait Claude Dauphin à l'époque a pu dépenser comme bon lui semblait une subvention de 5,2 millions $ lors de la période référendaire. Cet argent a principalement servi à acheter du matériel promotionnel, à payer des travailleurs « bénévoles », à acheter des opinions libres qui furent diffusées dans les médias (une série de textes de Pierre Pettigrew dans *La Presse* notamment qui fut achetée 12 000 $ à l'auteur) et à organiser, probablement, le fameux *love-in*. Il est à noter que l'argent qu'a utilisé Chuck Guité pour réserver tous les panneaux-réclame du Québec à la veille de la campagne référendaire, de façon à ne pas en laisser un seul au comité du Oui, ne provenait ni du comité pour le Non, ni d'Option Canada. Cet argent provenait d'autres sources financières dont jouissaient les forces fédéralistes en 1995 pour contourner la loi québécoise sur les consultations populaires mais qu'il est toujours difficile aujourd'hui d'identifier. De combien d'argent est-il ici question? Bien malin qui pourrait le dire. Comme quoi, il en reste encore beaucoup à découvrir à propos de la fraude fédéraliste commise lors de la dernière campagne référendaire…

Et qui a bénéficié, au bout du compte, de toute cette aide officieuse et illégale? Le Comité des Québécoises et des Québécois pour le Non bien-sûr, comité qui n'a pas comptabilisé les ressources investies par Option Canada dans son rapport de dépenses comme cela aurait pourtant dû être le cas[107]. Il faut savoir que les camps du Oui et du Non avaient droit en 1995 de dépenser chacun 5 086 979 $ pour leur campagne. Si le Directeur général des élections du Québec a depuis démontré hors de tout doute raisonnable que le camp du Oui a respecté scrupuleusement son budget, le camp du Non, pour sa part, a plutôt fait dans l'illégalité, et ce, afin de se donner le maximum de chances d'emporter la victoire le soir du 30 octobre 1995. Si on ne peut parler de vol du référendum, on peut assurément dire que le camp du Non a adopté des pratiques frauduleuses pour faire campagne en 1995. Dans un cas comme dans l'autre, il n'y a rien ici qui soit de nature à redorer le blason des fédéralistes!

« S'il s'avère que le Comité pour le Non ne s'est pas conformé à la loi, ça deviendra une question très sérieuse, l'objet d'un scandale[108]», a déclaré aux auteurs Philpot et Lester celui qui était directeur général des élections en 1995, Pierre F. Côté. À l'évidence, tel a bel et bien été le cas. Scandale il y a donc. Mais les journalistes, Pratte au premier chef, n'en disent mot.

La violation de la *Loi sur la consultation populaire* perpétrée par les fédéralistes a été démontrée de diverses façons depuis 1995. Lors des audiences de la commission Gomery de septembre 2004 à juin 2005, il a été clairement prouvé que le programme des commandites qui avait pour objectif d'accroître la visibilité du

Canada au Québec, minant ainsi les chances des indépendantistes d'obtenir un jour satisfaction, avait été piloté par des proches de Jean Chrétien tels que Jean Pelletier ou Chuck Guité. Que les 300 millions$ ainsi détournés ont servi à graisser la patte d'amis du régime qui étaient fort heureux de contribuer en retour à la caisse électorale du PLC. Il fut aussi révélé par plusieurs intervenants que l'ancêtre des commandites, Option Canada, fonctionnait en violation totale de la loi référendaire du Québec. Mais cela n'est aujourd'hui aucunement révoltant aux yeux d'André Pratte. Ce dernier tente tout de même et par tous les moyens de nier les faits.

Ainsi, Pratte préfère s'en tenir au peu d'impact sur l'opinion publique qu'aurait eu la fraude référendaire commise par les fédéralistes en 1995. Il n'y aurait donc rien de grave puisque les gens n'en auraient pas tenu compte au moment de voter. Pour prétendre une telle chose, il s'appuie uniquement sur le cas du *love-in* frauduleux. Sauf que les gestes illégaux posés par les fédéralistes en 1995 concernaient bien d'autres secteurs d'activité que le seul *love-in*. Alors, comment Pratte peut-il malgré tout affirmer que cette tricherie fédéraliste n'a eu aucune incidence sur le vote exprimé en 1995? Il ne le peut bien sûr pas, mais il tente de le faire croire malgré tout pour sauver la réputation de ceux qui le paient pour articuler un tel discours. C'est pourquoi il détourne le sujet en nous lançant toute cette poudre aux yeux qu'il espère être en mesure de nous faire perdre la réalité de vue…

Et pour y parvenir toujours plus efficacement, André Pratte soutient que l'argent dépensé frauduleusement par le camp du Non en 1995 n'était en rien exagéré puisque le gouvernement péquiste de Jacques Parizeau avait lui aussi investi 5 millions $ dans les commissions itinérantes qui se sont tenues avant la campagne référendaire. Il dénonce aussi le fait que Québec a aussi dépensé de l'argent en publicité gouvernementale et en accordant une subvention d'environ 4 millions $ au Conseil de la souveraineté alors présidé par l'ancien ministre péquiste, Yves Duhaime. Évidemment, Pratte évite scrupuleusement de mentionner que le gouvernement Chrétien avait lui-même investi pas loin de 35 millions $ dans la préparation de la campagne référendaire, et ce, avant l'émission des brefs référendaires à l'Assemblée nationale. Pratte se refuse aussi à souligner que ces investissements effectués par les gouvernements Chrétien et Parizeau pour préparer la campagne à venir ne relevaient en rien de pratiques illégales, alors que tout ce qui concernait Option Canada l'était.

Et il ne faut très certainement pas s'attendre à en apprendre davantage grâce aux bons auspices de celui qui fut chargé par les libéraux de faire la lumière sur Option Canada. Cette mission a été confiée au juge à la retraite Bernard Grenier, un proche des libéraux, comme on devait s'y attendre. À ce chapitre aussi, André Pratte préfère ne pas faire de vague. Il ne pose donc pas de questions quant à la pertinence de nommer un proche des libéraux responsable de l'enquête sur Option Canada. Rappelons que le juge Grenier s'est fait connaître au fil des ans pour des décisions assez douteuses. D'une part, le juge Grenier s'est rendu tristement célèbre pour avoir acquitté un homme ayant admis avoir violé une handicapée. S'il a jugé bon de le remettre en liberté, c'est tout simplement parce que l'accusé avait plaidé que son état d'ivresse était trop important pour qu'il puisse être tenu responsable de ses actes! Évidemment, ce verdict fut renversé en Cour d'appel! Au début des années 1990, le juge Grenier a aussi libéré un homme accusé d'agressions sexuelles sur une mineure, et ce, parce qu'il a estimé que les délais pour le juger étaient « déraisonnables », les procédures ayant traîné en longueur. Toujours dans le domaine du scabreux, le juge Grenier a soulevé un tollé en 1996 en accordant une peine « bonbon » à un préposé aux bénéficiaires de St-Charles-Borromée qui s'adonnait à des attouchements sexuels sur une femme catatonique. Pour justifier son jugement, le juge Grenier avait déclaré que l'accusé « était un jeune homme tout à fait correct si l'on faisait abstraction de l'aspect sexuel de sa vie »…

Mais ce qui aurait dû retenir vraiment l'attention des journalistes – et donc d'André Pratte – lorsque l'on a annoncé que ce serait le juge Grenier qui serait responsable d'enquêter sur Option Canada, c'est le passé politique dudit juge. En effet, il est très certainement d'intérêt public de mentionner que c'est ce dernier qui fut mandaté pour juger les causes entourant le *love-in* illégal des fédéraux pendant le dernier référendum. Cette première enquête avait été commandée après que le DGEQ eut déposé des plaintes par rapport à cette activité qui semblait à ses yeux frauduleuse (ce qu'elle était vraiment). Or, souvenons-nous qu'aucune personne ni aucune organisation ne fut sanctionnée pour l'organisation et la participation au *love-in* de 1995 grâce au travail du juge Grenier. Plus encore, Bernard Grenier a antérieurement agi comme « conseiller spécial » auprès des ex-ministres de la Justice Martin Cauchon et Irwin Cotler. Il fut nommé à ce titre par le gouvernement fédéral libéral en 2003. Il s'agissait d'un précédent, puisque aucun ministre fédéral de la Justice n'avait jamais eu sous son aile un tel « conseiller spécial ».

Considérant tous ces éléments, peut-on raisonnablement penser que le juge Grenier est habilité à mener honnêtement une telle enquête concernant Option Canada? Très certainement pas. Et la moindre des choses aurait été que les journalistes posent la question et qu'André Pratte aborde la question dans son livre. Éviter de le faire, voilà qui en dit long sur la qualité de l'information qui est diffusée via les médias du Québec…

Mais est-ce là la seule preuve qui démontre que le gouvernement fédéral s'est permis de faire historiquement fi du droit à l'autodétermination du peuple québécois? Certainement pas. Lorsqu'on aborde la question depuis un certain temps au Québec, c'est toujours le scandale des commandites qui refait surface. Si tel est le cas, c'est tout simplement parce que c'est le dossier le plus frais que les gens ont à l'esprit et que c'est aussi l'un de ceux qui sont les plus documentés. Mais il n'en demeure pas moins que dès les débuts du mouvement indépendantiste, les fédéraux ont tout fait, illégal ou pas, pour empêcher le Québec de se libérer de ses chaînes canadiennes. En voici quelques exemples qui datent un peu plus que les commandites.

On pourrait dire qu'au cours des années 1960, le colonialiste s'est surtout concentré à empêcher que les indépendantistes n'acquièrent trop de visibilité en réprimant par la force les manifestations qui se déroulaient alors dans la rue. Le Rassemblement pour l'indépendance nationale (RIN) n'ayant à peu près aucun moyen pour se faire entendre autrement, ses militants se devaient de descendre sur le terrain s'ils espéraient entrer en contact avec une population qui ne savait, à l'époque, à peu près rien du projet indépendantiste. C'est là que les rinistes rencontraient aussi les sbires du colonialiste, des policiers qui n'espéraient qu'une seule chose : casser du séparatiste. Et ils y parvinrent à maintes occasions. À l'instar des manifestations pour les droits civiques auxquelles on assistait à la même époque dans le Sud des Etats-Unis, les indépendantistes québécois qui investirent la rue furent insultés, rudoyés, battus, emprisonnés et rebattus à l'ombre des écrous. Ils durent faire face aux chevaux de la GRC et à la matraque des limiers qui était longue comme la moitié d'un homme. Plusieurs furent sévèrement blessés.

De telles scènes de violence se produisirent notamment en 1964 lors de la visite de la Reine Élizabeth II à Québec. Afin de faire face au RIN qui se proposait de mobiliser ses membres afin de protester contre la venue du monarque anglais dans la Capitale de l'Amérique française, le ministre Claude Wagner avait réuni pas moins de 1400 policiers de la GRC (ils commandaient les opérations de répression), de la Sûreté provinciale et de la Police de la Ville de Québec, et ce, sans compter les nombreux soldats de l'armée canadienne. Dans le feu de l'action, ces derniers s'en sont donné à cœur joie, c'est le moins que l'on puisse dire. De façon à ne laisser rien au hasard, les policiers firent des fouilles massives de véhicules, créant à Québec des bouchons monstres des jours durant. À l'aide d'hommes-grenouilles, ils examinèrent le fond du fleuve à l'abord du quai de Québec, à l'endroit où devait accoster le *Britannia*, de façon à déjouer les plans de terroristes sous-marins! Du matériel haute-technologie fut transporté à Québec, comme des camions-forteresses surmontés d'une tourelle pour guetter les toits des édifices. Bref, une véritable paranoïa s'était emparée des forces de l'ordre. Mais elle atteignit également les médias à la solde du colonialiste. *Le Telegram* titra : « Why they want to kill the Queen », *Le Droit de vivre* publia quant à lui le titre suivant en manchettes : « La Reine bravera les tueurs »…

Des rapports ont depuis établi que plusieurs policiers et soldats étaient complètement ivres lors de la visite de la Reine, ce qui peut expliquer qu'ils se soient permis de battre non pas seulement des militants indépendantistes, mais aussi des habitants de Québec qui n'avaient absolument rien à voir avec les événements qui se déroulaient sur la colline parlementaire. Il est vrai qu'à peu près aucun Québécois ne s'était déplacé pour assister au défilé. Ce qui eut pu motiver la violence de ces mêmes policiers contre les habitants de Québec en général qui avaient, à leurs yeux, fait preuve d'aussi peu de respect envers la couronne britannique…

Tout ce déploiement de force servit à faire face à 1000 ou 1500 indépendantistes qui voulaient faire un simple *sit-in* et une procession en silence à travers la ville de Québec pour démontrer leur opposition à la présence de la reine dans les rues de Québec. Lors d'une entrevue qu'il a accordée au documentariste Marc Thibault, le procureur-général Wagner a estimé que toute la violence commise par sa soldatesque était nécessaire parce que le *sit-in* des militants indépendantistes mettait en danger la vie de la souveraine!?! Rien de moins. Comme quoi, Pratte n'a pas le monopole de la bêtise!

Les exactions commises par les forces de l'ordre en octobre 1964 et que l'on a depuis baptisées le « Samedi de la matraque » ont attiré l'attention de la Ligue des Droits de l'Homme, dont un des membres était présent à Québec lors de la visite de la Reine. Le rapport que ce membre a remis à son exécutif faisait état du comportement de certains agents « de la paix » qui, sans discernement, ont distribué des coups de poing, des coups de pied ou des coups de matraque aux personnes qui se trouvaient simplement sur leur passage. Ce membre, avocat de son métier, a aussi raconté comment il a été expulsé d'un poste de police alors qu'il tentait de rencontrer deux de ses clients arrêtés arbitrairement lors des événements. Des gestes qui, selon ses dires, violaient les droits de l'Homme.

Le même genre de scénario s'est produit quelques années plus tard, à Montréal cette fois-là. Participant aux festivités de la Saint-Jean-Baptiste de 1968, le candidat libéral au poste de premier ministre du Canada, Pierre Elliott Trudeau, a déchaîné la foule en s'assoyant à la mezzanine où se trouvaient les invités d'honneur. Encore une fois, la police a chargé la foule sans discernement, frappant tous ceux qui avaient le malheur de croiser son chemin. On se rappelle depuis de ces événements comme le « Lundi de la matraque ».

Ce furent là les deux cas les plus spectaculaires de la répression coloniale perpétrée avec violence contre le mouvement indépendantiste au cours des années 1960. Mais il y en eut évidemment bien d'autres. En fait, chaque sortie des indépendantistes dans la rue pouvait signifier coups, blessures, arrestations, interrogatoires musclés et torture psychologique.

Mais c'est très certainement Octobre 1970, épisode de répression coloniale comme on n'en a plus vu depuis, qui retient le plus l'attention encore aujourd'hui. À la page 34 de son pamphlet fédéraliste, Pratte écrit :

> Selon l'ex-felquiste Pierre Vallières, « la crise d'Octobre (1970) ne fut pas "un accident historique" mais, au contraire, l'exécution préméditée (par le gouvernement fédéral) d'un plan qui n'avait d'autre objectif que de compromettre toutes nos chances d'avenir ». Dans un livre sur la question, Vallières laisse entendre, ni plus ni moins, que l'enlèvement et le meurtre du ministre libéral Pierre Laporte ont été orchestrés par les autorités politiques, policières et militaires fédérales. Une fois Laporte

trouvé mort, « l'équipe Trudeau peut, avec l'appui de tout le pays, remettre le Québec à sa place et porter un coup mortel aux aspirations indépendantistes ». Pauvres felquistes! Eux aussi, comme les Patriotes, ont été victimes des méchants Anglais et de leurs valets francophones.

Du Pratte démagogique à son meilleur! Afin de dépeindre comme des fous les indépendantistes qui se posent des questions, avec raison, quant aux agissements du fédéral en 1970, l'éditorialiste véreux réfère à Pierre Vallières qui, dans ce dossier, a produit un essai en 1977 qui n'était rien d'autre que de la pure divagation[109]. Vallières accusait la GRC d'avoir tué elle-même le ministre Laporte en entrant par une fenêtre dans la cachette où il était détenu par le FLQ. Les felquistes de la cellule Chénier ont toujours assumé que c'étaient eux, et personne d'autre, qui avaient achevé le ministre. D'ailleurs, dans le documentaire *La liberté en colère* produit au début des années 1990 par l'actuel prince consort jadis indépendantiste, Jean-Daniel Lafond, Vallières et Francis Simard en viennent aux mots sur la thèse contenue dans le livre en question. Simard a encore une fois dit que la GRC n'avait rien à voir – directement s'entend - dans l'exécution de Laporte. Afin d'aborder la question, Pratte aurait pu trouver des sources beaucoup plus crédibles que Vallières ou au moins indiquer que le bureau de Trudeau avait, dès 1969, planifié un vaste plan qui impliquait des pratiques illégales afin de contrecarrer tout progrès de l'idée d'indépendance au Québec. Cela ne signifiait peut-être pas que la GRC exécute elle-même Laporte, mais il est certain que cela impliquait que le fédéral utilise le FLQ à son profit.

Il aurait pu, par exemple, référer à Michel Chartrand qui, lors de son procès, a accusé les libéraux d'avoir tué Pierre Laporte en décrétant la Loi des mesures de guerres, un geste combien disproportionné par rapport à la menace que représentait alors vraiment le Front de libération du Québec :

> Les bandits ne sont pas devant vous, monsieur le juge, ils sont au Parlement. James Cross, lui, il les a vus les gars du FLQ, il les a vus de plus proche que ceux qui ont fait les lettres de cachet et alors il a dit que c'était un petit groupe de 7 ou 8 enfants qui voulaient faire la révolution. C'est le gouvernement libéral du Québec qui a tué Pierre Laporte sous les ordres de Trudeau qui a sacrifié une vie à la raison d'État parce qu'il a peur et préfère se réfugier dans ses mesures de guerre plutôt que de parler des vrais problèmes[110].

Fernand Dumont abonda dans le même sens que Chartand lorsqu'il traça le bilan d'Octobre 1970. Dumont postula aussi que Trudeau n'a jamais écouté le peuple québécois et qu'il n'avait par conséquent aucunement la légitimité de décréter la Loi des mesures de guerre pour une crise qui n'était pas vraiment plus grave que les grandes grèves (et les violences qui les ont accompagnées) qui ont ponctué la vie québécoise lors des années 1950 et 1960. Selon Dumont, ce serait cette fermeture hermétique des libéraux à l'égard des aspirations québécoises qui aurait provoqué les violences du FLQ :

> Dans un avenir qui n'est pas très lointain, les historiens montreront que M. Trudeau a détruit la confédération canadienne faute d'en avoir perçu à temps les failles et d'avoir proposé quelques réformes sérieuses. Quand on dit à M. Trudeau qu'il n'a pas écouté les voix qui réclamaient des modifications rapides de la constitution, il répond qu'il a été insulté par de jeunes séparatistes qui ont troublé ses discours dans le Québec. La majorité des Québécois n'ont jamais empêché les propos de M. Trudeau; ils avaient donc droit, comme tous les citoyens qui se sont ouvertement interrogés depuis dix ans, de recevoir autre chose que ce mépris que l'on ne doit même pas accorder aux imbéciles[111].

Ils furent en effet très nombreux ceux qui accusèrent les gouvernements libéraux d'avoir profité de la crise d'Octobre pour servir un électrochoc à la population québécoise qui depuis les débuts de la Révolution tranquille s'était engagée sur un chemin beaucoup trop émancipateur pour que cela ne soit acceptable à Ottawa, dans la maison du maître du pays. Il fallait effrayer ces brebis galeuses. Et le meilleur moyen pour y parvenir dans la tête de Trudeau et ses disciples, c'était de leur faire croire que leur libération déboucherait inexorablement sur la violence et la guerre civile. Ce ne serait qu'à ça qu'aura servi la Loi des mesures de guerre et l'emprisonnement de quelque 500 Québécois qui n'avaient rien à voir avec le FLQ. Des Pauline Julien, des Michel Chartrand ou des Gérald Godin étaient bien sûr indépendantistes, mais il était tout de même illégal pour tout gouvernement digne de ce nom de les emprisonner pour leurs seules opinions politiques. Un gouvernement qui agit de la sorte ne peut être qualifié autrement que de colonial et de dictatorial.

Évidemment, André Pratte ne peut se résoudre à croire des indépendantistes qui analysent aussi durement les gestes posés par la clique à Trudeau en 1970? Peut-être se permettra-t-il de croire un politicien fédéraliste et conservateur? Robert Stanfield, qui était chef de l'opposition en 1970, a fini par admettre que la Loi des mesures de guerre devait servir aux *Canadians* à rosser les Québécois qui semblaient se laisser charmer en nombre toujours croissant par les sirènes de la liberté. Une raclée sur les plaines d'Abraham n'avait pas suffi à leur faire comprendre qu'ils ne pourraient jamais se défaire de leur rôle de soumis *frenchies*, des citoyens de seconde zone dans le pays qu'on leur permettait de dire, du bout des lèvres, qu'ils avaient jadis fondé, le temps était donc venu de renvoyer l'armée dans les rues du Québec pour le leur rappeler violemment. Stanfield qui a appuyé au Parlement la Loi des mesures de guerre en 1970 affirma, quelques années plus tard dans une édition revue de 1978 de *Rumours of Wars*, qu'il avait eu tort et que les *Canadians* étaient en majorité très heureux que l'armée débarque au Québec :

La vérité sans fard est que la plupart des Canadiens ne se souciaient guère de savoir s'il y avait vraiment insurrection appréhendée ou pas. Ils n'aimaient pas ce qui se passait au Québec et approuvaient que le gouvernement fédéral prenne des mesures rigoureuses pour régler la situation; si le gouvernement ne disposait pas d'autres moyens que la Loi sur les mesures de guerre, il fallait s'en servir. Pour de nombreux Canadiens, sinon pour la majorité, contester le recours à cette loi était antipatriotique, même avant le meurtre de Laporte.

Le plus révélateur, ce n'est pas que le gouvernement de l'époque ait adopté une telle mesure – un autre gouvernement aurait pu en faire autant – mais que, préoccupé par les événements, le public l'ait approuvée avec enthousiasme et n'ait jamais depuis demandé qu'on lui rende des comptes sur la prétendue insurrection appréhendée, ni sur le comportement des forces policières à l'endroit de citoyens dont les droits légaux fondamentaux ont été suspendus.

Réclamer des comptes? Mais pour quoi faire? Comme le confie Stansfield, un politicien du Canada anglais qui connaît fort bien ses compatriotes, lorsque vient le temps de remettre le Québec à sa place, les *Canadians* sont prêts à tout endosser. Qu'en auraient-ils donc à foutre que la suspension des libertés civiles ait signifié au Québec l'arrestation sans mandat de centaines de personnes qui n'eurent des semaines durant aucun contact avec l'extérieur? Absolument rien. Comme ils ne désirent nullement savoir ce qui advint de ces gens, écroués à l'abri des regards, dans les geôles de Trudeau. Et pourtant, les gestes commis par les sbires des *Canadians* furent rien de moins que scandaleux et relevaient des pires pratiques coloniales.

Serge Mongeau qui fut lui-même emprisonné lors de la Crise d'Octobre rapporte la façon dont se déroulait les arrestations de gens considérés comme subversifs par le régime colonial canadien en donnant l'exemple de Madame T (dont il conserva l'anonymat pour la protéger):

> Ils étaient une trentaine de policiers avec la mitraillette à la main : ils nous ont tous fait enligner au mur, les bras en l'air, tels que nous étions vêtus, mon mari, mes deux fils de quatorze et seize ans, ma fille de douze ans et moi. Ils cherchaient frénétiquement dans la maison. Quand ils ont trouvé l'entrée de la cave, ils ont crié comme des fous. Il semble bien qu'ils étaient sûrs que Laporte était ici. Lorsqu'ils ont constaté qu'ils s'étaient trompés, ils semblaient fort déçus. Ils ont continué de fouiller partout; ils ont emporté quatre gros sacs de papiers divers : des posters, des dessins de mes fils, des livres, dont les manuels scolaires d'histoire du Canada des enfants, les bottins téléphoniques, les livres de comptabilité de mon mari. Rien ne leur a échappé : ils ont même renversé la poubelle pour voir s'il ne s'y trouvait pas quelque indice. À tout moment, ils disaient : « c'est suspect, ça ». Durant ces longues minutes,

nous demeurions au mur. Ils ont même fureté dans la boîte à farine pour voir si nous n'avions pas caché une arme[112].

Les policiers ont quitté les lieux en amenant avec eux le mari et les deux jeunes fils! Mais ce n'était rien en comparaison de ce qui devait attendre ceux qui furent incarcérés des semaines, voire des mois durant.

Le syndicaliste Serge Roy qui a été lui aussi arrêté à la même époque raconta que les gardiens battaient les prisonniers politiques de Trudeau et qu'ils les torturaient psychologiquement en leur annonçant de fausses nouvelles, en exerçant maintes fouilles à nue, en leur disant qu'ils ne retrouveraient jamais la liberté, ou encore qu'ils pourraient aisément les faire « disparaître » étant donné que nul ne savait où ils se trouvaient. Les geôliers allèrent même jusqu'à simuler des exécutions sommaires dans les sous-sols de certaines prisons, de façon à faire plus facilement parler par la suite des prisonniers traumatisés et à la santé psychologique brisée. En réaction, de nombreux prisonniers entamèrent des grèves de la faim comme le firent les prisonniers irlandais de Margaret Thatcher et dont le plus célèbre est sans conteste Bobby Sands. À n'en point douter, plusieurs Québécois qui furent soumis aux traitements inhumains de leurs gardiens en 1970 en conservèrent des séquelles à vie. Certains ont même mis un terme à leur jour, ne pouvant pas retrouver un semblant de vie normale après avoir vécu de tels mauvais traitements. En 2006, le régime colonial canadien n'a toujours pas présenté ses excuses pour les crimes qu'il a commis contre les centaines de victimes innocentes d'Octobre 1970. Ça en dit long sur le degré de repentir dont est capable ce régime!

Parallèlement à ces gestes illégaux commis par les adorateurs du Canada, les services de renseignements du colonialiste étaient à l'œuvre et sans répit. Pour bien réprimer son ennemi, il faut tout d'abord s'assurer de vraiment le connaître…C'est d'ailleurs à partir des listes conçues à cette époque par les services de renseignements que les prisonniers politiques d'Octobre purent être emprisonnés si facilement. N'en déplaise à André Pratte, mais les coups de force contre la démocratie et portés par le régime *canadian* ne visèrent pas seulement les « terroristes » du FLQ. Comme on l'a démontré ci-haut, tous ceux qui représentaient une quelconque menace pour l'ordre établi, séparatistes, comme progressistes, comme syndicalistes, pouvaient devenir la cible des autorités.

Au cours des années 1970, la plus sérieuse menace à la « stabilité » canadienne était le Parti Québécois qui fut fondé en 1968 par le ministre libéral démissionnaire, René Lévesque. Les espions à la solde d'Ottawa s'en donnèrent à cœur joie et colligèrent des quantités astronomiques d'informations sur ce parti et sur les gens qui lui donnaient vie ou qui l'appuyaient tout simplement. À la fin des années 1970, après que les enquêtes sur le sujet eurent connu leur dénouement et qu'il fut prouvé que le Canada avait bel et bien espionné le PQ et voler des renseignements, il n'y eut aucun agent de la GRC qui fut incriminé pour tous ces gestes illégaux. Loin de là puisque le gouvernement Trudeau leur a plutôt accordé une pléthore de décorations et de promotions. Comme quoi, c'est payant de commettre des coups de force contre le colonisé en ce pays canadien!

Lors des débats à l'Assemblée nationale le 9 avril 1992, le député de Joliette, Guy Chevrette, révéla que le SS-GRC, l'ancêtre du Service canadien de renseignement de sécurité (SCRS), avait fiché plus de 30 000 personnes au fil des ans sur la base de leurs opinions politiques et qu'il avait mis sous écoute des ministres du gouvernement de Robert Bourassa (Jean-Paul L'Allier et François Cloutier) et par la suite Louise Beaudoin qui était le bras droit du ministre des Affaires intergouvernementales du gouvernement Lévesque, Claude Morin. Mais il y eut pire. Les service secrets canadiens, sous les ordres du gouvernement Trudeau, ont pénétré illégalement en 1973, de nuit bien entendu, dans la permanence du Parti Québécois pour y voler les listes des membres. Les « cambrioleurs » de la GRC étaient en plus appuyés par le Groupe Vidal, un service de renseignement qui relevait directement du bureau de Trudeau lui-même et dont le responsable était Marc Lalonde. À la même époque, les crapules de Richard Nixon aux États-Unis qui ont pénétré dans l'édifice du Watergate afin de glaner des informations sur les démocrates n'ont pas fait pire que les *Canadians*. Mais, au sud, lorsque la chose eut été sue de la population, le gouvernement américain dut démissionner. Ici, il n'en fut même jamais question.

La Commission McDonald mise sur pied pour faire la lumière sur les agissements « particuliers » de la GRC au cours des années 1970, corps de police qui avait, comme on vient de le dire, subtilisé les listes de membres du PQ, mais aussi placé des bombes au nom du FLQ afin d'effrayer encore davantage la population à la suite de la Crise d'Octobre, dissimula de l'information aux procureurs du Québec. En fait, ces derniers n'eurent jamais accès aux nombreux huis clos réunissant seulement les représentants des *Canadians* et qui ponctuèrent le déroulement de la commission McDonald. Aussi, les documents qui furent alors étudiés ne leur furent jamais remis. Du côté des péquistes, on savait qu'on ne pouvait rien attendre d'une commission fédérale devant faire la lumière sur les actions criminelles commises par la GRC contre le mouvement indépendantiste québécois. Le gouvernement Lévesque mit donc sur pied la commission Keable, pour tenter d'en savoir un peu plus sur cette période mystérieuse de la politique canadienne. Mais la commission Keable ne put jamais étudier elle non plus les documents du fédéral, ce qui signifie qu'il en reste beaucoup à découvrir sur les gestes illégaux posés par la GRC sur recommandations du gouvernement Trudeau afin d'empêcher le mouvement indépendantiste québécois de prendre de l'ampleur.

Heureusement, il y a quelques journalistes au Québec qui remplissent mieux leur tâche que les autres. C'est le cas de Normand Lester. Grâce à ce dernier, on apprit en 1992, sur les ondes de Radio-Canada, que les services de renseignement canadiens avaient utilisé un ministre du gouvernement Lévesque en tant que taupe fédéraliste. Il s'agit bien sûr de Claude Morin, l'agent Q-1 ou *french minuet*.

Lester a révélé que Morin avait reçu beaucoup d'argent – environ 12 000 \$- pour les rencontres qu'il avait eues avec des agents de la GRC (Jean-Louis Gagnon ou Léo Fontaine) et que celles-ci avaient commencé au cours des années 1950 alors qu'il était étudiant et qu'il donnait des informations aux forces fédérales sur les communistes. Lorsqu'il entra au cabinet Lévesque, la GRC le relança, mais cette fois pour obtenir des informations de nature à nuire au mouvement indépendantiste. Et force est de constater que Morin a bien servi son maître *canadian*. À cause de lui, le PQ adopta la stratégie de l'étapisme en 1974 qui imposait dès lors au PQ de tenir un référendum avant de déclarer l'indépendance. Il ne pouvait plus le faire à la suite d'une simple victoire électorale comme c'était le cas jusqu'alors, ce qui compliquait d'autant la tâche du mouvement indépendantiste. C'est aussi Morin qui rédigea la question alambiquée du référendum de 1980, question qui aurait rendu très difficile toute défense d'une possible victoire péquiste face à des fédéraux hargneux comme toujours; c'est également lui qui a développé la stratégie lors des négociations de 1981 et concernant le rapatriement de la constitution, c'est-à-dire s'allier à sept provinces anglophones contre le fédéral en laissant tomber le droit de veto historique du Québec. Or, les faits ont depuis amplement démontré que les fédéraux et Trudeau savaient que Morin travaillait alors pour leur camp. Il n'y aurait donc rien d'étonnant à apprendre que cette stratégie ait été conçue en fait par les amis d'Ottawa de Claude Morin, surtout lorsque l'on sait que les sept provinces ont par la suite abandonné le Québec après que le fédéral les eut informées du fait que Lévesque était maintenant prêt à accepter un référendum sur le rapatriement. Bref, tout semble cousu de fil blanc dans ce dossier. Et quoiqu'il en soit, il faut être d'une malhonnêteté rare pour écrire comme l'a fait Pratte que l'échec de 1981 est la faute de Lévesque seulement (p.29), puisque le grand responsable, c'est le traître Claude Morin. On en vient presque à croire que Pratte a été trop niais pour s'informer sur les tenants et les aboutissants de ce dossier avant d'écrire sur le sujet…

Encore aujourd'hui, Claude Morin maintient que c'est lui qui a floué la GRC au cours de ses rencontres avec Fontaine et Gagnon et qu'il n'a jamais rien révélé qui eusse pu nuire au Québec ou au gouvernement Lévesque. À ce sujet, c'est très certainement Loraine Lagacé qui a le mieux résumé le ridicule de l'affaire. Lors d'une rencontre qu'elle eût avec Morin, elle lui cracha au visage les paroles suivantes : « Toi, le moins fougueux des indépendantistes, c'est toi qui fais du zèle au point de te faire agent secret? Si encore tu étais un pur et dur, mais non, ton Québec, c'est celui de Bourassa…Toi qui nous as fait tourner en rond si souvent ». Lagacé fut d'ailleurs celle qui informa Lévesque de la félonie de Morin. Le chef péquiste exigea par la suite la démission de Morin à titre de ministre des Affaires intergouvernementales. On était alors en 1982.

Ce fut là très certainement le cas le plus spectaculaire des années 1970 de ce qu'était prêt à faire le fédéral en tant que manipulation destinée à empêcher le peuple québécois de briser les liens qui l'asservissait au Canada. Il y en eut d'autres du même acabit, comme le coup de la Brink's en 1970 alors que le fédéral a manigancé pour que des camions fassent semblant de transporter des capitaux d'une banque montréalaise à une banque torontoise, dans le but de bien démontrer quels étaient les dangers que faisait planer l'indépendantisme sur l'économie québécoise. Cette fausse histoire, une fois reprise par les médias, permit bien sûr d'effrayer des Québécois qui voteraient ainsi pour l'ordre et la sécurité canadienne. On appelle cela du terrorisme économique d'État.

Les fédéraux agirent aussi de façon à ce que les indépendantistes ne puissent jamais mettre sur pied des organes médiatiques dignes de ce nom. Dans les années 1970, un groupe avait mis sur pied *Québec-Presse*, un hebdomadaire indépendantiste, alors que le PQ fonda le quotidien *Le Jour* en 1974. Les fédéraux menacèrent les clients de ces journaux pour qu'ils n'achètent pas d'espaces publicitaires. Les menaces eurent leurs effets, et à la fin de la décennie, les deux journaux n'étaient plus que de l'histoire ancienne.

On pourrait aussi parler du plan Neat Pitch qui fut conçu et imaginé dans les officines de Trudeau et de l'état-major canadien. Cette opération prévoyait d'envoyer l'armée canadienne au Québec pour rétablir l'ordre, notamment si le Parti Québécois devait être élu ou si le Oui devait l'emporter lors d'un référendum. On espérait ainsi parvenir à empêcher le Québec de se libérer, même si tel était son souhait. C'est un capitaine, J.R.M. Sauvé, sympathique à la cause indépendantiste, qui confia cette information à des journalistes du *Jour* en 1974.

Mais avec le début des années 1980 et l'enclenchement véritable de la période référendaire, les fédéraux changèrent de stratégie. Ce qui devint dès lors le plus important ce ne fut plus d'emprisonner, de séquestrer ou de battre les indépendantistes, eux dont le soutien populaire n'avait jamais cessé de progresser malgré ces gestes d'un anti-démocratisme crasse. Ce qu'il importait alors plus que tout, c'était d'empêcher les Québécois d'appuyer, par le truchement de leur bulletin de vote, le projet de pays du Québec. Pour ce faire, menaces, fausses promesses et lois retorses seraient utilisées.

Il ne serait pas faux de dire que cette nouvelle stratégie -qui n'en était pas tout à fait une puisque des menaces avaient été proférées depuis toujours par les serviteurs du colonialiste *canadian* – s'imposa de façon plus particulière au cours de la campagne référendaire de 1980. Et Pierre Elliott Trudeau devait en être le principal artisan. Dès le 2 mai, il donna le ton de la campagne en expliquant à ses troupes réunies qu'une victoire du Oui conduirait à l'humiliation du peuple québécois. Pourquoi? Parce que le projet du PQ comportait l'obligation pour le gouvernement du Québec de négocier une association avec le Canada avant d'aller de l'avant avec la souveraineté. Or, rappelait-il, le Canada a déjà clairement dit qu'il ne négocierait jamais. Ce qui fait que le Québec ne pourrait que se réjouir bien futilement d'une utopique victoire référendaire, et ce, parce que le Canada le remettra après coup à sa place comme il se doit, et sa place, aux dires de Trudeau, ce n'était rien d'autre que celle d'une province comme les autres. Rien de bien emballant comme projet politique donc! Du même souffle, le menteur que fut toujours Trudeau laissa entendre que le fait de voter Non s'avérerait beaucoup plus positif pour le Québec que de voter Oui, car une victoire des fédéralistes donnerait naissance à une importante dynamique de changement :

> Je n'en connais pas parmi eux qui ne veuillent pas profiter de ce tourbillon actuel pour renouveler la constitution. Monsieur Ryan a proposé un livre beige. Les gouvernements des autres provinces, de l'Ontario à la Colombie-Britannique, ont présenté plusieurs projets. Notre gouvernement, après avoir établi la commission Pépin-Robarts, a proposé une formule qui s'appelait Le Temps d'agir, un bill, un projet de loi qui s'appelait le bill C-60 qui contenait, entre parenthèses, beaucoup de propositions pour un renouvellement fondamental. Ceux, donc, qui veulent rester Canadiens, sont prêts à la changer, sont prêts à améliorer le fédéralisme[113].

Dans son deuxième discours de la campagne, Trudeau profita du coup de pouce que lui avait donné la taupe des fédéraux dans le gouvernement Lévesque, Claude Morin, elle qui avait rédigé une question des plus alambiquées qui s'avérait dès lors fort utile pour le camp du Non. Cette question devait permettre aux libéraux d'accuser le PQ d'être malhonnête, car il posait aux Québécois une question qui était de nature à confondre bien des Québécois qui pourraient voter Oui sans trop comprendre ce qu'ils faisaient alors. Une façon comme une autre de dépeindre les Québécois comme de parfaits crétins! Ensuite, Trudeau avança que les plus grands politiciens parmi les Québécois ont toujours compris que l'avenir de leur province passait par Ottawa. Il fit alors référence à Jean Lesage, Wilfrid Laurier, Louis Stephen Saint-Laurent et même Maurice Duplessis que Trudeau combattit pourtant âprement dans son jeune temps :

> Nous allions à Ottawa parce que c'est comme ça que les Québécois ont toujours vu leur place dans ce pays. Ils l'ont vue comme étant fiers d'être Québécois, se battant ici pour la défense de leurs droits, mais affirmant aussi leurs droits d'être Canadiens en envoyant parmi leurs meilleurs représentants à Ottawa pour affirmer la place des Québécois au sein du Canada[114].

Ce que ne disait toutefois pas Trudeau, c'était que ces mêmes grands politiciens du Québec n'ont jamais été autre chose que des rois-nègres. Ils imposèrent donc bien davantage l'ordre canadien au Québec qu'ils ne défendirent la spécificité québécoise face à Ottawa!

Finalement, quelques jours seulement avant la tenue du référendum prévue pour le 20 mai, Pierre Elliott Trudeau prononça son dernier discours de la campagne. Devant 10 000 partisans réunis au centre Paul-Sauvé de Montréal, il promit encore une fois qu'un vote pour le Non à la souveraineté-association ne signifiait pas que tout pouvait continuer comme avant dans ce beau et grand Canada. Non pas, puisqu'un vote pour le Non était en fait un vote pour le changement. Ce changement devait transformer enfin la fédération canadienne de façon à satisfaire les exigences du Québec. Trudeau et les députés libéraux du Québec mirent leurs sièges en jeu afin de prouver aux Québécois que leurs promesses étaient sérieuses :

> Je sais parce que je leur en ai parlé ce matin à ces députés, je sais que je peux prendre l'engagement le plus solennel qu'à la suite d'un NON, nous allons mettre en place immédiatement le mécanisme de renouvellement de la Constitution et nous n'arrêterons pas avant que ça ne soit fait. […] nous mettons notre tête en jeu, nous, députés québécois, parce que nous disons aux Québécois de voter NON, et nous vous disons à vous des autres provinces que nous n'accepterons pas ensuite que ce NON soit interprété par vous comme une indication que tout va bien, puis que tout peut rester comme c'était auparavant. Nous voulons du changement, nous mettons nos sièges au Parlement en jeu pour avoir du changement[115].

Tromperie de bas étage comme on en a rarement vue dans la vie politique au Canada, car les promesses de Trudeau ne se concrétisèrent pas après la victoire du Non de 1980. Enfin, jamais dans le sens promis par ces libéraux menteurs car il faut bien comprendre que le changement fut bel et bien au rendez-vous en 1982, non pour répondre favorablement aux demandes des Québécois, mais tout simplement pour nier leur existence et donner au Canada de nouveaux outils pour rogner encore davantage la spécificité québécoise. Même Pratte devrait aujourd'hui pouvoir admettre que le Canada contemporain repose sur le mensonge, la tromperie et la malhonnêteté.

Les fédéralistes développèrent également un discours lors de cette campagne référendaire de 1980 qui se voulait menaçant à l'égard de la nation québécoise. Très tôt, les caciques du colonialiste firent dévier le sens de la démarche proposée par le gouvernement Lévesque au peuple québécois. De leur point de vue, il n'était plus question d'une simple proposition visant à renégocier l'appartenance du Québec au Canada, de façon à accorder certes la souveraineté à l'État du Québec, mais en lui adjoignant d'office une association économique avec le Canada. Dans la bouche des fédéralistes, le projet péquiste visait la séparation pure et simple du Québec avec tous les dangers qui accompagnent une telle finalité. Une fois que de tels jalons furent posés, les libéraux de Trudeau crièrent sur toutes les tribunes que jamais ils n'accepteraient de négocier une association avec une province québécoise sécessionniste. Étant donné que la question conçue par le « fin renard » (ça dépend pour qui!) qu'était Claude Morin comportait un trait d'union entre souveraineté et association, les troupes du Oui se retrouvèrent dans le pétrin. Comment proposer un tel projet aux Québécois, si de l'autre côté on refuse d'en négocier les modalités? Les vrais indépendantistes qui étaient alors au PQ tirèrent d'amères leçons de ce difficile épisode. Plus jamais on ne les reprendrait à user de traits d'union mal placés!

Mais ce ne fut pas là les seules menaces auxquelles eurent recours les forces du Non. Loin de là. Plus juste serait de dire que c'est lors de cette campagne référendaire qu'elles imaginèrent bon nombre d'arguments en mesure de faire reculer le Québec par la peur. Certains ténors fédéralistes ont alors prétendu que sous un régime québécois dit de souveraineté-association, les Québécois devraient dire adieu à leurs pensions de vieillesse, comme si le gouvernement d'un Québec libre n'aurait pas eu les moyens de s'en charger à la place du fédéral… Ces mêmes fédéralistes ont également raillé « la piastre à Lévesque », en argotant qu'une monnaie québécoise ne vaudrait rien, pas même 0,70 $ américain! Il fut également question, comme on peut se l'imaginer, du gouffre économique dans lequel plongeraient les Québécois s'ils se laissaient tenter par le Oui, trop petits et incapables qu'ils étaient, disait-on, pour se prendre en mains. On souligna aussi à gros traits qu'une victoire du Oui signifierait la fin de la péréquation pour le Québec qui, sans ce chèque de B.S. fédéral, n'aurait plus les moyens de financer les hôpitaux, les écoles et tous les autres services sociaux auxquels s'est habituée la collectivité québécoise…Bref, tout fut dit pour faire peur aux Québécois et cela, le politologue anglophone Kenneth McRoberts le confirme :

> La question du référendum bénéficiait apparemment d'un soutien majoritaire en juin 1979. Après une baisse à l'automne de la même année, elle rebondit après le débat à l'Assemblée nationale en mars 1980. Dans le courant du mois d'avril, cependant, le camp du Non prend la tête et la conserve jusqu'au référendum. Même si la baisse du Oui s'explique en partie par certaines erreurs tactiques commises par le PQ pendant le mois d'avril, c'est la campagne fédérale sur les dangers de la « séparation » qui fut déterminante. Fin avril, les sondages indiquent que le camp du Non tient la victoire[116].

Cette stratégie des fausses promesses et des menaces fut de mise à Ottawa au moins jusqu'aux lendemains immédiats du référendum de 1995. Mais parce que les forces fédéralistes passèrent à un cheveu – si elles ne l'ont pas perdue en réalité – de perdre la partie le 30 octobre 1995, les stratèges du fédéral s'imposèrent une révision dans la façon qu'ils menaient le combat contre les indépendantistes et contre le droit à l'autodétermination du peuple québécois. Si malgré les menaces et les fausses promesses – car il y en eut une pléthore de formulées aussi lors de la campagne référendaire de 1995 par les porte-parole fédéralistes – les Québécois avaient voté Oui à la souveraineté partenariat dans une proportion de 49,4%, c'est qu'il y avait très certainement un problème dans la stratégie fédéraliste. Les fédéralistes devaient donc revoir leur stratégie. Ce qu'ils firent effectivement.

Il faut dire que sans les coups de pouce de Claude Morin, les fédéraux parvenaient plus difficilement à trouver des prises dans la démarche proposée par Jacques Parizeau. En 1995, la question référendaire était plus simple qu'en 1980 et le gouvernement du Québec avait peut-être l'obligation de proposer un partenariat au Canada, mais si celui-ci se refusait à négocier, la souveraineté pouvait se faire quand même. À l'évidence, Parizeau avait tiré bien des leçons de l'expérience de 1980.

Certains ont attribué le redressement des appuis au Oui à la nomination de Lucien Bouchard, une semaine après l'enclenchement officiel de la campagne référendaire, à titre de négociateur en chef pour le gouvernement du Québec après un Oui, mais rien n'est moins sûr. Les sociologues Gilles Gagné et Simon Langlois ont pour leur part démontré que les appuis au Oui progressaient constamment et de façon régulière depuis au moins la fin de l'été 1995. L'arrivée de Bouchard n'aurait fait que consolider la tendance. Quant à lui, Kenneth McRoberts soutient que les menaces proférées par un Claude Garcia, lui qui vociféra « qu'il ne faut pas seulement gagner le 30 octobre, il faut les écraser », par un Laurent Beaudoin qui jurait qu'il déménagerait Bombardier à l'extérieur du Québec si le Oui gagnait ou par un Paul Martin qui garantissait que la souveraineté du Québec entraînerait la perte d'au moins un million d'emplois auraient convaincu plusieurs Québécois qu'ils ne pouvaient vraiment rien attendre de positif du Canada. S'ils ne se laissaient plus autant intimider par de telles menaces, c'était tout simplement parce qu'ils étaient en très grande majorité convaincus que le Québec souverain était tout à fait viable économiquement, ce que même Pratte est obligé d'admettre aujourd'hui. Ce qui plongea le camp du Non dans l'embarras puisqu'il n'avait jamais défendu le Canada autrement qu'en menaçant les Québécois. Que pouvaient donc faire les ténors fédéralistes pour freiner la progression du Oui qu'eux aussi ressentaient?

En manque d'imagination comme c'est toujours leur cas, ils utilisèrent Radio-Canada pour permettre à Jean Chrétien de faire un discours à la « nation ». Au cours de son allocution, Chrétien reprit presque mot à mot la stratégie de Trudeau de 1980. À l'instar de son mentor, lui aussi promit du changement aux Québécois, changement qui devait se traduire par une révision de la constitution canadienne telle qu'adoptée en 1982. Concrètement, Chrétien donna son appui à la société distincte, concept qu'il avait ardemment combattu lors de la campagne de Meech, et appuya l'idée de redonner le droit de veto historique à un Québec qui l'avait perdu en 1982 :

> Dire qu'ils désirent voir ce pays changer et évoluer dans le sens de leurs aspirations. Ils veulent voir le Québec reconnu au sein du Canada comme une société distincte par sa langue, sa culture et ses institutions. Je l'ai dit et je le répète : je suis d'accord. J'ai appuyé cette position dans le passé, je l'appuie aujourd'hui et je l'appuierai dans l'avenir, en toute circonstance.[117]

Parce que la victoire du colonialiste en cet automne de 1995 fut plus que serrée, Jean Chrétien, premier ministre du Canada, confia donc la mission au ô combien désagréable Stéphane Dion d'imaginer la meilleure façon qu'il y aurait de donner un coup de barre au vaisseau amiral des fédéraux qui prenait passablement l'eau parce qu'il avait été soumis au feu de l'ennemi indépendantiste lors de la dernière campagne référendaire, lui qui fourbissait alors ses armes en prévision d'un troisième match revanche. Il fallait revoir, et au plus vite, la stratégie du camp fédéraliste.

Un sondage effectué quelques semaines seulement après le référendum de 1995 démontrait que les Québécois croyaient que la seule façon qui pourrait faire que leur province ne devienne pas un pays dans un avenir plus ou moins lointain consistait à transférer des pouvoirs à l'État du Québec (85,4 %), à reconnaître le Québec comme société distincte (78 %), à accorder un droit de veto au Québec sur toute modification constitutionnelle (73,2 %) et à donner au Québec le pouvoir de percevoir tous les impôts (63,2 %)[118]. Ce qui contredit radicalement la vision exprimée par Pratte dans son livre et selon laquelle une simple reconnaissance du caractère distinct du Québec devait être suffisante pour mettre un terme au mouvement indépendantiste (p.16). Il est clair que les sentiments indépendantistes au Québec sont motivés par des éléments beaucoup plus divers et profonds que cette simple reconnaissance. Mais ça, les fédéralistes ne veulent pas le voir, car cela reviendrait pour eux à admettre que la question nationale n'est absolument pas sur le point d'être résolue.

Tout aussi menteur que son mentor, Chrétien savait pertinemment, au moment de faire ses promesses aux Québécois pour qu'ils votent Non dans un nombre suffisant pour sauver le Canada, que le reste du Canada ne serait jamais d'accord pour leur donner suite. Malgré bon nombre de démarches pour amener une reconnaissance constitutionnelle du caractère distinct du Québec, il s'avéra impossible de convaincre ne serait-ce qu'un seul premier ministre anglophone de l'appuyer. Chrétien se rabattit donc sur la Chambre des communes pour la contraindre à appuyer une résolution stipulant que le Québec est distinct selon sa langue, sa culture et son droit civil et que cette réalité doit amener les pouvoirs législatif et exécutif du gouvernement fédéral à prendre note de cette reconnaissance et de se comporter en conséquence. La résolution fut adoptée le 11 décembre 1995. Mais tous comprirent qu'elle ne représentait rien de solide. Tout nouveau gouvernement fédéral pourrait la résilier comme bon lui semblait, et rien n'obligeait légalement le gouvernement de Chrétien à fonctionner en la considérant. D'ailleurs, cette résolution demeura toujours inefficiente. Tout comme le fut quelques années plus tard l'inutile Entente de Calgary que le Québec refusa d'endosser d'ailleurs, non satisfait qu'il était par la déclaration selon laquelle il possédait un « caractère unique ».

Le droit de veto connut sensiblement le même sort. Le 29 novembre 1995, le gouvernement Chrétien tenta d'imposer la formule d'amendement constitutionnel que contenait la Charte de Victoria en 1971 à la formule d'amendement qui a été adoptée avec le rapatriement de la constitution canadienne en 1982. La formule de Victoria stipulait que la Chambre des communes pouvait procéder à des modifications constitutionnelles touchant des domaines ne requérant pas le consentement de toutes les provinces si ces mêmes modifications avaient déjà été acceptées par l'Ontario, le Québec et deux autres provinces ou plus des maritimes et de l'Ouest et dont la population représentait au moins 50% des régions en question. Ce qui, dans les faits, conférait un droit de veto à l'Ontario et au Québec. Rapidement, la Colombie-Britannique rua dans les brancards. Chrétien dut donc lui accorder à elle aussi un droit de veto sur toute modification constitutionnelle. Mais la grogne de cette dernière province était bien futile puisque cette modification aux règles de fonctionnement des modifications constitutionnelles fut rapidement jugée comme…anticonstitutionnelle. C'est donc toujours la règle du 7/50 qui s'impose au Canada et qui rend à peu près impossible toute modification constitutionnelle.

Parallèlement à ces concessions exclusivement symboliques, le fédéral tenta de redonner certains pouvoirs au Québec, avec compensation financière, afin de miner les velléités sécessionnistes de cette province. C'est ainsi que le gouvernement Bouchard put faire les gorges chaudes en se targuant d'avoir rapatrié la formation de la main-d'œuvre. Bouchard estima que ce fut un geste dans la bonne direction. Mais au Canada, pour un geste qui va dans la bonne direction pour les Québécois, il y en a toujours quatre ou cinq qui resserrent les liens asservissant le Québec au Canada. Afin de donner de la visibilité au Canada au Québec, le gouvernement Chrétien mit sur pied toute une série de programmes relevant d'Ottawa et qui concernaient des compétences exclusives du Québec, processus qu'il justifie par la nécessité stratégique de la « visibilité ». Grâce aux surplus importants que le fédéral commença à enregistrer en 1997, ce dernier palier de gouvernement lança l'horripilant programme des bourses du millénaire. Ce qui constitua un recul de près de 50 ans, alors que le gouvernement de Mackenzie King s'était permis de financer directement les universités québécoises, sans considération aucune pour l'État québécois dont ce secteur relevait exclusivement. Le tollé soulevé avait fini par contraindre le fédéral à adopter une série d'ententes de désengagement qui redonnait au Québec la gestion des compétences qui étaient siennes selon la constitution. En 1997, Chrétien est donc revenu à l'esprit du fédéralisme impérialiste!

À la même époque, le fédéral créa le Bureau d'information du Canada (BIC), organisme de propagande devant assurer lui aussi la visibilité du Canada au Québec. Grâce aux efforts conjugués du BIC et de la ministre du patrimoine canadien, Sheila Copps, des centaines de milliers de drapeaux canadiens furent distribués d'un océan à l'autre. Mais la stratégie fédérale connut rapidement des ratés. Seulement 8,3 % des demandes pour des unifoliés provenaient du Québec… Ce qui illustre bien à quel point les Québécois se sentaient attachés à ce pays.

Étant donné qu'il était impossible de retenir le Québec dans le giron du colonialiste *canadian* en rendant le Canada plus attrayant et invitant aux Québécois, et ce, démontrant que la stratégie du plan A avait lamentablement échoué, Ottawa changea son attitude du tout au tout. La capitale fédérale développerait dès lors des outils lui permettant de forcer le Québec à respecter l'inviolabilité de l'unité canadienne. Et dans ce dossier, Stéphane Dion, le nouveau ministre fédéral des Affaires intergouvernementales du Canada, s'avéra particulièrement efficace et perfide.

À partir de là, le gouvernement Chrétien ne tenta plus de trouver des moyens de répondre favorablement aux aspirations du peuple québécois, il tenta plutôt de dépouiller le projet souverainiste de tout attrait ou de le rendre irréalisable, et ce, en utilisant les institutions fédérales pour ce faire et en développant un discours démontrant très clairement quels seraient les risques et les dangers pour les Québécois de réaliser la souveraineté. De ce fait, Chrétien se mettait au diapason avec les *Canadians* qui affirmaient dans une proportion de 63 %, par voie de sondage, qu'ils étaient d'accord avec la proposition selon laquelle le fédéral devait adopter une ligne dure à l'égard de velléités indépendantistes du Québec et mettre l'accent sur les difficiles conditions qui s'imposeraient aux Québécois s'ils consentaient à quitter la fédération canadienne. Mieux que jamais, Chrétien était prêt à jouer son rôle de roi-nègre. Et il y fut encouragé de façon combien pressée par les chroniqueurs anglais des journaux du Canada.

Mais il fut aussi soutenu par son équipe de roquets qui avaient retrouvé leurs dents maintenant que la menace sécessionniste était moins présente sur l'écran radar des Canadiens. Stéphane Dion, par exemple, avait écrit alors qu'il était professeur de science politique que le Québec ne devait pas s'attendre de réaliser sa souveraineté en conservant ses frontières actuelles. Il répéta le même discours maintenant qu'il était devenu ministre, ce qui encouragea les *rednecks* du Québec à se mobiliser et à créer des organisations en faveur de la partition du territoire québécois devant survenir après l'indépendance. Le ministre des Affaires indiennes, Ron Irwin, n'était pas en reste. Il clama pour sa part que les territoires autochtones que l'on retrouvait au Québec n'appartenaient pas à la province et qu'ils n'appartiendraient pas davantage à un Québec souverain. Chrétien se lança lui aussi dans la mêlée en arguant qu'il serait illégal qu'un Québec réalise la souveraineté avec seulement 50 %+1 des appuis lors d'un référendum, laissant ainsi présager ce qui devait survenir quelques années plus tard : l'adoption de l'inique Loi C-20. Mais pour l'instant, le gouvernement Chrétien désirait obtenir l'avis de la Cour suprême sur le projet sécessionniste québécois, de façon, espéraient les libéraux, à le rendre illégal en considération de la constitution canadienne et du droit international.

Le dossier fut soumis à la tour de Pise qu'a à peu près toujours été la Cour suprême du Canada, donnant plus souvent qu'autrement raison au colonialiste au détriment de la seule province francophone du Canada. Conscients que tels avaient été les précédents, les libéraux étaient confiants d'obtenir satisfaction une nouvelle fois lorsqu'ils se tournèrent, en 1996, vers cette institution afin de dénouer un véritable nœud gordien. Mal leur en pris, car le 20 août 1998 la Cour fit valoir que si le gouvernement du Québec obtenait, grâce à une question et une majorité claires, le mandat de réaliser la souveraineté, le fédéral et les autres provinces auraient l'obligation de reconnaître ce fait démocratique et de négocier avec le Québec. Bien sûr, ce dernier ne pourrait procéder légalement à une déclaration unilatérale d'indépendance, mais il n'en demeurait pas moins que les juges de la Cour suprême venaient de contredire tous les fédéraux depuis 1980 qui avaient juré dur comme fer qu'ils n'avaient nullement l'obligation de négocier avec un gouvernement souverainiste fort d'une victoire référendaire et que jamais ils n'enclencheraient, par conséquent, une telle démarche. Bien sûr, le gouvernement Bouchard se réjouit de la décision rendue par les juges en déclarant qu'elle « ajoutait de la crédibilité au projet souverainiste ». De leur côté, les fédéraux étaient en furie!

Mais cette furie fut de bien courte durée, car les libéraux surent profiter du coup de pouce discret que leur avaient, malgré les apparences, donné les juges de la Cour suprême. L'obligation de négocier qu'il y aurait pour les deux camps après une victoire des forces souverainistes ne devait survenir que si la question posée et la majorité obtenue étaient suffisamment claires…Claires comment?, les juges refusèrent de le préciser arguant que cela ne relevait nullement du juridique, mais bien du politique. Et voilà, la trappe venait de se refermer sur le Québec car c'était le fédéral qui devait ainsi décider si la clarté était au rendez-vous, ce qui lui conférait le droit de vie ou de mort sur toute victoire référendaire des forces souverainistes.

Il faut en effet savoir que l'article 1 de la loi C-20 donne à la Chambre des communes le pouvoir de se prononcer sur la clarté de la question référendaire dans les 30 jours du dépôt du libellé de la question à l'Assemblée nationale. Ce que cela signifie concrètement, c'est que le gouvernement fédéral, lui qui est constitué de parlementaires qui jugent que le Canada doit être un et indivisible, s'il juge que la question n'est pas assez claire (mais comme il n'a jamais dit ce qui devait composer une question claire, il aura toujours le loisir de prétendre qu'elle ne l'est pas suffisamment pour qu'il l'accepte), pourra dès le départ refuser de reconnaître la légitimité de la démarche référendaire. Ce qui pourrait avoir, évidemment, un impact décisif sur l'issue de cette joute qui se veut et qui se doit d'être démocratique.

En second lieu, la loi fédérale C-20 exige que le gouvernement péquiste obtienne une majorité claire lors du référendum pour qu'Ottawa consente à négocier avec lui les modalités de sécession. Tout comme dans le cas de la question, le colonialiste qui se terre à Ottawa a bien pris garde de ne jamais dire ce qu'est selon lui une majorité claire. Ce faisant, il pourra dire que 50 % +1 ce n'est pas suffisant pour que le Québec se sépare, comme il pourra défendre l'idée que 55 % ce n'est pas suffisant si les forces du Oui obtiennent 54 %, etc. Bref, par l'article 2 de cette loi C-20, le fédéral chercha à consacrer l'inégalité des votes en octroyant plus de poids à un bulletin appuyant le Non qu'à celui qui est favorable à la souveraineté du Québec. Bref, le gouvernement Chrétien s'est assuré, via la loi C-20, qu'un gouvernement fédéral ne soit jamais obligé de négocier avec un gouvernement souverainiste victorieux et, par le fait même, de ne jamais reconnaître un Québec souverain. Ce qui est une très belle façon de nier le droit à l'autodétermination du peuple québécois…

Pourtant, il était jusque-là reconnu par tous que la règle des 50 %+1 devait s'appliquer dans le dossier national au Québec, et ce, autant chez les libéraux du Québec, que chez les libéraux d'Ottawa, que chez les conservateurs, que chez les péquistes. D'ailleurs, les deux derniers référendums se sont tenus en tenant compte de cette règle à peu près reconnue par tous. Qui plus est, il existe un précèdent clair dans l'histoire du Canada qui légitime le 50 %+1 : celui de Terre-Neuve qui fit son entrée en 1949 dans la fédération canadienne avec un score de seulement 52 % des appuis. En fait, même Pierre Elliott Trudeau, cet ennemi acharné des indépendantistes, affirmait dans les années 1950, dans une série d'articles parus dans le journal *Vrai*, que la démocratie « prouve vraiment sa foi dans l'homme » en se laissant guider par la règle du 50 % + 1. Selon ce dernier :

> Si les hommes sont égaux, et si chacun est le siège d'une dignité suréminente, il suit que le bonheur de 51 personnes est plus important que celui de 49: il est donc normal que *ceteris paribus* et compte tenu des droits inviolables de la minorité, les décisions voulues par les 51 l'emportent.

Si Trudeau le dit, Stéphane Dion pourrait sûrement y consentir lui aussi, et Pratte par le fait même!

Évidemment, les souverainistes ont depuis pris acte des nouvelles balises qu'imposent (ou que n'imposent pas puisque plusieurs soutiennent que le fédéral ne peut pas ainsi brimer le droit à l'autodétermination du peuple québécois) la loi C-20. Mais l'un de ceux qui est parvenu le mieux à résumer l'impact de cette loi est très certainement Robert Perreault, ex-ministre péquiste :

> Il faut en effet prendre acte que la situation a bien changé. Stéphane Dion a fait adopter par Ottawa le projet de loi C-20 qui vient dicter de nouvelles règles du jeu, les règles canadiennes. Les forces fédéralistes ne seront pas cette fois prises au dépourvu. La légitimité et la légalité de la démarche référendaire et de ses résultats, si le oui l'emporte, seront remises en question. D'où l'importance de nous rappeler que l'accession du Québec à sa souveraineté ne viendra pas naturellement, qu'il s'agit d'un combat[119].

Malgré tout ce qu'on vient de présenter comme information démontrant très bien que les *Canadians* ne respectent en rien le droit à l'autodétermination du peuple québécois, information que ne peut ignorer André Pratte, ce dernier ose tout de même écrire dans son livre : « Les défenseurs de la souveraineté ont-ils été emprisonnés, harcelés, empêchés de s'exprimer? » (p.110). À l'évidence, l'éditorialiste servile de *La Presse* refuse d'accepter le fait que les Québécois en devenir furent conquis violemment par la force des armes en 1760, que leur société alors en gestation fut terrassée et remplacée par les débuts d'une colonie anglaise dont ils ne seraient pour des siècles que les serviteurs exploités. Pratte ne peut davantage accepter que ce ne sont pas les patriotes de 1837-1838 qui sont les vilains comme il le prétend dans son livre, mais bien ceux qui administrent un régime raciste qui voue une haine viscérale à l'égard de Canadiens qui aspirent à bon droit à autre chose que violence, vexations et spoliations. Les massacres, les viols, les pillages, les vols, furent les seuls recours des Anglais pour empêcher que Papineau et sa bande parviennent à libérer le Bas-Canada du joug britannique, ce qui n'est nullement représentatif de ce qu'un pays soucieux du sort de ses minorités devrait adopter comme attitude. Et que dire de la répression d'Octobre et les projets destinés à envoyer l'armée canadienne au Québec si cette dernière province avait le malheur de vouloir se libérer?

Le XIXe siècle et la première moitié du XXe ne furent pas plus tendres envers les Canadiens français. Afin qu'ils ne se libèrent jamais, le colonialiste *canadian* a tout simplement tout fait pour les faire disparaître. Il y est à peu près parvenu complètement dans les provinces orangistes du reste du Canada, mais a manqué son coup au Québec. Pap Ndiaye résume d'ailleurs fort bien ce qu'est le colonialisme, phénomène qui a durement frappé le Québec : « Les maladies, les guerres, les massacres, les déportations, les destructions des modes de vie n'ont pas été des conséquences malheureuses de la colonisation; ils en ont constitué l'essence même[120]».

Refusant de disparaître, le Québec osa en plus se libérer partiellement au cours des années 1960. Partiellement, parce que le retors colonialiste a encore une fois pesé de tout son poids pour conserver dans son giron cette colonie aux relents de France qui lui profitait si bien. Menaces, et mensonges lui furent fort utiles pour mener pareille mission déshonorante. Lorsque ce ne fut plus suffisant, le fédéral changea les règles du jeu, au détriment des émancipateurs de peuple, faisant fi du droit des peuples à l'autodétermination.

Et malgré tout ça, André Pratte ose affirmer que la situation du Québec est enviable dans le Canada et que ce sont les indépendantistes qui sont malhonnêtes et très certainement pas les dirigeants fédéralistes, ceux à qui il a vendu son âme…Mais ce n'est très certainement pas parce que lui est un vendu que l'on devrait tous l'être!

D) Le fédéral ne s'est jamais servi de l'immigration contre le Québec!

Prenant goût au lancer de la poudre aux yeux des citoyens, André Pratte s'évertue par la suite à faire la démonstration qu'il n'y a eu aucune stratégie fédéraliste pour accroître le nombre des naturalisations d'immigrants à la toute veille du référendum de 1995, une façon comme une autre de rendre impossible toute victoire du camp indépendantiste. Référant à une série d'articles publiés dans *Le Devoir* en 1996, André Pratte souligne dans son livre que le nombre d'attributions de citoyenneté est passé au Québec de 23 799 en 1993 à 43 855 en 1995. Pour expliquer cette hausse vertigineuse, Pratte affirme que le nombre d'immigrants au Canada et au Québec a également connu une hausse importante au début des années 1990. Il n'était donc que normal qu'ils deviennent en majeure partie citoyens du Canada quelque part autour de 1994-1995 : « Il n'y a rien d'étonnant à ce que cette montée se reflète, dans un délai de trois ans (le délai exigé avant d'avoir droit à la citoyenneté), par une montée parallèle du nombre de nouveaux citoyens », dit à ce sujet Pratte.

Si cela tombe sous le sens, il est beaucoup moins normal qu'il y ait eu une différence fort importante entre le nombre d'attributions de certificats de citoyenneté du Canada au Québec dans les 8 mois de 1995 précédant la tenue du référendum comparativement aux mêmes 8 mois de 1994. En effet, il a été démontré et confirmé par le ministère de la Citoyenneté et de l'Immigration du Canada que l'émission des certificats de citoyenneté a connu un hausse de 50 % de 1994 à 1995, passant ainsi de 24 688 certificats de citoyenneté à 37 174. À l'évidence, on ne peut expliquer cette différence par le nombre d'immigrants reçus au début des années 1990 comme le fait Pratte, et ce, tout simplement parce que le nombre de nouveaux immigrants qui se sont installés au Québec à cette période est passé de 51 947 en 1991, à 48 838 en 1992, à 44 977 en 1993[121]. Si l'on suit la logique de Pratte, le nombre d'émissions de certificats aurait donc dû diminuer quelque peu en 1995 comparativement à 1994, et non pas doubler comme ce fut le cas! Et quand on sait que les forces indépendantistes ont perdu le dernier référendum par quelque 50 000 votes, on se rend compte de l'importance que ces milliers de naturalisations d'immigrants ont pu avoir sur le destin du peuple québécois!

L'on ne peut pas davantage nous servir l'argument selon lequel les fonctionnaires fédéraux redoublent toujours d'ardeur à la veille d'une consultation populaire (élections) pour permettre ainsi au plus grand nombre possible d'immigrants de recevoir leur citoyenneté canadienne à temps pour pouvoir voter. C'était d'ailleurs là la défense articulée en 1996 par le ministère de l'Immigration et de la Citoyenneté du Canada pour expliquer la hausse spectaculaire du nombre d'émissions de certificats de citoyenneté en 1995. On ne peut servir cet argument pour la simple et bonne raison qu'à l'instar de 1995 qui fut une année référendaire, 1993 fut une année électorale fédérale, tout comme 1994 fut une année électorale provinciale. Si cet argument tenait un tant soit peu la route, le nombre d'émissions de citoyenneté aurait donc dû suivre la même pente descendante que le nombre d'entrées de nouveaux immigrants au Canada trois ans plus tôt, puisque les fonctionnaires auraient maintenu la même cadence d'enfer pour accorder au plus grand nombre d'immigrants possible le droit de vote qui vient avec le certificat de citoyenneté au cours de ces trois années. Peu importe ce que dit Pratte, les instances fédérales ont bel et bien adopté un comportement inacceptable par rapport à l'émission de certificats de citoyenneté dans les mois ayant précédé le référendum de 1995, il n'y a que les aveugles pour ne point le constater.

Évidemment, André Pratte ne prête aucune crédibilité aux indépendantistes qui dénoncent cette situation en affirmant qu'il y a eu complot du fédéral pour accorder, dans la précipitation, la citoyenneté canadienne au plus grand nombre possible d'immigrants installés au Québec en 1995, et ce, parce que les immigrants ont plutôt tendance à être fédéralistes. Mais ce qui est le plus particulier, c'est qu'André Pratte ne croit pas davantage les fédéralistes qui confirment que les fédéraux ont bel et bien accéléré la démarche de naturalisation des immigrants, de façon à empêcher les souverainistes de sortir le Canada du Québec. Lorsque Benoît Corbeil a déclaré, alors qu'il était sous serment devant la commission Gomery, « qu'il y a eu une accélération du processus menant à la citoyenneté de milliers d'immigrants au Québec. Ce n'était pas difficile : plusieurs commissaires à l'immigration étaient liés au parti », Pratte ne l'a pas cru. À l'instar de Stéphane Dion qui avait balayé du revers de la main les allégations de Corbeil en lançant : « Vous le trouvez crédible, vous?[122] », André Pratte remet en question la valeur du témoignage de Corbeil. Pratte écrit que ce témoin « n'avait aucune connaissance directe de ce fait mais peu importe, la thèse du complot s'en trouvait renforcée[123] ». Corbeil ne sait pas de quoi il parle, mais Pratte, lui, sait tout.

Bref, ni les indépendantistes, ni les fédéralistes qui admettent que fraude il y a eue dans le dossier des naturalisations d'immigrants en 1995 ne trouvent grâce aux yeux d'André Pratte. Mais ce qui est pour le moins pathétique, c'est que même les immigrants qui ont subi l'accélération du processus d'émission des certificats de citoyenneté et qui ont fait part de leur malaise face à cette vaste entreprise qui n'avait rien de démocratiquement acceptable ne sont parvenus à faire changer d'un iota la perception de Pratte. Pour ce dernier, les fédéralistes n'avaient pas triché. Point à la ligne. Et *basta* à ceux qui prétendent le contraire! Pourtant, plusieurs immigrants ont estimé que le fédéral les avait utilisés pour miner drastiquement les chances du Oui de l'emporter.

Isabelle Simon enseignait au Collège Marie-de-France en 1995. Elle a soutenu avoir été scandalisée par les procédures du ministère de l'Immigration et de la Citoyenneté du Canada. « C'était à l'image de Montréal, ville multiethnique, à l'image de l'immigration à Montréal. Ils savaient que ces gens-là, des hispanophones, des Asiatiques, des personnes du Moyen-Orient, des immigrants d'Europe centrale, allaient être fédéralistes. J'ai eu une impression bizarre. On n'est pas dupes, vous savez. On voyait bien que c'était pour faire pencher la balance d'un côté[124] ». Et tout ce beau monde repartait ensuite avec un certificat de citoyenneté en poche, alors que normalement il y a des délais d'attente de plusieurs mois avant de voir la démarche aboutir.

Pour s'assurer que le plus grand nombre possible d'immigrants obtiennent leur citoyenneté, le ministère a également facilité les procédures. Bruno Ricca qui a lui aussi obtenu sa citoyenneté en octobre 1995 a expliqué que les questions destinées à vérifier si les immigrants connaissaient suffisamment le Canada pour en devenir citoyens étaient tellement faciles que c'en était ridicule : « Si tu ne réussissais pas, c'est que tu ne savais pas où tu habitais. Par exemple, on te demandait qui est le premier ministre du Québec. C'était très simple. Il ne fallait que 12 points sur 20. Personne n'a échoué[125] ».

Étant donné que bon nombre des immigrants qui faisaient alors une demande de citoyenneté ne parlaient ni français, ni anglais, ce qui est contraire aux règles puisqu'il importe de parler l'une des deux langues officielles du Canada pour en devenir citoyen, les agents d'immigration ont par conséquent dû apporter leur soutien à plusieurs d'entre eux. Véronique Drolez, photographe de mode, raconte : « Le 28 septembre, nous étions 200 immigrants dans la même salle pour un examen sous forme de questionnaire à choix multiples. C'était complètement ridicule. J'étais au premier rang. L'agent d'Immigration Canada indiquait aux gens la bonne réponse à cocher sur le questionnaire quand ils ne savaient pas quoi répondre. Il y avait un Turc qui ne parlait que sa langue, des Hindous qui ne comprenaient rien. D'ailleurs, 20 à 30 % des gens ne comprenaient rien, mais chacun est reparti avec son certificat de citoyenneté[126] ». Certains immigrants se sont dit aussi étonnés du fait qu'on leur a alors demandé de remplir un formulaire autorisant le ministère de l'Immigration et de la Citoyenneté du Canada à transmettre leurs coordonnées à leur député. Le ministère justifiait la démarche en expliquant que le député en question leur enverrait une lettre de félicitations…Mais peut-être que c'était plutôt une façon de donner un coup de pouce aux députés libéraux qui représentaient les circonscriptions où la très grande majorité des immigrants s'installaient pour faire sortir le vote le jour fatidique du 30 octobre. Après tout, une proportion importante de ces immigrants ne connaissait ni le français ni l'anglais. Alors comment auraient-ils pu savoir que le vote se tenait dans seulement quelques semaines, voire quelques jours? Il fallait donc que les fédéralistes les prennent sous leur aile et les amènent voter…Après les autobus de petits vieux, les convois d'immigrants! C'est comme ça que ça s'organise la démocratie après tout!

Des indépendantistes, des fédéralistes et des immigrants confirment qu'il y a eu des gestes illégaux de commis par le ministère de l'Immigration et de la Citoyenneté en 1995, mais André Pratte se refuse toujours d'y croire. En serviteur loyal qu'il est, il défend sans broncher la ligne officielle de son camp : le fédéral n'a pas triché en 1995, et les immigrants n'ont pas davantage été utilisés contre le camp indépendantiste. En cela, Pratte est d'une efficacité redoutable. Jamais il ne laisse échapper de propos qui pourraient faire croire à certains que la réalité puisse être quelque peu différente de la façon dont on la présente dans les pages de *La Presse*, cet évangile des temps modernes. En cela, on peut même dire que Pratte est encore plus efficace que ne le fut Jean Chrétien lui-même. En effet, on se rappellera qu'en 1996, pour réagir au dossier préparé par *Le Devoir* au sujet de l'accélération du processus de naturalisation des immigrants, Jean Chrétien, alors premier ministre du Canada, n'avait rien trouvé de plus intelligent à dire qu'il n'était pas normal que des immigrants prônent la « séparation du Québec ». Les immigrants qui s'y risquaient, les libéraux allaient même jusqu'à dire qu'il fallait les retourner dans leur pays. C'est ce qu'a dit le ministre des Ressources humaines, Doug Young, en s'appuyant sur l'exemple de Oswaldo Nuñez qui était alors député du Bloc Québécois :

> Si M. Nuñez, député de Bourassa, veut défendre la souveraineté, qu'il le fasse. Mais moi, je n'ai pas le droit de dire ce que je pense? Lui est en train de se promener partout à parler du séparatisme et moi, je dois m'asseoir là comme un petit Canadien, faire le bon garçon, et dire "bienvenue, maintenant arrivez et essayez de déchirer notre pays, moi je m'en fous"? Non, non, non. Je vais dire ce que je pense: s'il n'aime pas le pays [dans lequel il vit], qu'il s'en trouve un autre. Absolument[127].

Par ailleurs, André Pratte soutient ridiculement dans son livre que l'indépendance du Québec ne faciliterait en rien la protection de la langue française (p. 55). D'une part, la libération du Québec empêcherait pour toujours qu'une institution étrangère comme la Cour suprême du Canada ne vienne charcuter les dispositions linguistiques au Québec. Et les immigrants qui viennent s'installer ici, sélectionnés exclusivement par le gouvernement québécois, comprendraient dès le départ qu'il s'agit d'un pays français et n'auraient d'autre choix que d'y vivre dans la langue de Molière. Ce qui serait tout un contraste avec la situation qui prévaut actuellement. Le chercheur Pierre Sercia a démontré à l'été 2006 que les jeunes immigrants qui fréquentent des écoles privées ethniques au primaire et au secondaire décident presque tous de fréquenter des cégeps anglophones. Sercia a donné l'exemple des écoles musulmanes de Montréal où aucun finissant ne compte poursuivre ses études collégiales en français. Il a aussi présenté le cas de l'école juive Maimonide de Montréal où seulement 8% des finissants ont indiqué qu'ils iraient dans un cégep en français. Il est clair que de telles statistiques démontrent très clairement que le français est menacé dans un Québec-province. Une fois que le Québec sera devenu pays, il ne serait que normal que tous soient forcés de fréquenter un cégep en français, à part les enfants issus de la communauté anglophone du Québec.

Dans un pays du Québec, Ottawa ne pourrait évidemment plus utiliser l'immigration pour noyer le fait français au Canada. En choisissant tous ses immigrants, le Québec pourrait enfin accorder des facilités aux citoyens français qui souhaitent s'installer ici. Présentement et historiquement, Immigration Canada a tout fait pour empêcher qu'un trop grand nombre d'immigrants français ne s'installent au Québec. De 1956 à 1960, seulement 3,7 % des immigrants qui se sont installés au Canada étaient francophones. En 2004, seulement 12,4 % des immigrants qui se sont installés au Québec, et au Québec seulement, étaient francophones. Bien sûr, on pourra rétorquer que le Québec n'intéresse tout simplement pas les immigrants francophones, ce qui expliquerait la faiblesse de ces chiffres et non pas un prétendu complot ourdi à Ottawa contre la francophonie québécoise. Mais même un journaliste de *La Presse* tel que Pierre Foglia n'y croit pas. Ce dernier écrivait sans son journal en 1999

> Je m'adresse encore à vous, madame la ministre de l'Immigration. Question hypothétique: croyez-vous qu'il est possible qu'un fonctionnaire anglophone, un peu xénophobe, harcèle les visiteurs français parce que, parce que rien, parce que ces choses-là arrivent, c'est tout? Ou est-ce seulement quand ce genre d'histoire est rapportée dans The Gazette qu'elle émeut Ottawa et le Canada?[128]

Foglia avait poursuivi en écrivant qu'il avait été contacté par des Français qui lui avaient fait part de leur désarroi face à l'attitude qu'Immigration Canada avait eue envers eux, une attitude qui laissait clairement voir que les Français n'étaient point les bienvenus au Canada. Ce racisme anti-français concernait jusqu'aux visiteurs en provenance de France. Pour le prouver, Foglia a rapporté plusieurs cas dont celui de Céline Spigarol, une jeune fille de Toulouse. Douanes Canada l'a tout simplement retournée chez elle, pour aucun motif valable. Du Québec, elle n'aura vu que l'aéroport Dorval que le colonialiste a depuis renommé *PET airport*. Bruno Bresson a subi le même genre de traitement. Un agent fédéral lui a en plus dit : « D'autres de mes collègues vous laisseraient entrer, mais MOI, je ne veux pas de vous ici ». Foglia a aussi raconté que des étudiants français étaient régulièrement retournés en France, à l'ambassade du Canada à Paris pour aller y quérir des documents qu'exigeaient des douaniers par trop zélés à Montréal. Et finalement, un ex-agent du ministère de l'Immigration du Canada a confié à Foglia qu'au moins le tiers de ses anciens collègues étaient racistes et détestaient les Français.

Officiellement, le Canada n'a plus une politique d'immigration qui privilégie les immigrants anglicisables, mais dans les faits, les choses se déroulent toujours ainsi. Dans de telles circonstances, il est aisé de comprendre pourquoi il n'y eut jamais davantage d'immigrants français au Canada. L'évidence est que dans un Québec indépendant, une telle attitude à l'égard des cousins français n'aura plus jamais cours. Ce qui permettra de faire venir beaucoup plus de Français au Québec, donnant ainsi un coup de pouce certain à la langue française dans ce nouveau pays. Tout ça pour dire qu'il faut être complètement idiot pour prétendre, comme Pratte, que le français sera plus en péril dans un Québec indépendant que dans un Canada colonial!

Et malgré la divulgation de tels cas, les fédéralistes osent toujours dire que le mouvement indépendantiste en est un foncièrement intolérant. André Pratte comme les autres. À ce chapitre, ce dernier débute sa démonstration en posant une simple question qui est toutefois lourde de sous-entendus : « Et quand on dit "le Québec aux Québécois", de quels Québécois parle-t-on? » (p. 11). Il poursuit en s'enlisant dans du Parizeau *bashing*, s'accrochant pour ce faire au fameux discours du 30 octobre 1995 de celui-ci. Mais pour dire que la prétendue intolérance exprimée alors par Parizeau à l'égard des ethnies était fort répandue dans les rangs péquistes et indépendantistes :

> Un très grand nombre d'entre eux ont condamné les propos de M. Parizeau; toutefois, la plupart reprochaient au premier ministre non pas le contenu de ses propos, mais le moment choisi pour les tenir. Au sein du Parti Québécois, en effet, on est bel et bien convaincu que la défaite du OUI en 1995 est due à l'argent (du fédéral) et à des « votes ethniques[129] ».

En fait, les fédéralistes tentent depuis toujours de faire passer les indépendantistes pour d'affreux xénophobes, et ce, afin de les discréditer auprès de la population québécoise. Et pourtant, le racisme sévit bien davantage dans leurs rangs que dans ceux des indépendantistes.

La chercheuse Maryse Potvin a produit une vaste étude en 2001 sur le racisme *canadian* tout tourné qu'il est contre la québécitude. Dans le rapport qu'elle a produit, cette dernière soutenait que depuis 1995, les *Canadians* ont développé un nouveau racisme basé sur le pluralisme et prétextant la supériorité morale du fédéralisme pour accuser les Québécois d'être des mauvais Canadiens, des ethniques inassimilables et des intolérants aux tendances nazies. Afin d'appuyer ses dires, Mme Potvin qui a jadis travaillé avec l'éminent sociologue français Alain Touraine a présenté une série d'exemples qui vont des chroniques de Diane Francis, à « l'évaluation » psychiatrique de Lucien Bouchard par le Dr Vivian Rakoff, à la démonisation de ce même Lucien Bouchard dans une biographie rédigée par le columnist Lawrence Martin, aux déclarations des ex-ministres fédéraux Gerry Weiner et Doug Young. Mais c'est l'affaire David Levine, ce Québécois anglophone et souverainiste nommé à la direction de l'Hôpital général d'Ottawa, ce qui a suscité un déploiement de haine anti-Québec chez des *Canadians* d'Ontario, qui constitue selon elle le sommet du néo-racisme *canadian*.

David Levine, ancien candidat du PQ, fut alors traité de traître par plusieurs médias du Canada anglais. Dans un éditorial du *Ottawa Citizens*, John Robson écrivait: « Si vous étiez candidat pour les nazis en 1979, que vous ne les avez jamais répudiés et que vous ne dites pas si vous en êtes un aujourd'hui, c'est que vous en êtes un. N'est-ce pas? » Ce qui fit dire à Mme Potvin que souverainisme et nazisme se rejoignent ici, sous la plume d'intellectuels du Canada anglais, parce qu'ils sont tous les deux, à leurs yeux, aussi outrageants et illégitimes.

Tout aussi raciste furent les propos formulés par le journaliste *canadian* et ami d'André Pratte, Lawrence Martin dans sa biographie sur Lucien Bouchard. Dans ce livre, il dépeint l'ancien chef du BQ et du PQ comme le « lucifer de notre terre », un mystique à la culture non-canadienne. Martin entretient donc le même genre de perception à l'égard de Bouchard que le Dr Vivan Raskoff qui se permit , lui, de dire que Bouchard et les Québécois qui le supportaient ne voulaient rien d'autre qu'un État ethnique du XIXe siècle.

Maryse Potvin s'est aussi permise d'écorcher Diane Francis en soulignant que ses attaques contre le Québec et qui laissent entendre que les souverainistes fomentent un vaste complot inconnu de tous et infiltrent l'appareil d'État fédéral est en tout point comparable à l'antisémitisme tel qu'il s'exprimait dans les années 1930 et 1940, alors qu'on disait que les Juifs contrôlaient tout avec leur argent.

Même l'ancien ministre de l'immigration du Canada, Gerry Weiner, est atteint de racisme anti-Québec. Ce dernier estima, alors qu'il était toujours en fonction, que les Québécois espèrent former un groupe ethnique qui chercherait à imposer sa langue de force en créant une « enclave francophone ethnocentrique » grâce à des politiques d'immigration particulières. Aux dires de Maryse Potvin, un tel discours relève purement et simplement du colonialisme, l'État central, estimant jouir d'une supériorité morale, dénonce son colonisé afin de le maintenir bien contre lui dans un statut de minorité qui ne peut que lui être inférieur[130].

Face à tout ce déferlement de haine anti-Québec, André Pratte ne trouve rien de plus intelligent à dire que « dans le grand Québec tolérant dont nous sommes si fiers, il n'y a plus aujourd'hui que deux ou trois groupes qu'on peut insulter sans s'attirer les foudres des bien pensants: Jean Charest et ses libéraux, les fédéralistes, les "Anglais"[131]». Si Pratte a écrit une telle chose dans l'une de ses chroniques publiées dans *La Presse*, c'est tout simplement à cause d'un gala d'humour Juste pour rire présenté sur les ondes de TVA. Au cours de cette émission, Pierre Falardeau, sa cible préférée, et l'humoriste François Morency, se sont payé la tête des fédéralistes. Face au racisme institutionnalisé au Canada anglais, Pratte croit donc que quelques farces qui peuvent en faire rire certains et d'autres pas démontrent hors de tout doute que les intolérants au Canada, ce sont les nationalistes québécois! On aura tout vu!

E) Le Québec, artisan de ses propres malheurs

Dans son délire schizophrénique, Pratte va jusqu'à affirmer que les coups bas que le Canada a porté contre le Québec ne peuvent pas vraiment lui être imputés. La vérité étant que la violence canadienne à l'égard du Québec serait ni plus ni moins que la faute de ce dernier qui, par ses agissements amateurs, aurait brisé le lien de confiance entre les deux paliers de gouvernement. Parce qu'il aurait osé rechigner face à la vaste entreprise d'exploitation que développait son ennemi d'en face, le Québec serait le responsable des mauvais traitements qu'il a subis de par sa relation avec le colonialiste *canadian*. Le raisonnement de Pratte est ici du même acabit que celui qui consiste à dire que la seule coupable dans une affaire de viol est la femme qui a osé porter une jupe trop courte, et non pas l'homme sadique qui n'a su réprimer ses pulsions animales. Dans un cas comme dans l'autre, il faut être parfaitement imbécile pour dire de telles âneries.

Afin d'étayer ses dires, Pratte soutient sans broncher que le Québec a renié sa parole donnée par deux fois et qu'il méritait par conséquent d'être rabroué durement par le fédéral qu'il a ainsi désappointé : une première fois dans le cas de la formule Fulton-Favreau qui mourra au feuilleton en 1965 (pour être reprise, quoique modifiée, en 1981) et une deuxième fois dans le cas de la charte de Victoria en 1971.

À ces deux occasions, les nationalistes du Québec ont fait comprendre aux premiers ministres du Québec Jean Lesage et Robert Bourassa que les ententes conclues menaçaient considérablement les prérogatives du Québec. Devant la justesse des commentaires formulés par ceux-ci, Lesage et Bourassa n'eurent d'autre choix que de revenir sur leur décision, ce qui avait indisposé au plus haut point les fédéraux, eux qui souhaitaient voir le Québec avaliser de telles ententes pour ainsi mieux profiter dans le futur de la Belle Province.

Afin de se venger quelque 10 ou 15 ans plus tard, Pratte dit le plus sérieusement du monde que les fédéraux auraient imposé au Québec le rapatriement de la constitution canadienne de 1982. Afin de justifier la pertinence d'un tel geste autoritaire, Pratte explique que Lévesque avait mal joué ses cartes en rompant l'entente qui l'unissait au bloc des huit provinces en acceptant l'idée de Trudeau d'organiser un référendum concernant ledit rapatriement de la constitution. Sombrant dans les attaques gratuites, l'éditorialiste en chef de *La Presse* soutient aussi que le gouvernement Lévesque n'avait pas suffisamment veillé au grain en se retranchant à l'Auberge de la Chaudière, à Hull, pour mieux y faire la fête, alors que les autres premiers ministres, réunis à Ottawa, poursuivaient les négociations.

N'avançant aucune preuve afin de consolider ses dires, il faudrait croire un menteur de la trempe de Pratte sur parole. Rares sont ceux qui accepteront ainsi de se laisser duper par l'éditorialiste en chef de *La Presse* qui peut difficilement être pris au sérieux. Comment prétendre que les tensions opposant le Québec et le Canada ont toutes été créées par le premier des deux acteurs alors que le fédéral a démontré à plusieurs occasions qu'il désirait remettre le Québec à sa place et l'empêcher ainsi de se prendre en mains? Ce n'est quand même pas le Québec qui a développé une stratégie de centralisation des pouvoirs à Ottawa et ce, dès les dernières années du XIXe siècle. Ce n'est pas davantage le Québec qui a agi de façon à faire disparaître le français au Canada. Et ce ne sont pas non plus les Québécois qui ont proposé à Trudeau de développer une série de politiques étiquetées depuis comme s'inscrivant dans le registre du nation building qui imposait de toujours dire Non au Québec. Il faut par conséquent être considérablement mesquin pour prétendre que le Québec fut l'artisan de ses propres malheurs au Canada.

F) L'indépendance, un trou noir sans fin!

Bien qu'il est évident pour tous ceux férus un tant soit peu d'histoire et de politique que le Québec n'a pas eu la vie facile en Amérique à la suite de la Conquête de 1760 et de son entrée dans le Canada en 1867, les fédéralistes s'entêtent tout de même à dire que la situation ne pourrait qu'être pire si les Québécois avaient la saugrenue idée de quitter le Canada. André Pratte tient exactement le même discours que ces derniers :

> C'est en faisant pas à pas ce tour d'horizon au cours des dernières années que j'en suis arrivé à la conclusion que, compte tenu des formidables progrès accomplis par le Québec depuis la Révolution tranquille, les gains potentiels de la souveraineté sont au mieux minuscules, et certainement très incertains. Et cela, même si tout se passe bien. Or, selon toute probabilité, les choses ne se passeront pas bien[132].

En guise d'oiseau de malheur, on pourrait difficilement faire mieux. Mais qu'est-ce qui pousse des fédéralistes à articuler un tel discours? Essentiellement la peur ressentie à la seule idée de se libérer d'un carcan qui opprime le Québec depuis des siècles. Et dans le cas de Pratte, c'est la volonté de faire peur aux Québécois parce que son patron Desmarais ne veut pas que l'indépendance se fasse, parce que ça nuirait bien entendu à ses affaires, et que ses affaires, c'est ce qui compte vraiment dans sa vie. Pratte n'est rien d'autre qu'un mercenaire, une putain qui s'est vendue au plus offrant.

Pour faire peur, André Pratte affirme tout d'abord que la séparation du Québec et du Canada serait tellement compliquée que le Québec avec un Oui en mains devrait y investir toutes ses énergies, ce qui aggraverait la situation de la santé et de l'éducation qui se retrouveraient ainsi lésées. Or, ces secteurs se portent déjà assez mal merci se plaît Pratte à nous rappeler à tout bout de paragraphes! Évidemment, l'entreprise exigerait maintes énergies de la classe politique québécoise. Mais est-ce que l'appartenance au Canada et toutes les chicanes et les stratégies pour défendre peu ou prou les intérêts du Québec n'en exigent pas au moins autant? Bien sûr que oui. Et le fait que le fédéral ne cesse de voler l'argent du Québec pour développer un semblant d'État national à Ottawa a des conséquences beaucoup plus dramatiques sur les réseaux de santé et d'éducation du Québec que n'en aurait la liberté politique. Le sous-financement chronique dont ces secteurs souffrent depuis le milieu des années 1990 et qui perdurera dans les décennies à venir mine bien davantage les services rendus au public québécois qu'un processus menant à l'indépendance ne pourrait le faire.

D'ailleurs, l'on connaît déjà bon nombre des problèmes auxquels les indépendantistes auront à faire face pour sortir enfin le Canada du Québec. Plusieurs des processus qui devront être mis en branle ont été présentés dans le cadre de la mise à jour des études Bélanger-Campeau au début des années 2000 (études Corbo). Si seulement le Parti Québécois s'en était davantage servi, il aurait été en mesure de dégonfler bon nombre des ballons qu'utilisent les fédéralistes pour effrayer les Québécois quant aux retombées d'un Oui. Si le PQ ne s'en est point servi, rien ne nous empêche par contre, à nous, de nous en servir abondamment. Alors, allons-y donc!

Dans son livre, André Pratte s'inquiète entre autres du fait que les fonctionnaires québécois oeuvrant présentement pour le fédéral ne puissent pas tous être incorporés à la fonction publique du Québec indépendant (p.74). D'une part, Pratte dit ne pas être convaincu que le plan préparé par le député péquiste François Legault et selon lequel les 36 000 fonctionnaires fédéraux au Québec conserveraient leur emploi grâce à la cure d'amincissement (attrition) qui serait imposée aux deux fonctions publiques, et ce, sans augmentation des coûts, soit vraiment applicable. Et d'autre part, il craint que parmi ces 36 000 fonctionnaires, bon nombre n'aient pas les compétences nécessaires pour occuper les nouveaux postes qui seraient créés en libérant le Québec. Un vaste jeu de chaises musicales s'ensuivrait donc, provoquant beaucoup de gaspillage en temps, en énergie et en argent. On peut aisément comprendre qu'un fédéraliste pur et dur comme André Pratte ne puisse faire confiance, dans ce dossier bien précis, à un ô combien « propagandiste » député du Parti Québécois (un éditorialiste de *La Presse* n'est-il pas autant propagandiste? Bien sûr que oui…). Mais pourrait-il accorder une once de crédibilité à des avocats spécialistes de ces questions, ce que lui n'est pas? Denis Bradet et ses associés Grondin, Poudrier et Bernier, dans les études afférentes à l'accession du Québec à la souveraineté, mandatés originalement par le gouvernement Bourassa, ont affirméque :

> Le Québec offrirait à tous les employés fédéraux affectés, qui travaillent sur le territoire du Québec ou qui veulent devenir domiciliés au Québec, de les engager dans le même emploi au gouvernement du Québec avec une garantie du maintien intégral de leurs conditions de travail.

Comme quoi, le grand remue-ménage qu'appréhende Pratte ne se déroulerait pas du tout de la façon dont il le croit. Les fonctionnaires fédéraux étant davantage spécialisés dans des domaines de compétence que possède, dans le régime actuel, le fédéral, et que le Québec indépendant devrait développer afin d'être un pays complet, il serait conséquemment assez aisé de leur procurer un emploi dans la nouvelle fonction publique du Québec souverain. Les compétences de ces mêmes fonctionnaires n'entreraient donc que très marginalement en conflit avec les fonctionnaires actuels de la province de Québec.

Bradet et compagnie prévoient tout de même que l'accession du Québec à l'indépendance créera quelques remous eu égard à la fonction publique. D'une part, il n'est pas dit que tous les fonctionnaires du Québec affiliés au fédéral accepteraient d'être incorporés dans la fonction publique du Québec indépendant. Si de tels cas survenaient, ces fonctionnaires continueraient d'être légalement liés au Canada, dernier pays qui ne pourrait de ce fait pas les licencier sans indemnisation aucune. Cela provoquerait certainement des recours devant les tribunaux, mais au bout du compte, les fonctionnaires québécois auraient tous les outils légaux pour faire respecter leurs droits. L'indépendance du Québec ne les mettrait pas à la merci de *Canadians* revanchards.

Les régimes de retraite constitueraient une autre source de tension. Toujours selon les avocats retenus par Bourassa au début des années 1990 et dont les études ont été mises à jour au début des années 2000, le Canada devrait verser des indemnités aux fonctionnaires qui ont cotisé des années durant dans un fonds de pension, où alors transmettre au Québec indépendant les sommes ainsi accumulées. Dans un cas comme dans l'autre, les Québécois n'y perdraient rien au change. L'intégration d'une pléiade de nouveaux fonctionnaires dans l'appareil québécois provoquerait aussi des problèmes de hiérarchie. C'est-à-dire que plusieurs fonctionnaires fédéraux jouiraient de plus d'ancienneté que leurs nouveaux collègues, ce qui bousculerait l'ordre dans lequel tout ce beau monde aurait droit de prendre leurs vacances par exemple. Il est aussi évident que les perspectives de promotion s'en trouveraient modifiées. Des fonctionnaires québécois pourraient ainsi être doublés par de nouveaux fonctionnaires provenant du fédéral. Qui plus est, les fonctionnaires du Québec-province à statut précaire pourraient bien perdre leur emploi. Mais ces employés risquent de toute façon de perdre leur emploi à la moindre nouvelle coupure dans les budgets de l'État et concernant la fonction publique. Et comme on sait que le Québec subit présentement un fort vent de droite et que les projets d'amincissement de l'appareil d'État affluent à peu près comme jamais auparavant, il faut se demander si la perspective que des fonctionnaires à statut précaire perdent un emploi qu'ils risquent de perdre de toute façon devrait vraiment servir à ralentir la marche du peuple vers l'indépendance[133]? On pourrait même prétendre que l'accession du Québec à l'indépendance exigera l'embauche de nouveaux fonctionnaires, ce qui pourrait permettre à certains employés présentement à statut précaire d'améliorer leur sort professionnel.

Évidemment, la réforme de la fonction publique dans un Québec souverain exigerait un certain laps de temps avant de se compléter. Le seul exemple de la fusion des services fédéraux et provinciaux en 1998 dans le cadre de l'Entente Québec-Canada relative au marché du travail illustre l'ampleur de la tâche que le Québec indépendant devrait entamer. Mais la chose serait tout de même plus facile en 2006 qu'elle ne l'aurait été en 1995. Pourquoi? Tout simplement parce que le gouvernement du Québec a depuis considérablement modifié le Code du travail du Québec qui ressemble désormais beaucoup plus au Code canadien qu'en 1995. La fusion des deux fonctions publiques s'en trouverait par conséquent facilitée. Il n'est donc nullement question d'un trou noir en ce domaine, mais d'un défi ambitieux et emballant à relever!

Les André Pratte de ce monde craignent également que le choix de la liberté ait des conséquences économiques dramatiques pour le Québec. Les « turbulences » dont a parlé Pauline Marois lors de la course à la chefferie du PQ seraient selon eux qu'un perfide euphémisme, la réalité devant être au moins dix, si ce n'est cent ou même mille fois pire que ce que disent les séparatistes. En lieu et place d'une telle formule, la candidate Marois aurait donc dû, toujours selon les alarmistes fédéralistes, parler de cataclysme économique qui laisserait les Québécois sans argent pour faire face à la vie de tous les jours. Qu'en est-il au juste?

Tout d'abord, il importe de bien faire valoir que le Québec province est victime d'extorsion dans le cadre canadien. De tout temps, les ressources fiscales du Québec ont été exploitées et volées par Ottawa qui s'en est par la suite servi pour développer le reste du Canada en général et l'Ontario en particulier, et ce, au détriment bien évident du Québec. Aujourd'hui, on appelle ce phénomène colonial le « déséquilibre fiscal ». À cause du Canada, le Québec se retrouve donc avec un manque à gagner d'environ 75 millions $ par semaine. En devenant indépendant, François Legault, appuyé qu'il fut par des économistes indépendants et habitant aux États-Unis, a démontré que le Québec récupérerait environ 32 milliards $ par année qu'il envoie présentement à Ottawa. Cet argent sert à ce dernier palier de gouvernement à engranger des surplus qu'il réinvestit dans les champs de compétence des provinces afin de construire un utopique sentiment national canadien. Ces 32 milliards $ s'ajouteraient de ce fait aux 55 milliards $ que contrôle actuellement le Québec-province et permettraient au Québec devenu indépendant de dégager des surplus de l'ordre de 17 milliards $ sur cinq ans, ce qui constituerait plus précisément, et selon certaines normes comptables, une marge de manœuvre de 13,8 milliards $ environ. Si les Québécois se refusaient à faire ce choix de la liberté et acceptaient plutôt de demeurer une minorité nationale soumise à l'intérieur du Canada, ils auraient à faire face, au cours de la même période, à non pas des surplus moindres, mais bien à un déficit de 3 milliards $.

L'actuelle situation économique du Québec lui permettrait en plus de réaliser l'indépendance d'une façon beaucoup plus harmonieuse au point de vue économique qu'il n'aurait pu le faire en 1995. Les économistes Claude Fluet et Pierre Lefebvre dont les expertises ont été sollicitées dans le cadre des études afférentes à l'accession du Québec à la souveraineté établissaient, en 1992, que le Québec ne pourrait réaliser efficacement son indépendance qu'en procédant à un « programme vigoureux de rationalisation budgétaire ». En 2000, tel ne serait plus le cas, et ce, parce que ce ménage a été déjà effectué par le gouvernement Bouchard à la fin des années 1990. En résumé, l'impact qu'aurait l'indépendance sur le budget du Québec pourrait se résumer, selon Fluet et Lefebvre, en quatre points : 1- Le Québec indépendant pourrait enfin rapatrier tous les prélèvements fiscaux et parafiscaux effectués présentement par le fédéral en territoire québécois, ce qui ferait progresser les revenus du Québec d'environ 32 milliards $; 2- Le Québec indépendant devrait fonctionner sans compter sur les transferts fiscaux qu'effectue présentement le fédéral au gouvernement de la province de Québec (péréquation par exemple), aux particuliers et aux entreprises du Québec, ce qui constituerait de nouvelles dépenses pour le Québec; 3- Le Québec indépendant devrait prendre en charge la production de biens et services collectifs annuellement fournis par le fédéral (la poste par exemple), exigeant un nouvel effort financier du gouvernement québécois; 4- Le Québec devrait prendre en charge, après négociations, une partie du service de la dette canadienne, qu'on estime normalement à 18 ou 20 %.

Des économistes de Harvard ont aussi déclaré, en 2004, donc après la mise à jour des études afférentes à l'accession du Québec à la souveraineté, que le Québec pourrait, économiquement, devenir libre facilement. « Sur un plan strictement économique, il ne serait pas tellement difficile pour le Québec de devenir indépendant. Cela peut se faire à un coût très bas pour tout le monde et je ne vois pas pourquoi il ne réussirait pas », avait déclaré au *Soleil* le professeur Alberto Alesina[134]. Ce dernier avait ajouté que des petits pays comme l'Islande, le Danemark ou Singapour sont prospères parce qu'ils ont une économie ouverte. « Il n'y a aucune raison pour qu'un petit pays ne réussisse pas », avait-il alors dit. L'argument des fédéralistes contre ce portrait enthousiasmant des finances d'un Québec indépendant est à l'effet qu'il ne tiendrait pas compte des coûts de transition qui pourraient être plus ou moins importants, tout dépendant si le passage d'un statut politique à l'autre se ferait dans la douleur et l'animosité ou la cordialité et l'acceptation. À ce chapitre, Pratte prévoit que :

> Selon le score, selon l'évolution de la campagne, selon l'état d'esprit des gens, il y aurait des mois, voire des années de blocage : invocation de la Loi sur la clarté, recours aux tribunaux, etc. Des négociations s'amorceraient sans doute, mais elles seraient inévitablement longues et difficiles. Le tout serait compliqué par la réaction des millions de Québécois qui auraient voté NON. Certains se rallieraient certainement. D'autres partiraient. Selon un sondage Léger Marketing réalisé en mai 2005, 17% des non-francophones disent qu'ils quitteraient « certainement » le Québec si celui-ci devenait un pays indépendant. Dans bien des cas, il s'agit sans doute d'une menace qui ne se concrétisera pas. On sait toutefois que, après l'élection du premier gouvernement du PQ, des dizaines de milliers d'anglophones ont quitté la province. Il est donc possible que le phénomène se reproduise[135].

Aussi :

> Depuis que le monde est monde, lors des négociations internationales, le pays le plus peuplé, le mieux armé, le plus riche a l'avantage. Assis à la table face au Canada, le Québec ne serait bien sûr pas dépourvu de cartes. Mais les données objectives ne lui seraient pas favorables : 7,5 millions d'habitants contre 24,5 millions; une production quatre fois moins importante; 35% des exportations québécoises sont destinées au reste du Canada (dont 22% à l'Ontario), tandis que seulement 7% des

exportations du reste du Canada sont vendues au Québec, et seulement 12% des exportations totales de l'Ontario. Il y a donc bel et bien dépendance mutuelle, comme aiment à le souligner les souverainistes, mais l'une des parties est sensiblement plus dépendante que l'autre…[136]

En ce qui concerne l'exode possible d'allophones et d'anglophones devant survenir, selon Pratte, après un Oui, ce dernier dit lui-même que ce ne sont très certainement que des menaces en l'air, question de faire peur aux Québécois afin qu'ils ne choisissent jamais l'option indépendantiste. Ce scénario n'est donc pas très apeurant quand on y pense deux minutes. Alors pourquoi en parler? Par la suite, Pratte argue qu'en considérant l'élection de 1976, il serait possible que 50 000 personnes sur près de 8 millions quittent le Québec parce qu'il se sera enfin libéré du carcan canadien, s'ouvrant ainsi des possibilités nouvelles qui favoriseront inexorablement son développement. À cela, paraphrasant Nicolas Sarcozy, nous dirons simplement: « le Québec, aimez-le au quittez-le ». Et ceux qui décideront de partir seront en très grande majorité des anglophones et des allophones qui n'ont jamais su apprécier le Québec français. Ils n'auront jamais été ici autre chose que du bois mort qui aura nui à son progrès de toute façon! Ce sera par conséquent une bonne chose qu'ils quittent le Québec. Ce bon débarras aidera en plus le fait français à se redresser plus rapidement encore grâce à l'indépendance.

Pratte déplore aussi que parmi ce groupe de fuyards, bon nombre seront très certainement riches et intelligents (et propres et gentils et polis et respectueux aussi?), ce qui fera un tort considérable au Québec nouvellement indépendant. En quoi exactement le départ de seulement 50 000 personnes pourrait affecter vraiment la vie économique de tout un peuple? Au cours des années 1960-1970, alors que d'aisés anglophones quittèrent le Québec par centaines de milliers parce que son nationalisme devenait par trop pugnace pour eux, qu'est-il donc arrivé à l'économie du Québec? Elle a progressé comme rarement dans notre histoire! Lorsque ces Anglais et ces allophones quitteront une fois que le Québec sera devenu enfin indépendant, des francophones les remplaceront et rempliront fort bien leurs fonctions, ce qui enrichira les gens qui ont vraiment le Québec à cœur, ce qui sera pour le mieux!

Dans ces derniers passages rédigés par Pratte, il est aussi dit que le Québec est plus dépendant face au reste du Canada que l'inverse, et ce, parce que 35 % de ses exportations y sont destinées. Étrange tout de même que cette analyse puisque 85 % des produits et services exportés par le Québec sont dirigés vers les États-Unis, et cette proportion va en croissant avec les années[137]. Comment peut-il donc en rester 35 % pour les provinces canadiennes? Mystère!

Pratte s'inquiète aussi du fait que le Canada puisse refuser de négocier de bonne foi avec le Québec après que celui-ci se sera enfin décidé à voler de ses propres ailes. Rappelons que le gouvernement de Jean Chrétien a reçu, en 1998, un jugement de la Cour suprême, institution canadienne, qui stipulait que le

Canada aura l'obligation de négocier de bonne foi dans de telles circonstances. Bien sûr, connaissant les *Canadians*, il serait fort probable qu'ils ne respectent pas les consignes posées par leurs propres institutions. Lorsque vient le temps d'écraser le Québec, tout leur semble permis. Mais aux yeux de la communauté internationale, l'auréole du Canada pâlirait d'autant s'ils se risquaient à agir ainsi, ce qui pourra certainement avantager le Québec. Mais il n'en demeure pas moins que si les choses évoluent ainsi, les négociations seraient difficiles. Pratte-le-fédéraliste craint alors que le Canada fasse payer durement (économiquement s'entend) la « trahison » du Québec. Si tel était le cas, le Québec serait outillé pour faire face à la situation.

Considérant que le Canada pourrait dès lors cesser d'acheter les produits québécois, le Québec indépendant pourrait, non pas comme le suggérait Pierre Bourgault et couler les bateaux canadiens dans la voie maritime du Saint-Laurent, mais il pourrait assurément fermer cette même voie maritime aux navires se dirigeant vers les Grands Lacs, les contraignant désormais à s'arrêter dans le port de Montréal. Ou les taxer tout simplement. Il serait aussi possible d'imiter ce qu'a fait Hugo Chavez au Venezuela et nationaliser les compagnies canadiennes oeuvrant en territoire québécois. À ce chapitre, le Québec serait couvert, puisque fort peu de compagnies québécoises sont implantées au Canada, ce qui éviterait que les Canadiens n'en fassent autant pour se venger. Et finalement, si la situation devenait véritablement intenable, le gouvernement du Québec n'aurait alors qu'à quitter la table de négociations en refusant de prendre sa part de la dette canadienne. Ceci ramènerait certainement les trublions *canadians* à la raison.

Mais ceci relève bien davantage d'un scénario catastrophe que de ce qui pourrait vraiment se produire. André Pratte a beau, dans son livre, railler les propos de Jean Campeau, il n'en demeure pas moins que ce dernier est beaucoup plus logique dans ses analyses que le mercenaire gescaïen. Dans un texte envoyé aux journaux en 2005, l'ex-ministre des Finances du Québec fait valoir que le Québec, lorsqu'il deviendra indépendant, ne fera qu'aboutir démocratiquement un long processus politique auquel est maintenant bien préparée une majorité de *Canadians*. Après tout, on en parle depuis les années 1960. Faudrait par conséquent être bien idiot pour ne pas avoir réfléchi un tant soit peu à la question depuis…Lors des négociations qui suivront un Oui, il est clair que le Canada pensera d'abord et avant tout à ses propres intérêts. Et pour ce dernier pays comme pour le nouveau que sera le Québec, le meilleur contexte pour protéger les intérêts de tout un chacun sera que la séparation se fasse le plus harmonieusement possible. Bien sûr, les *Canadians* ne seront pas heureux du résultat. Bien sûr, ils maugréeront contre le Québec. Ils le maudiront même. Mais est-ce qu'ils seront assez imbéciles pour faire achopper des négociations qui se tiendront à l'issue d'un processus démocratique dont la légitimité est reconnue à l'échelle mondiale? Certainement pas. En fait, on pourrait dire que les indépendances qui s'effectuent via une démarche référendaire ne débouchent jamais sur un blocage systématique du processus perpétré par l'ancienne métropole. Cela ne s'est pas produit lors de la création de toute une série de nouveaux pays avec la chute de l'Union soviétique au début des années 1990; cela ne s'est pas produit dans le cas de la Tchécoslovaquie et cela ne s'est même pas produit dernièrement avec le Monténégro, nouveau pays à qui l'Union européenne avait pourtant imposé la barre fatidique des 55 % pour qu'elle daigne le reconnaître. Dans les faits, Campeau a bien compris ce qui motive les Pratte de ce monde à tenir de tels discours :

> Ceux qui prédisent un état d'émotivité tel que le Québec et son économie seront dans la tourmente ne sont-ils pas les mêmes qui ont créé ou accrédité « le coup de la Brinks », ne sont-ils pas les mêmes qui ont fait peur aux citoyens en disant que « les pensions de vieillesses disparaîtraient » que le « financement sur les grands marchés financiers serait impossible et coûteux »[138].

La peur, toujours la peur et le seul argument que n'ont jamais eu les fédéralistes. Il ne faut par conséquent pas s'étonner qu'ils l'utilisent à profusion.

Il est aussi tout à fait faux de prétendre, comme le fait Pratte, que les petits pays sont toujours écrasés par les plus importants sur la scène internationale. Si cela était vrai, cela reviendrait à dire que sur la scène internationale, le Québec en tant que 15e ou 20e puissance économique au monde pourrait avoir le dessus sur environ 180 pays, ce qui n'est pas rien! Mais ce serait aussi ridicule de le garantir que ce ne le fut pour Pratte-le-flagorneur-de-Desmarais d'écrire une telle chose! À ce sujet, il faut aussi tenir compte des alliances et des appuis dont jouissent les pays sur la scène internationale afin d'obtenir satisfaction à leurs désirs (MERCOSUR par exemple.). En devenant indépendant, le Québec deviendrait un acteur important de la francophonie, organisation qui regroupe 63 pays et régions, et qui représente 710 millions d'habitants. Qui plus est, cette organisation peut compter sur l'appui d'une puissance mondiale : la France. Il est clair que le Québec, étant le seul État francophone d'Amérique du Nord, sera considéré comme fort intéressant par la France. Celle-ci pourrait collaborer avec ce pays afin de contrebalancer la puissance anglo-saxonne sur ce continent-ci.

Le Québec, comme bien d'autres pays, pourrait aussi tirer profit du multilatéralisme. Si l'on prend l'exemple du GATT ou de l'OMC, il est clair que les grandes puissances y ont joui d'une influence supérieure aux pays les plus pauvres (ce qui ne serait pas le cas du Québec). Mais ces pays pauvres sont malgré tout parvenus à tirer leur épingle du jeu à plus d'une occasion, et ce, en profitant des conflits opposant les grandes puissances. En choisissant un camp ou l'autre, ils pouvaient eux aussi fonctionner sur la scène internationale en obtenant satisfaction à leurs volontés. Comme quoi, les activités qui se déroulent sur cette grande scène mondiale sont beaucoup trop complexes pour qu'un quidam comme Pratte-le-manichéen puisse tout simplement dire: les petits pays se font toujours fourrer! Si tel était le cas, tous les grands pays seraient riches comme l'Allemagne, la France ou les États-Unis, et aucun d'entre eux ne serait pauvre comme l'Espagne. Et tous les petits pays seraient pauvres comme le Burundi et aucun ne serait riche comme la Suède…

Lorsqu'ils sont confrontés à de tels arguments, les fédéralistes finissent toujours par concéder finalement aux indépendantistes que, certes, les petits pays peuvent aussi être riches, mais pour ce faire, ils doivent impérativement faire partie de vastes ensembles économiques. Dans le cas qui nous intéresse, le Québec, les fédéralistes avancent qu'en tant que pays, il serait exclu de l'entente de libre échange qu'est l'ALÉNA. Articuler un tel discours propagandiste, c'est tourner les coins trop ronds pour être crédibles. D'abord, il faut mentionner que le droit international, à ce sujet, n'est constitué que de zones grises. La règle de l'*amicus curia* entretient volontairement l'ambiguïté quant au processus sécessionniste, de façon à ne pas alimenter indûment les mouvements de libération nationale. Du point de vue de la communauté internationale, il est clair qu'on préconise la stabilité des États dûment constitués. Les minorités nationales qui parviennent au bout d'un processus indépendantiste en obtenant la victoire ont ainsi beaucoup plus de chances d'être reconnues et appuyées par le reste du monde, et ce, parce que tous les pays comprennent qu'elles désiraient vraiment se libérer et qu'elles y ont consenti tous les efforts requis. En ce domaine, donc, on fonctionne principalement, pour ne pas dire exclusivement, par précédents. Et des précédents, en ce qui a trait à la succession des traités lorsque survient une situation d'indépendance, il y en a une pléthore. C'est même devenu la règle.

La première étape devant mener à la succession des traités est bien sûr celle qui consiste à ce que la communauté internationale reconnaisse la légalité du nouveau pays. Selon André Patry, intellectuel dont l'expertise en ce domaine a été retenue par la commission Bélanger-Campeau en 1992, le Québec possède des atouts pour être reconnu rapidement après une victoire des indépendantistes, si celle-ci, bien entendu, s'est obtenue à la suite d'un processus démocratique. Étant déjà un État en bonne et due forme, ayant un territoire à peu près complètement délimité, une population fixe et un gouvernement autonome, cela lui faciliterait la tâche lorsque viendra le temps d'obtenir l'appui de la communauté internationale. Et les précédents en droit international veulent que lorsqu'une nouvelle indépendance se produit, la règle de l'*uti possidetis* s'applique. Celle-ci stipule que le nouvel État indépendant conserve ce qui lui appartenait préalablement. Régulièrement, on fait intervenir cette clause afin d'empêcher tout démembrement territorial du nouvel État, et ce, parce que des partitions forcées donnent toujours naissance à des situations éminemment conflictuelles, pour ne pas dire guerrières. On sait ce que la partition du Nord de l'Irlande en 1921 a eu comme conséquences pour les Irlandais! Mais l'esprit de l'*uti possidetis* pourrait aussi être invoqué par le gouvernement du Québec afin de justifier la continuité des traités jadis consentis par le Canada et qui s'appliquaient évidemment dans le Québec-province. Une telle position de négociation pourrait être consolidée en mettant l'accent sur la *Convention de Vienne sur la succession d'États en matière de traités* qui a été lancée en 1978 et dont l'entrée en vigueur s'est effectuée le 6 novembre 1996. Donc après le deuxième référendum québécois sur l'indépendance. Cette convention dit clairement que les traités qui lient les États continuent de s'appliquer lorsqu'ils sont soumis à des sécessions, et ce, tant dans l'ancien pays que dans le nouveau. Et finalement, le Québec indépendant, désireux qu'il serait d'assurer la continuité de traités comme l'ALÉNA, l'OMC ou l'OTAN, jouirait d'un contexte des plus favorables pour ce faire. En effet, depuis quelques années, voire décennies, les États-Unis et les pays européens préconisent la continuité des traités lorsque survient une nouvelle indépendance. Conséquemment, il serait plus que surprenant qu'il n'en soit pas de même lorsque le Québec décidera qu'il a assez fait longtemps partie du Canada…

Mais cela ne convainc pas encore les fédéralistes obtus comme André Pratte. Ceux-ci formulent comme réaction que c'est une chose de voir les Américains donner leur aval à l'indépendance de la Slovaquie, mais c'en est une tout autre que d'imaginer qu'ils pourraient appuyer des francophones s'apprêtant à briser un pays anglophone qui est, de surcroît, un quasi satellite du pays de l'oncle Sam. Le spécialiste de la politique américaine qu'est Louis Balthazar, lui qui a rendu un rapport dans le cadre des études afférentes à l'accession du Québec à la souveraineté en 2000, affirme que c'est toujours la politique de la « mantra » qui s'applique dans le dossier liant le Québec sur la voie de la souveraineté qu'il est et les États-Unis. Concrètement, la mantra stipule trois choses. Tout d'abord, les États-Unis n'entendent pas intervenir directement dans le débat opposant les nationalistes québécois au *Canadians* parce qu'il relève d'une question de politique interne. *Secundo*, les États-Unis respecteront les décisions prises par les Canadiens dans un cadre démocratique. Et finalement, les États-Unis préféreraient de beaucoup que le Canada demeure uni. Ceci étant dit, Balthazar considère qu'une fois les Américains au pied du mur, ils établiront des relations avec le Québec souverain. Il dit même « qu'il n'y a aucune raison de croire que Washington s'opposerait à l'intégration du Québec dans l'ALÉNA ». Pour les plus lucides d'entre nous, il est clair que le point de vue d'un éminent spécialiste des relations américano-québécoises tel que Balthazar sera toujours plus crédible que celui de l'éditorialiste en chef de Gesca qui se fait fort de formuler maintes élucubrations sans fondement pour justifier toujours mieux l'asservissement québécois dans le cadre canadien.

Afin d'accentuer d'un autre cran la crainte que ressentent plusieurs Québécois à l'idée de rompre le *statu quo* tout en prenant en mains leur destin collectif, les épouvantails à moineaux que sont les porte-parole fédéralistes ne sont jamais en manque d'imagination. Le cas du dollar dans un Québec souverain servit à ces mêmes fédéralistes pour formuler bon nombre de menaces à l'intention des Québécois. Afin de mettre un terme à de telles campagnes de peur, Jacques Parizeau, lorsqu'il était chef du Parti Québécois, avait établi qu'un Québec libre conserverait la monnaie canadienne. Point à la ligne. Ce qui pourrait de fait se faire, puisqu'une bonne partie, c'est-à-dire à peu près 25 %, de cette même monnaie appartient au Québec. Qui plus est, si le régime castriste de Cuba peut utiliser le dollar américain dans ses activités commerciales, régime honni par les Américains qui l'affament à l'aide d'un pernicieux blocus économique depuis près de 50 ans, ce ne sont très certainement pas les inimitiés canado-québécoises qui pourraient empêcher le Québec souverain d'utiliser le dollar canadien si tel était son désir. Bien évidemment, dans un tel scénario, le Québec renoncerait à sa souveraineté monétaire car ce serait la Banque du Canada qui gérerait toujours la monnaie et il y a fort à parier que le Canada refuserait que soit créé un comité conjoint où siégeraient des représentants du Québec pour administrer l'évolution de la monnaie canadienne. Mais le Québec-province n'a pas davantage ce pouvoir dans le contexte canadien, la banque centrale étant dominée par le fédéral. Et le pire, c'est que le Canada a plus souvent qu'autrement géré la monnaie en fonction des intérêts de l'Ontario, sans considérer d'aucune façon les impacts négatifs que cela pourrait avoir sur l'économie québécoise.

Aujourd'hui, cette question de la monnaie dans des situations concernant des mouvements indépendantistes a considérablement évolué, ne serait-ce qu'à cause de l'apparition de l'Euro en Europe. C'est pourquoi le gouvernement du Parti Québécois s'était assuré que ce dossier soit réétudié dans le cadre des études afférentes à l'accession du Québec à la souveraineté au début des années 2000. Et c'est à Vély Leroy qu'on a confié cette délicate mission.

Grosso modo, Leroy établit qu'il y a trois scénarios monétaires que le Québec souverain pourrait considérer. D'une part, le Québec pourrait emprunter la voie de la « dollarisation formelle », c'est-à-dire qu'à la suite de négociations avec le Canada, il devrait protéger ses acquis monétaires fondamentaux en conservant le dollar canadien comme devise nationale. Bien évidemment, il renoncerait simultanément à sa souveraineté monétaire, comme on vient tout juste de le dire. Depuis quelques années, de plus en plus d'économistes évaluent que cette dollarisation formelle pourrait également se faire avec les États-Unis. Le Québec souverain utiliserait ainsi le dollar américain. Le deuxième scénario retenu par Leroy consisterait à ce que le Québec crée une unité de compte distincte pouvant déboucher un jour ou l'autre sur la création d'une monnaie québécoise. Mais cela ne pouvant se faire sans que le scénario 1 ne soit adopté dès les lendemains de la victoire du Oui. Et finalement, désireux de jouir pleinement de sa souveraineté nouvellement acquise, le Québec pourrait décider de créer tout de suite une monnaie québécoise.

Jaugeant les avantages et les inconvénients des trois options, Leroy affirme que le Québec devrait, au lendemain de l'indépendance, agir prudemment, de façon à maintenir les acquis monétaires fondamentaux et éviter d'alimenter une instabilité financière qui pourrait survenir à la suite de la rupture du pacte canado-québécois. Ce qui implique qu'il serait, à toutes fins pratiques, impossible de créer rapidement une monnaie québécoise. Passer outre cette prudence élémentaire donnerait trop de prise aux spéculateurs qui pourraient agir de façon à favoriser l'effondrement de cette nouvelle devise nationale. Le fait de renoncer ainsi à la souveraineté monétaire ne serait pas un si grand mal que ça pour le Québec, et ce, puisque l'évolution que connaît le monde actuellement dans le dossier des monnaies va vers une intégration toujours plus poussée. Cette évolution étant, bien évidemment, nourrie par l'intégration monétaire européenne. Il ne serait par conséquent pas étonnant qu'on en vienne à étudier un scénario similaire pour l'Amérique du Nord dans son entièreté dans un avenir plus ou moins lointain. Et qui plus est, le rôle des banques centrales, aujourd'hui, se concentre plus souvent qu'autrement à strictement assurer une stabilité monétaire. Dans de telles circonstances, le fait que le Québec souverain n'aurait pas un rôle à jouer dans la définition de la politique monétaire de son voisin canadien ne serait qu'un moindre mal, car il n'agirait de toute façon pas différemment de la Banque centrale s'il avait les mêmes pouvoirs qu'elle. Tout ça pour dire que Leroy, à l'instar de ce que proposait et défendait Jacques Parizeau au début des années 1990, préconise le scénario 1, c'est-à-dire que le Québec souverain devrait conserver le dollar canadien.

Tout ce qui concerne la défense est un autre dossier qui a servi abondamment aux fédéralistes pour nier que le projet d'indépendance du Québec soit viable. Pratte, comme ses acolytes, s'est permis de tenir un tel discours. Pourtant, dans le rapport de mise à jour des études Bélanger-Campeau (2002) et dont la production a été coordonnée par Claude Corbo, Charles-Philippe David et Jean-Philippe Racicot réfutent de telles analyses. Ces derniers expliquent plutôt que le Québec souverain aurait quatre choix réalistes qui s'offriraient à lui en terme de défense.

Ils ont baptisé le premier : « le *statu quo* partagé ». Concrètement, cela signifierait que le Québec indépendant établirait un partenariat avec Ottawa pour une gestion conjointe des ressources reliées à la défense. L'armée demeurerait dans la même forme que présentement, la seule chose qui changerait serait qu'un comité canado-québécois la chapeauterait et prendrait conjointement les décisions qui s'imposent, dans l'intérêt des deux camps. Si ce scénario possède les avantages d'être économique pour un Québec nouvellement indépendant, il n'en demeure pas moins qu'il serait fort compliqué à vendre aux Canadiens et à appliquer si ceux-ci devaient en accepter d'emblée le principe. Les tensions suscitées par le passage du Québec du statut de province à celui de pays ne seraient en rien un gage d'harmonie entre le Canada et ce même Québec dans quelque dossier que ce soit. Force est de constater que, dans de telles circonstances, il y a fort à parier que le Canada ne voudrait pas collaborer militairement avec son ancienne possession. Et même si cela devait survenir, il serait difficile de faire fonctionner un tel comité qui risquerait de ne point défendre les mêmes stratégies. Le Canada, et c'est naturel qu'il en soit ainsi, serait davantage tourné, comme il le fut toujours historiquement, vers le bloc anglo-saxon alors que le Québec lorgnerait bien plus du côté de la France et de la francophonie internationale. Tout, donc, pour que ce comité soit constamment paralysé. Par ailleurs, un tel scénario signifierait que le Québec indépendant devrait accepter de charcuter une portion importante de ses capacités d'action sur la scène internationale en la partageant avec le Canada. Bon nombre de Québécois ne trouveraient pas cette avenue des plus invitantes. Tant qu'à être libres, mieux vaut en profiter pleinement...

La seconde option retenue par David et Racicot ferait en sorte que le Québec ait la pleine maîtrise des armées nécessaires à la défense de son intégrité nationale, tout en participant aux alliances jugées comme nécessaires pour protéger plus efficacement le Québec souverain qui ne pourrait pas se payer tous les équipements militaires nécessaires à cette fin. Les négociateurs du Québec souverain devraient donc s'assurer d'obtenir pour le nouveau pays sa quote-part des armements, des installations et des soldats qu'il a financés alors qu'il appartenait à la fédération canadienne. Dans son livre, André Pratte se questionne quant à savoir de combien de CF-18 le Québec hériterait en obtenant son indépendance et de combien de soldats serait constituée son armée (p.75). À ce sujet, David et Racicot estiment que le Québec pourrait réclamer du Canada deux escadrons de CF-18 (24 à 32 appareils), 15 000 soldats d'infanterie et 15 000 réservistes et une douzaine de navires garde-côtes. Pour que l'armée du Québec soit fonctionnelle, il faudrait toutefois que le gouvernement du Québec souverain trouve des sommes additionnelles pour se procurer les équipements de base qui lui feraient défaut : des systèmes de transport, des chars d'assaut, des avions de surveillance, etc. Les auteurs arguent que la participation du Québec souverain à l'OTAN ou à NORAD pourrait lui épargner de se procurer, à ses frais, tous ces équipements dispendieux.

Considérant que le Canada a alloué 14,7 milliards $ au budget de la défense en 2005-2006 alors qu'il plafonnait à 10-12 milliards $ depuis le début des années 1990 et que le Québec a toujours procuré une bonne partie de ces argents, considérant que l'armée canadienne compte actuellement 62 000 soldats réguliers et 25 000 réservistes, que 20 000 fonctionnaires administrent ce ministère, que l'armée possède 114 chars Léopard C2; 203 véhicules de reconnaissance Coyote; 100 véhicules blindés légers Cougar; 27 blindés Husky; 274 transports de troupes blindés Grizzly; 151 véhicules blindés légers VLB III; 76 Obusiers M109A4+; 1200 véhicules de transport de troupe blindés M-113; 34 plates-formes d'armes antiaériennes et antichars; 99 hélicoptères Griffon; 98 chasseurs CF-18; 18 avions de reconnaissance Aurora; 3 Arcturus; 25 Tutor (snowbird); 4 Dash 8; 12 Hawk; 24 Harvard II; des avions de transport (6 Buffalo; 32 Hercule; 4 Twin Otter; 6 Challenger; 5 Polaris); 28 hélicoptères Sea King et 15 Cormoran; 12 frégates de patrouille; 4 destroyers; 3 pétroliers ravitailleurs; 4 sous-marins à propulsion conventionnelle et 12 navires de défense côtière, l'on peut dire que le Québec souverain aurait amplement de quoi négocier pour obtenir un juste dédommagement dans ce domaine. Même si le Québec demeurait très modeste dans ses réclamations à l'égard du matériel militaire du Canada et qu'il fixait la barre à seulement 15% de tous ces actifs (même à 10%, ce serait déjà plus que suffisant), cela signifierait que le Québec souverain obtiendrait une armée d'environ 13 000 soldats réguliers et de réserve. Il aurait 3 000 fonctionnaires pour la gérer et il obtiendrait du Canada 17 chars Léopard C2; 30 Coyote; 15 Cougar; 4 Husky; 41 Grizzly; 22 VLB III; 11 Obusiers; 180 M-113; 5 plates-formes d'armes antichars ou antiaériennes; 14 Griffon; 14 CF-18; 2 Aurora, peut-être 1 Arcturus; 3 snowbird; peut-être 1 Dash 8; 1 Hawk; 3 Harvard II; 7 avions de transport de troupes; 4 Sea King; 2 cormoran; 1 frégate; peut-être 1 destroyer; peut-être 1 pétrolier ravitailleur; peut-être 1 sous-marin; et 1 navire de défense côtière. Cela devrait être amplement suffisant pour rassurer André Pratte qui dit s'inquiéter des capacités du Québec souverain à assurer la défense des Québécois, surtout que le Québec se situe dans un environnement où les menaces qui pèsent sur lui ne nécessitent pas tant une armée régulière en mesure d'affronter d'autres armées nationales, mais bien davantage un efficace service de renseignement en mesure de déjouer les complots ourdis par des terroristes. Évidemment, le Québec souverain pourrait, lors des négociations, mettre l'emphase sur un type d'équipement au détriment d'un autre, de façon à se doter de suffisamment d'appareils ou d'armes d'un type donné pour que cela soit efficace. Par exemple, le Québec pourrait abandonner les Sea King (!) auxquels il a droit pour réclamer davantage de navires de défense côtière. Il pourrait aussi abandonner la frégate qui lui revient pour mettre plutôt l'accent sur les CF-18.

À ce chapitre, il est vrai que les négociations seront complexes et ardues, mais une chose demeure, et c'est que la part d'équipements militaires qu'obtiendrait le Québec après l'indépendance serait amplement suffisante pour constituer le noyau d'une armée digne de ce nom. Par la suite, les quelque 3 milliards$ que nous n'aurions plus à verser au Canada pour le développement de l'armée canadienne nous permettraient de maintenir à flot la nouvelle armée québécoise. Et si le Canada refusait tout simplement de remettre au Québec ce à quoi il a droit dans le domaine militaire, ce dernier pourrait décider, en réaction, de ne point honorer la partie de la dette canadienne qui lui revient. Pareille menace devrait être suffisante pour procurer un rapport de force digne de ce nom au Québec dans les négociations qu'il devra entreprendre avec le Canada après une victoire des indépendantistes.

David et Racicot avancent aussi que le Québec souverain pourrait se déclarer neutre et abandonner l'idée de constituer sa propre armée. Imitant l'Islande, le Québec pourrait remettre entièrement sa sécurité entre les mains de l'OTAN. Une « gendarmerie nationale » s'occuperait de la surveillance frontalière et maritime ainsi que de la sécurité publique sur le sol québécois. Pour y parvenir, il ne s'agirait donc que d'imposer une réforme à la Sûreté du Québec. Par ses coûts réduits, cette option pourrait certainement s'avérer intéressante pour le Québec souverain, surtout dans l'immédiat après victoire du Oui, moment où le Québec aura à faire face à plusieurs dépenses nouvelles. Le fait d'abandonner complètement les équipements militaires au Canada pourrait donner plus de force au Québec souverain dans d'autres domaines de négociation, entre autres, la répartition de la dette du Canada. Par contre, un tel scénario reviendrait à donner un pouvoir important aux Américains eu égard au Québec souverain. L'OTAN étant contrôlé par ce dernier pays, cela reviendrait à demander à l'oncle Sam de défendre les Québécois, avec toutes les conséquences qu'une telle chose implique.

Finalement, le Québec souverain pourrait décider de s'investir, à l'échelle internationale, dans le maintien de la paix, un peu comme le fit le Canada jusqu'à ce qu'il adopte une stratégie belliciste en Afghanistan. Une telle politique de défense procure généralement une bonne réputation au pays qui la met de l'avant et ne nécessite pas autant d'investissements dans les équipements militaires, et ce, parce que les plus coûteux sont généralement conçus pour des opérations offensives, et donc inutiles dans le cadre de missions de maintien de la paix. Ceci étant dit, le développement d'une armée spécialisée dans le maintien de la paix est tout de même assez onéreux. Les spécialistes estiment qu'il en coûterait de 3 à 6 milliards$ par année pour le Québec pour financer une telle politique de défense, ce qui est plus que ce qu'il paie présentement pour l'armée canadienne. Qui plus est, les missions de maintien de la paix ont perdu quelque peu de leur popularité au fil des années 1990, et ce, parce que la plupart du temps, elles s'étirent longuement dans le temps, accroissant du fait même les coûts qu'elles engendrent. Pour donner un exemple, on pourrait souligner que les conflits ayant déchiré la Bosnie-Herzégovine ou le Kosovo dans les années 1990 ont exigé des implications internationales qui ont duré près d'une décennie complète.

Bien sûr, avant de retenir un scénario ou un autre, il faudra attendre de voir quelle tournure prendront les négociations avec le Canada après que le Oui l'aura emporté. Mais ce qu'il est possible de dire dès maintenant, sans risque de se tromper, c'est que le Québec devra établir des alliances avec d'autres entités de défense pour jouir d'une protection complète. À ce chapitre, il nous apparaît évident que ce n'est pas du côté du Canada que se trouvera la solution, mais bien davantage du côté de l'OTAN. Comme l'ont bien établi Charles-Philippe David et Jean-Philippe Racicot, l'avenir de la défense québécoise passe par les « communautés de sécurité ». Il faudra simplement s'assurer que le Québec souverain puisse maintenir son adhésion à de telles organisations de sécurité, ce que la succession des traités permettra.

Les Amérindiens ont aussi été régulièrement utilisés par les forces fédérales pour combattre le projet d'indépendance du Québec. Principalement, ces dernières avançaient que les Amérindiens, ainsi que leurs territoires, auraient le droit de demeurer Canadiens quelle que soit la décision des Québécois. Un tel discours ouvrait la porte sur la partition du territoire québécois advenant l'indépendance du Québec. Les experts affirment aujourd'hui que le droit international prémunit le Québec contre une telle possibilité. Les remaniements frontaliers lorsque naît un nouveau pays sont condamnés par le droit international qui stipule que les nouveaux États conservent les frontières qui étaient les leurs dans l'ancien régime politique. Les Amérindiens auraient par conséquent beaucoup de mal à faire accepter que le Nord du Québec demeure Canadien après une victoire des indépendantistes.

Ceci étant dit, la communauté internationale est très sensibilisée quant au sort qui est réservé aux Autochtones de par le monde. Il faudrait donc que le Québec fasse preuve, comme il l'a toujours fait d'ailleurs, d'une très grande sollicitude à l'égard de ceux-ci. Aujourd'hui, les Amérindiens du Québec jouissent des meilleurs niveaux de vie que l'on retrouve dans l'ensemble des nations autochtones au Canada. Qui plus est, René Lévesque fut le premier en 1985 à reconnaître l'existence des 11 nations amérindiennes du Québec, alors que le gouvernement de Bernard Landry fit preuve de très grande ouverture à leur égard en signant la paix des Braves avec le chef Ted Moses et en posant les premiers jalons de ce qu'on a appelé l'Approche commune. Ce qui démontre que le Québec aura bien des arguments à présenter pour amener les Amérindiens a accepté pleinement le changement de statut du Québec.

Le Québec saura faire preuve du même respect à l'égard de la communauté anglophone du Québec. Celle-ci pourra espérer être soutenue par l'État québécois à la hauteur du poids qu'elle aura dans le nouveau pays du Québec. Ceci lui permettra de soutenir efficacement les institutions qui sont les siennes présentement. Après tout, les anglophones du Québec forment la minorité qui est à peu près la mieux traitée au monde. Il n'y a aucune raison pour qu'il n'en soit plus ainsi dans un Québec libre.

Bref, la myriade d'intellectuels qui soutient le projet de pays pour le Québec a déjà étudié tous les aspects concernant le projet indépendantiste. Il reste toujours des zones grises, puisque celui-ci relève de l'avenir et qu'il n'est jamais possible de prévoir exactement ce qu'il adviendra dans le futur, mais il n'en demeure pas moins que nous en savons suffisamment pour qu'il soit possible d'entreprendre cette démarche en toute confiance. Si André Pratte ne peut, et ne souhaite pas accepter un tel fait, force est de constater qu'à chaque nouvelle année qui passe, il y a de moins en moins de Québécois qui se sentent inquiétés par ce processus de libération. Ce qui est un gage certain de succès pour les indépendantistes du Québec.

* * *

Si l'on se fie à la logique d'André Pratte telle qu'exposée dans *Aux pays des merveilles*, il serait carrément inopportun de parler de colonialisme dans le cas des relations dominant-dominé qu'entretient le Canada avec le Québec, puisque rien ne permettrait de dire que le Québec fut martyrisé ou exploité au cours des quelques siècles d'histoire qu'il fut contraint de partager avec les *Canadians*. Aux dires de Pratte, il serait plus qu'évident que le Canada, malgré les quelques conflits qu'il connut, considère le Québec comme un partenaire privilégié qu'il faut respecter dans ses prérogatives et ses désirs. Dans une telle approche résiderait la possibilité de mieux faire évoluer une fédération qui serait éminemment décentralisée et qui ferait l'envie du monde. Si l'on vivait tous au pays des merveilles on pourrait endosser la vision de Pratte. Or, il s'avère que les indépendantistes québécois ne vivent pas dans des mondes imaginaires. Enfin pour la plupart. Ils comprennent mieux que les autres Québécois quelle est la nature même du Canada et c'est pourquoi ils combattent âprement pour libérer le Québec d'un système dont il a toujours fait les frais. Il est vrai que contrairement au mercenaire Pratte, personne ne les paie pour entretenir des chimères qui sont destinées à faire dévier le peuple québécois de la route qu'il se trace depuis longtemps vers la liberté.

Dans la partie qui suit, nous nous efforcerons donc de démontrer que le Canada est bel et bien un régime colonial au sens propre du terme. Pour ce faire, nous nous appuierons sur des spécialistes reconnus du colonialisme. En cela, notre méthode de travail est beaucoup plus crédible que celle de Pratte, lui qui déclame ses grands principes fédéralistes et démagogiques sans les appuyer sur quelque étude que ce soit. Pour atteindre nos objectifs, nous baliserons notre travail d'analyse à l'aide des repères qu'avait fixés l'un des deux fondateurs du *Rassemblement pour l'indépendance nationale*, André D'Allemagne (L'autre étant Marcel Chaput), dans le classique de l'étude du colonialisme au Québec qu'il avait rédigé en 1966 et qui s'intitulait, tout simplement, *Le colonialisme au Québec*. Nous référerons aussi régulièrement à l'essai *Le Québec est-il une colonie?* de Raymond Barbeau.

Chapitre III
Le Canada contemporain, du pur colonialisme, mais sans la ratonnade!

Rares sont ceux qui osent prétendre, en 2006, que le Québec est une colonie du régime *canadian*. Intellectuels, comme politiciens, comme simples militants, craignent soit d'articuler une telle analyse qui leur vaudrait très certainement l'opprobre d'une bonne partie de leurs pairs, et non les moindres, soit qu'ils n'y croient tout simplement pas, à l'instar d'André Pratte et compagnie. Pourtant, lorsque l'on se risque à leur poser une question toute simple : qu'est-ce que selon vous est le colonialisme?, on les voit alors se débattre comme autant de diables dans l'eau bénite afin de dissimuler l'étendue de leur ignorance. Certains argueront alors que le Québec est un des endroits où il fait le mieux vivre au monde et que le Canada est un pays admiré de tous et que, dans de telles circonstances, l'on ne peut très certainement pas parler de relations coloniales… Certains autres affirmeront que le Québec était bel et bien victime d'un régime de ce type, mais seulement avant les années 1960. La Révolution tranquille a depuis libéré les Québécois des fers *made in Canada*… Il est aussi possible d'entendre, lorsqu'on entame de telles discussions, que si le Québec était vraiment une colonie, jamais Ottawa ne permettrait que le PQ et le BQ participent aux campagnes électorales, et encore moins que le PQ puisse former le gouvernement du Québec à intervalles réguliers. Tous des arguments qui, en gros, se tiennent. Mais ce sont aussi autant de façons d'élaguer le problème posé : le Canada est-il oui ou non un régime colonial?

L'évidence est que le colonialisme n'a pas revêtu qu'une seule forme dans l'histoire de l'humanité. Les conquêtes accomplies par l'empire romain au cours de l'Antiquité alors que des peuples entiers furent soumis à l'autorité de Rome, les dévastations perpétrées par Alexandre Le Grand dans le bassin méditerranéen, le dépouillement subi par l'Amérique latine après la venue des seigneurs européens tout de brillant vêtus, la chape de plomb qui s'est abattue sur l'Inde au XIXe siècle, gracieuseté de Sa Majesté anglaise, les spoliations bien françaises qui ont frappé le Maghreb en général et l'Algérie en particulier ou la Conquête anglaise de 1760 sont tous des phénomènes politiques qui s'apparentent à ce qu'on appelle le colonialisme, mais qui sont aussi très différents les uns des autres. Une chose demeure toutefois, et c'est qu'un élément bien particulier les réunit tous parfaitement sous un même parapluie : l'exploitation. Et à ce chapitre, force est de constater que nous avons fort bien démontré que du Bas-Canada, au Canada français, au Québec du XXe siècle, les gens d'ici subirent toujours un régime perfide d'exploitation tel que conçu au cœur même du Canada anglais. Ce qui prouve qu'il y eut bien ici, c'est l'évidence même, le développement d'un colonialisme dont les Québécois furent les victimes historiques.

Historique ce colonialisme *canadian*, certes. Mais peut-on le qualifier aussi de contemporain? Nous le croyons…

A) Théorie du colonialisme

Préalablement à toute tentative destinée à démontrer que le Québec est toujours, en 2006, un État victime d'un régime colonial, il importe évidemment de bien définir les concepts en présence. Tous seront ici d'accord. Il n'y a que les mercenaires de Gesca pour se lancer dans une entreprise destinée à déboulonner les monuments du mouvement indépendantiste sans s'appuyer sur rien d'autre que leur démagogie de bas étage.

Les politologues s'entendent pour dire que le colonialisme est une forme d'organisation politique qui implique le « contrôle exercé par un peuple sur un peuple étranger, supposant l'utilisation politique et idéologique de la différence de développement existant entre ceux-ci[139]» alors que l'impérialisme, quant à lui, réfère à toute tentative pour instaurer un nouveau régime colonial. Le colonialiste qui s'installe sur de nouvelles terres afin d'en exploiter à son seul profit les ressources rêve évidemment du jour où il pourra se livrer à pareilles activités sans rencontrer aucune résistance des Autochtones. Car la résistance des uns implique nécessairement la guerre des autres. Et la guerre, comme on le sait, ça coûte cher et ça mine de ce fait les profits enregistrés par le colonialiste, ce qui lui déplaît toujours puisque l'exploitation socio-économique est toujours l'un des objectifs qu'il poursuit. Bref, la stabilité politique est toujours bénéfique à l'activité économique et le colonialiste, sans rien concéder aux colonisés, la poursuit toujours ardemment.

Pour mettre fin aux tensions et aux violences, le colonialiste a toujours recours aux massacres et au peuplement. L'objectif étant d'éliminer ou de remplacer les Autochtones par des citoyens issus de la métropole. Comme les massacres ne peuvent que durer un temps et que plus souvent qu'autrement ils enveniment davantage la situation qu'ils ne la soulagent, le colonialiste comprend rapidement que la meilleure avenue pour atteindre ses objectifs demeure le peuplement. Il fait alors des pieds et des mains pour qu'un nombre très important de citoyens issus de sa métropole acceptent de faire le voyage, souvent à destination outre-mer, pour s'installer parmi les Autochtones, de façon à les noyer à plus ou moins long terme. Ce n'est que lorsque les colons ne peuvent être déplacés en nombre suffisant que les véritables problèmes débutent pour le colonialiste. Il apparaît dès lors que la démarche assimilationniste ne pourra qu'être longue et ardue. Pire : cela peut même signifier que les *natives* survivront, ce qui handicapera pour toujours la portée du régime d'exploitation ainsi mis en place.

En considérant les caractéristiques précédentes qui concernent le colonialisme, il est clair que l'on peut associer la Conquête anglaise de 1760 à ce phénomène. En s'installant ici, les Anglais poursuivaient des objectifs tant économiques que politiques qui collaient parfaitement au phénomène du colonialisme. En tuant dans l'œuf la société française au nord de leurs frontières, elle qui ne comptait que quelques dizaines de milliers d'âmes, les Anglais pouvaient espérer faire disparaître ces gens dans un avenir rapproché, tout en s'emparant des activités commerciales qui s'y menaient. Entre autres, le commerce des fourrures. Qui plus est, Londres redorait alors son blason en établissant son hégémonie sur la majeure partie de l'Amérique du Nord et mettait un terme aux coûteuses expéditions que la capitale de l'Empire britannique avait dû financer au fil des ans pour réduire à néant le danger que faisaient peser sur la Nouvelle-Angleterre ces quelques âmes éprises d'arpents de neige qui savaient se battre avec fougue et courage.

En éliminant la Nouvelle-France en 1763, les Anglais développèrent la *province of Quebec* en colonie au sens propre du terme. Selon la définition fournie par Reinhard Wolfgang, une colonie « est une nouvelle implantation de population qui peut être autonome ou demeurer sous le contrôle de la communauté d'origine de ceux qui l'ont fondée[140]». Comme nous l'avons amplement démontré au sein de la première partie de cet essai, la Conquête anglaise a signifié l'élimination de tous les grands marchands canadiens. L'économie est ainsi tombée, en même temps que Montcalm sur les plaines d'Abraham, entre les mains de ceux qui avaient suivi avec convoitise les milliers de soldats qui furent envoyés par Londres, sous le commandement de Wolfe, au nord du nord pour détruire une société française qui agissait comme épine au pied de l'Empire de Sa Majesté. Dès cet instant, le Canada devint *province of Quebec* ou, pour être plus précis, une ignoble colonie d'établissement. Aucun effort ne fut alors ménagé pour amener des gens des îles britanniques à s'installer parmi ces Franco-Canadiens. Disparaître, ces derniers, ils devaient. Il en allait du bien de l'Empire. Tel fut l'objectif poursuivi par Londres des décennies durant, en fait, jusqu'au jour où il apparut à tous que les immigrants anglo-saxons ne seraient jamais en nombre suffisant pour noyer cette population de Canadiens qui faisaient des enfants presque comme des machines. D'ailleurs, l'historien anglais Arnold Toynbee a déclaré au début du XXe siècle qu'à la fin des temps, s'il n'y avait que deux seuls peuples restant sur la terre, ce serait les Chinois en raison de leur nombre inouï et les Canadiens français à cause de leur exceptionnelle fécondité.

Les Anglais modifièrent par conséquent leur stratégie. Ils s'assurèrent dès lors que des gens provenant d'un peu partout sur la planète acceptassent de venir peupler ces contrées à la réputation plus ou moins hospitalière. Ils provinrent d'Europe de l'Est, d'Italie, de Grèce, de Chine, puis des Antilles, d'Afrique, d'Amérique latine. Et tous étaient utilisés par le colonialiste dans un but bien précis : noyer un peuple de vaincus qui tentait de prendre sa revanche dans la chambre à coucher. Aujourd'hui encore, et bien que le Québec ait son mot à dire quant aux immigrants qui s'installent sur son territoire (mais non pas les réfugiés politiques), l'objectif demeure le même : Canadianiser les derniers résistants, et assurer ainsi la pérennité de l'enrichissement *canadian* aux dépens du Québec.

Étant donné que la première étape de peuplement ne permit nullement aux Anglais de faire disparaître complètement le fait français du pays qu'ils oeuvraient à construire (mission accompli toutefois dans l'Ouest canadien), ils durent transformer leur approche coloniale de peuplement en une approche dite de domination. Les Canadiens français étaient toujours là, il fallait donc trouver un moyen de les garder à leur place le temps que l'assimilation lente, mais progressive et que l'on voulait surtout inexorable, ne s'accomplisse. Ce qui est conforme aux enseignements de Jean-Paul Sartre, lui qui affirmait que le colonialisme est un système qui carbure au racisme et à la domination de l'inférieur par le supérieur. De lois en lois (bill 17, interdiction des écoles séparées, etc.), de traités en traités (Acte constitutionnel de 1791, Acte d'Union de 1840, etc.), de modifications constitutionnelles (1982) en échecs constitutionnels (Meech et Charlottetown), il fallait à tout prix miner le pouvoir politique que tentait de se donner ce Québec qui n'acceptait toujours pas de se résoudre à sa propre disparition. Et évident est que sous l'égide de Trudeau, Mulroney, Chrétien, Martin ou Harper, cette logique de domination n'a jamais cessé d'être revue, corrigée, mais toujours améliorée. Ce qui démontre bien que le colonialisme politique se porte fort bien en ce pays aux milles montages rocheuses, et aux 3 océans.

Mais il y a un autre élément sur lequel il est impératif de se pencher pour bien établir que colonialisme il y a au Canada. Et cet élément, tel que stipulé par Wolfgang, c'est « l'utilisation politique et idéologique de la différence de développement ». Dans l'esprit de Wolfgang, cette différence de développement concerne principalement le choc qu'il y eut entre les puissances européennes et les pays qu'on qualifie de tiers-mondistes. Il est clair que si l'on ne prend que l'exemple d'Hernan Cortés qui parvint, avec les autres conquistadors espagnols, à soumettre les empires indiens d'Amérique du Sud qui comptaient des millions d'individus, on se rend compte que déséquilibre il y avait entre les deux forces en présence. De fait, Cortés accomplit sa funeste mission avec l'aide de seulement 100 marins et 508 soldats qui possédaient des armures et qui disposaient de 16 chevaux, 32 arbalètes, dix canons de bronze et quelques arquebuses, mousquets et pistolets. La supériorité technologique des troupes de Cortés était sans conteste de nature à permettre massacres par dessus massacres, ce à quoi il se livra avec une joie à peine dissimulée. Francisco Pizarre, cet éleveur de porcs converti en conquistador, put lui aussi dire merci à la supériorité technologique de son pays d'origine face aux empires mayas, aztèques ou incas qu'il contribua comme nul autre à réduire à néant. Sans cette supériorité, il aurait fallu être atteint d'une folie rare pour entrer avec seulement 180 soldats dans Cajamarca comme Pizarre l'a fait pour y affronter une armée de cent mille Indiens![141] Les techniques commerciales et industrielles se doivent aussi d'être insérées dans cette différence de développement entre groupes étrangers qui s'opposent.

Tous les historiens s'entendent pour dire que les empires incas, aztèques ou mayas étaient voués à l'échec dès le départ dans la confrontation qui les a opposés aux puissances européennes qui se lancèrent sauvagement sur la route de l'or. Les armes des Européens permirent à des contingents fort peu nombreux dans les circonstances de remporter des succès militaires qu'on aurait jugés inespérés dans d'autres contextes. Les épidémies ont fait le reste et livré un riche continent dans sa plénitude à l'Espagne, au Portugal, et aux Anglais, Hollandais et Français qui exploitaient déjà en Europe les pays de la péninsule ibérique. Mais dans le cas du Québec, les forces en présence se caractérisaient par un déséquilibre encore plus spectaculaire. Si les armes que les deux forces antagoniques possédaient étaient de puissance équivalente, il y avait tout de même une inégalité qui rejoint le concept de différence de développement et son utilisation que Wolfgang intègre à l'idée de colonialisme.

Tout d'abord, il est clair qu'en ce qui concerne le degré de développement de la Nouvelle-Angleterre et de la Nouvelle-France, tout séparait ces deux mondes. La population des colonies anglaises était alors d'environ 1,5 million d'individus alors qu'elle franchissait à peine, sinon pas du tout, la barre des 60 000 en Nouvelle-France. Qui plus est, des villes comme New York ou Boston reposaient sur une économie florissante qui laissait présager l'empire américain à venir, tandis que la colonie de Louis XIV et de Louis XV parvenait de peine et de misère à se sortir de la récurrence des crises économiques et alimentaires qui ponctuèrent son évolution depuis les débuts. Mais le plus grand déséquilibre auquel on assista dans la guerre quasi permanente que se livraient les deux puissances européennes en terre d'Amérique se produisit à la toute fin de l'agonie de la Neuve-France, c'est-à-dire en 1759. Des témoins du temps rapportèrent, avec moult détails, la composition de l'armée que Wolfe avait réunie pour écraser la Nouvelle-France une fois pour toutes. Quand l'armada de Wolfe eut franchi la dangereuse traverse de l'île d'Orléans, là où une myriade de navires se sont éventrés depuis la fondation de Québec en 1608, celle-ci était alors composée de pas moins de 29 vaisseaux de ligne, 12 frégates et corvettes, 2 galiotes à bombes, 80 transports, 50 à 60 bateaux et goélettes. Sur cette impressionnante flotte prenaient place environ 9000 soldats et 35 000 marins. Les troupes de débarquement que Wolfe était à même de réunir pour prendre d'assaut Québec et pour couper la gorge de la Nouvelle-France étaient donc estimées à environ 37 000 hommes, bien qu'il ne furent jamais plus de 8000 ou 9000 à le faire[142]. Pour faire face à ce vaste déploiement, Montcalm devait quant à lui compter sur le soutien de toutes les forces vives d'une population estimée à 60 000 âmes: indiens, comme miliciens, comme habitants, comme soldats réguliers. Bref, aucune commune mesure!

Immédiatement après la Conquête, les Anglais profitèrent de la différence de développement qui leur avait permis de saccager cette société française pour instaurer un régime d'exploitation qui fonctionnerait à leur profit seulement. Tout le racisme dont ce colonialisme fut capable répondait de principes idéologiques selon lesquels les Anglais formaient la race supérieure et les autres, la française particulièrement, étant tout juste bonnes à assouvir la soif d'enrichissement de l'Empire. Ce système qui reposait sur l'exploitation des Canadiens, puis des Canadiens français, puis des Québécois, dura des siècles. Nous avons amplement démontré précédemment qu'à l'aube même de la Révolution tranquille en 1960, les Canadiens français formaient l'ethnie à peu près la plus pauvre du Québec, son pays même. Un tel drame n'est point survenu parce que ces mêmes Canadiens français souffraient de tares congénitales les empêchant de réussir économiquement aussi bien que les Anglais. Si tel était le cas, c'était tout simplement parce que l'Anglais avait ici agi comme un vampire, prélevant les richesses naturelles comme bon lui semblait et faisant travailler pour des salaires de misère les Canadiens français. Ces derniers devaient de surcroît se salir les mains pour que les descendants des conquérants d'hier puissent se construire de belles et grosses demeures à Westmount, là où ils n'auraient jamais la malchance de rencontrer un *pea soup* puisque ce dernier n'avait absolument pas les moyens d'y résider!

Évidemment, les André Pratte de ce monde répondront à pareille argumentation qu'il est tout à fait inapproprié de parler de colonialisme au Canada, et ce, parce qu'il n'est point question, quand on parle du Canada et du Québec, de deux puissances étrangères. Étant donné que pour, qu'il soit question de colonialisme, il importe que le profiteur soit différent de l'exploité, là se trouve pour eux une intéressante porte de sortie. D'ailleurs, Pratte fait des pieds et des mains dans son livre aux idées vaseuses pour gommer les différences entre Québécois et *Canadians* :

> Les Québécois ont généralement l'impression qu'il existe, entre nous et les Canadiens anglais, un infranchissable fossé d'opinions et de valeurs. Or, des sondages ont révélé plus de similitudes que de différences. Par exemple, une enquête réalisée pour La Presse a démontré que, sur plusieurs sujets sensibles, les Québécois et les Albertains partageaient le même point de vue. Dans les deux provinces, une forte majorité de gens sont favorables au libre choix en matière d'avortement, à des peines plus sévères pour les jeunes criminels, à la publication des photos des pédophiles notoires. Les Québécois sont même plus favorables que les Albertains à ce que des patients puissent payer pour être soignés plus rapidement[143].

Ainsi, Québécois et *Canadians* seraient semblables parce qu'un sondage (!) commandé par *La Presse* (!!!) aurait démontré que, sur certaines questions bien précises, Albertains et Québécois auraient sensiblement la même opinion. Mais ces questions ne couvraient pas suffisamment de dossiers pour qu'elles puissent scientifiquement démontrer que les opinions publiques du Québec et de l'Alberta sont, d'une façon ou d'une autre, semblables. Il aurait par exemple été fort intéressant de sonder les gens sur leur adhésion ou non à l'Accord de Kyoto. Mais de toute façon, ce n'est très certainement pas à partir de tels détails qu'on peut parvenir à établir que deux communautés ethniques font partie de la même nation qui, elle, se définit à partir de critères comme le sentiment d'appartenance commun, les ancêtres, l'histoire, la langue, la religion, etc. D'ailleurs, Wolfgang explique très clairement que la principale différence qui contribue à diviser colonialiste et colonisé et à cimenter dans le temps cette dichotomie, c'est la langue. Et à ce chapitre, les plus vils mercenaires gescaïens n'oseront tout de même jamais prétendre que *Canadians* et Québécois parlent la même langue!

Bien qu'on ne puisse très certainement pas établir de distinctions entre les Québécois d'aujourd'hui et le colonialiste canadien en se basant sur les mêmes critères qu'au temps de la Nouvelle-France (les Français d'un côté et les Anglais de l'autre), il n'en demeure pas moins que les différences culturelles et ethniques entre les deux communautés sont très importantes. Tellement importantes qu'elles empêchent qu'on puisse rejeter d'une quelconque façon l'idée qu'un groupe est présentement exploité par un autre et que ce dernier, en comparaison au premier, constitue une puissance étrangère. En ce qui a trait à la théorie, force est donc de constater que le Québec d'hier comme celui d'aujourd'hui peut être défini comme une colonie soumise à l'exploitation d'une puissance étrangère, la *Canadian*, qui revêt elle aussi, dans cette relation, les attributs du parfait colonialiste. Théoricien important du colonialisme s'il en fut un, Jacques Berque le confirme :

> On ne leur a pas pris leur terre: on les y a enlisés. On ne leur refuse pas la citoyenneté: on l'utilise à leur propre prétérition. On n'a pas interdit leur langue: on l'a seulement disqualifiée, et l'anglais remplace benoîtement le dialecte dès qu'on monte dans la hiérarchie des affaires ou du gouvernement. [...] Ajoutons à cela l'inévitable récusation du pays d'origine, qui vous a lâchés indignement, des ancêtres qui ont transigé, des notables qui trahissent, du clergé qui élude, d'une bourgeoisie dite nationale sans avoir su l'être, d'une revendication ouvrière qui ne serait que trade-unionisme, faute d'idéologie, d'une action d'intellectuels qui ne serait que solitaire aventure, faute d'engagement collectif [144].

Un autre théoricien fort important, Albert Memmi, ne dit pas autre chose :

> Il est évident que l'on n'est pas dominé dans l'absolu, mais toujours par rapport à quelqu'un, dans un contexte donné. De sorte que même si l'on est favorisé comparativement à d'autres gens et à un autre contexte, on peut parfaitement vivre une domination avec toutes les caractéristiques habituelles de la domination, même les plus graves. C'est bien ce qui paraît arriver aux Canadiens français [...] Ce n'est pas seulement une impression relative. Cette relativité s'inscrit dans la condition objective du dominant et du dominé.[145]

Tout ce qui manque aujourd'hui au colonialisme canadien pour être associé aux pires formes de colonialisme que le monde a vécues au fil des ans, ce sont les massacres ou à tout le moins la ratonnade. Massacres et ratonnades, il n'y eut ici qu'au temps de la révolte armée, et ces pratiques violentes de répression sont aujourd'hui remisées. La répression se vit au Canada en 2006 de façon beaucoup plus subtile et perfide, parce qu'essentiellement politique. Mais de toute façon, et comme les spécialistes du colonialisme l'ont bien indiqué, la violence n'est pas au cœur de la définition du phénomène. C'est l'exploitation perpétrée par une puissance étrangère qu'il faut repérer pour se convaincre que colonialisme il y a. Et à ce chapitre, au Québec, colonialisme il y a, c'est l'évidence même.

B) Le colonialisme politique au Québec

En 1966, André D'Allemagne établissait que le colonialisme politique au Québec reposait tout d'abord sur un symbolisme qu'il associait à un « royalisme à teinte féodale »[146] et via lequel on faisait comprendre durement aux Québécois qu'ils étaient sujets d'un empire anglais depuis que la conquête eut lieu au XVIIIe siècle. Aux dires de D'Allemagne, ce symbolisme permettait d'entretenir les sentiments d'infériorité des Canadiens français et de les exploiter ainsi plus facilement parce qu'ils ne se croyaient en rien capables de se prendre en mains. Certains en venaient même à développer de la gratitude à l'égard du colonialiste, parce que tout en l'exploitant, ce dernier lui procurait au moins des emplois de misère. Ils ne comprenaient pas que les emplois de misère accompagnaient l'exploitation perpétrée par l'implanté par la force, et que sans la présence de ce dernier, les perspectives de développement et d'enrichissement pourraient tous les concerner, et pas seulement le maudit colonialiste.

Ce symbolisme de la domination anglaise concernait maints aspects de la vie politique des *Canadians* certes, mais des Québécois aussi. Tout d'abord, D'Allemagne déplorait que le véritable chef de l'État canadien était la Reine d'Angleterre et que les représentants de celle-ci s'imposaient dans la vie politique du Canada et donc du Québec. Du gouverneur général, aux lieutenants-gouverneurs des provinces, toute la vie politique du Canada était teintée par la monarchie anglaise. Aucune loi ne pouvait être sanctionnée sans que les représentants de la Reine n'y apposent leur sceau, les ministres travaillaient pour le bien de la Reine et cette dernière émettait les ordres de comparution en cour. Tous les députés de même que les fonctionnaires devaient lui prêter serment d'allégeance avant d'entrer en fonction. Le lieutenant-gouverneur jouissait aussi de prérogatives bien concrètes : pouvoirs de réserve, dissolution des parlements, présidence de l'ouverture solennelle des sessions parlementaires, droit de gracier des condamnés, de faire des traités, de recevoir et d'envoyer des ambassadeurs, possession des terres de la couronne, etc.

Afin de bien démontrer l'importance de la couronne anglaise pour le Canada et le Québec, mentionnons que dans la seule loi de 1867, les pères de la confédération citèrent pas moins de 17 fois la Reine, 35 fois le gouverneur général et 27 fois les lieutenants-gouverneurs. Dans la loi de 1982, le phénomène ne s'est qu'à peine atténué. De fait, on retrouve la Reine cinq fois, le gouverneur général huit fois et les lieutenants-gouverneurs neuf fois[147]. Et que dire de l'armée canadienne qui entretenait bon nombre de régiments aux noms évocateurs : Royal 22ᵉ régiment, *Princess's Patricia Canadian Light Infantry*, *Governor General's Foot Guards*, *Governor General's Horse Guards* de Toronto, *The Royal Canadian Regiment*, etc. Finalement, la toponymie du territoire québécois reflète elle aussi la réalité monarchique anglaise : Victoriaville (au nom de la reine Victoria, cette reine qui fit pendre les patriotes et sanctionna les massacres en Inde), Mont Royal, avenues du roi et de la reine qu'on retrouve dans plusieurs municipalités du Québec, le *Queen Elisabeth Hotel*, le *George V* à Québec, etc.

Souvent, c'est aussi le gouverneur général qui remplace le premier ministre lors de rencontres avec des politiques étrangers. Le Canada étant une monarchie constitutionnelle, c'est le gouverneur général qui est le véritable chef d'État. C'est pourquoi il fut prétexte à bien des manifestations provoquées par le sentiment nationaliste au Québec. Le plus célèbre de ces cas est très certainement la visite de la Reine Élizabeth II à Québec en 1964 qui avait mobilisé toutes les forces de sécurité du Canada pour faire face au RIN qui se promettait bien de renvoyer dans la figure de la Reine toute la haine dont les Québécois avaient été victimes depuis qu'ils avaient été incorporés de force dans l'Empire britannique.

Bien sûr, André D'Allemagne était conscient que tout ce symbolisme colonial et monarchiste était plus horripilant et humiliant que véritablement dangereux, mais il n'en demeure pas moins que ce symbolisme servit à miner le rayonnement de la québécitude, comme tant d'autres armes que le colonialiste avait entre les mains.

Ce symbolisme colonial n'a pas changé d'un seul iota au Québec depuis les années 1960, et ce, bien que le rapatriement de la constitution de 1982 ait véritablement consacré l'indépendance du Canada face à Londres. Ainsi, la Reine d'Angleterre, qui est toujours le véritable dirigeant du Canada, est régulièrement invitée ici pour venir vivre avec « ses » sujets les moments importants de leur histoire. La dernière fois qu'elle est venue, ce fut au printemps 2005. Aussi, gouverneurs généraux comme lieutenants-gouverneurs ont toujours leur rôle à jouer, et qui plus est, ils tentent de le réinventer pour donner plus d'importance à la fonction en la rendant ainsi éminemment politique. C'est l'ex-gouverneure générale Adrienne Clarkson qui lança le mouvement dans les années 1990. Elle a reçu une vingtaine de dignitaires étrangers à Rideau Hall. Durant son règne, elle s'est rendue dans 6 pays différents pour y rencontrer leurs dirigeants. Et pour ce faire, elle jouissait d'un budget avoisinant les 20 millions $ par année.

Ce rôle politique du gouverneur général fut repris, à n'en point douter, par l'actuelle gouverneure générale, Michaëlle Jean, elle qui s'est donné pour mandat, au son du *God save the Queen* et du Ô Canada, rien de moins que d'éliminer les solitudes au Canada. Une façon comme une autre de dire qu'elle tient mordicus à l'unité canadienne et qu'elle est prête à peser de tout son poids pour la protéger. Ce qui a alors permis au premier ministre fédéraliste du Québec, Jean Charest, de dire qu'il serait toujours à ses côtés pour briser les solitudes[148]. Dans son survol du passé historique du Canada, Michaëlle Jean n'a pas seulement évité de parler des violences commises par les Anglais à l'égard des Canadiens, des Canadiens français puis des Québécois. Elle a même été jusqu'à oser nier que les ancêtres d'un des deux peuples fondateurs du Canada étaient d'origine française. Même la clique à Jean Charest n'a pas osé aller aussi loin dans le révisionnisme historique qu'elle se proposait de faire subir aux programmes d'enseignement de l'histoire.

Mais il n'est que normal que le colonialiste tente ainsi de réécrire l'histoire, en sa faveur. Après tout, la construction d'une nation exige le récit civique, héroïque et mythique qui ne peut très certainement pas intégrer le génocide, la rapine, les viols et le racisme. Le jour où Pratte admettra que les patriotes furent des héros, il admettra du coup qu'il est légitime de combattre courageusement pour la liberté québécoise. Il ne s'y risquera jamais. On peut compter là-dessus!

Lorsque l'équipe du *Québécois* s'en est pris à Michaëlle Jean à l'été 2005 en révélant qu'elle et son mari avaient eu, par le passé, des accointances plus que certaines avec le mouvement indépendantiste et avec sa frange la plus radicale, il fut alors évident pour tous qu'on ne s'attaque pas au symbolisme colonial au Québec sans provoquer des grincements de dents. Parmi ceux qui s'insurgèrent le plus violemment contre l'entreprise libératrice du *Québécois*, l'on retrouve les chroniqueurs politiques des médias fédéralistes et les politiciens serviles qui font œuvre de maintenir encore et toujours le Québec sous la botte des *Canadians*. Pire. Même les chefs des deux formations souverainistes au Québec, le Bloc Québécois et le Parti Québécois, ont fait le jeu du colonialiste en condamnant *Le Québécois* qui n'a fait, au bout du compte, que questionner la pertinence de nommer une femme au passé indépendantiste au poste de gouverneur général du Canada. *Le Québécois* considérait que le simple fait que Michaëlle Jean et son mari, jadis amis de felquistes, aient accepté le poste relevait de la plus pure hypocrisie. *Le Québécois* considérait aussi que le fait que Paul Martin, qui était alors premier ministre du Canada, n'ait pas songé un seul instant que ce passé politique était de nature à semer la zizanie et créer de ce fait une crise politique démontrait fort bien l'étendue de son amateurisme. Au *Québécois*, on s'est toujours dit que l'on devait faire flèche de tout bois, enfin si les indépendantistes désiraient un jour la victoire. On a donc adopté cette attitude dans ce dossier comme dans tous les autres!

Plusieurs, dont Gilles Duceppe, ont fait remarquer que le poste de gouverneur général était obsolète et que par conséquent, la nomination de Michaëlle Jean ne revêtait pas pour lui un très grand intérêt. Il ne servait donc à rien de s'insurger comme le faisaient les artisans du *Québécois*. Duceppe, à l'instar des autres, prouvait ainsi qu'il ne comprenait pas, ou ne voulait pas comprendre, toute la charge émotive que placent les *Canadians* et leurs collabos québécois dans cette fonction liée directement à la monarchie anglaise et que cette émotivité permet de resserrer les liens entre les gens qui partagent un attachement commun pour ce pays. Parmi les éléments les plus en mesure de nourrir les sentiments nationaux, l'on retrouve le symbolisme. Et sans cet attachement commun, tout pays risque l'éclatement, c'est l'évidence.

Au Québec, les véritables symboles nationaux ressemblent bien davantage aux patriotes qu'à la reine – ce n'est d'ailleurs pas pour rien si les deux univers symboliques se partagent la même date de congé férié en mai – , mais ici aussi, ces symboles servent à tisser une communauté que l'on veut la plus fonctionnelle possible. Le combat national que mènent les indépendantistes québécois, tout comme l'exploitation coloniale que mènent les *Canadians*, carbure d'abord et avant tout au symbolisme. Ce n'est que le visage de ce symbolisme et les références qu'il soulève qui changent ici ou ailleurs. D'ailleurs, l'une des premières armes utilisées par un camp ou l'autre pour renverser son adversaire consistent à imposer son univers symbolique à l'Autre. On a donc beau railler les querelles de drapeaux, il n'en demeure pas moins qu'à la base, elles concernent des sentiments qui sont d'une importance capitale lorsque colonialiste et colonisé s'opposent.

Bien évidemment, le symbolisme seul ne peut pas assurer la victoire à un camp ou à l'autre. Il ne peut constituer que la base sur laquelle s'érige toute la démarche nationaliste ou coloniale. Au Canada, les *Canadians* ne peuvent pas seulement chanter les louanges de la couronne britannique et de ses représentants en sol canadien pour que, comme par enchantement, les Québécois oublient leurs propres vestiges du passé. Pour y parvenir, le colonialiste doit aussi contrôler, par la force des armes ou par la puissance des institutions qui sont siennes, la minorité colonisée, de façon à ce qu'elle ne dévie jamais du destin qu'on a déjà tout tracé pour elle : exploitation et assimilation. Dans les années 1960, André D'Allemagne expliquait que les *Canadians* s'étaient donné et avaient imposé une constitution au Québec en 1867 qui attribuait au fédéral tous les pouvoirs dont il avait besoin pour contrôler la minorité vaincue que formaient les Canadiens français. Ces pouvoirs accordaient la suprématie à Ottawa en économie et même dans certains domaines socioculturels.

Grosso modo, la constitution de 1867 établit la prépondérance du fédéral dans les domaines suivants : la monnaie, la banque centrale, les douanes, la défense, les transports et communications d'ampleur supraprovinciale, le droit pénal et la citoyenneté, les pêcheries côtières et intérieures, les Affaires indiennes, les pénitenciers. Il a aussi des pouvoirs prédominants en immigration, en ce qui concerne les impôts et le commerce extérieur. Il jouit de plus de pouvoirs partiels dans les domaines des richesses naturelles, de l'éducation, de la culture et de la sécurité sociale. Et finalement, les pouvoirs résiduaires furent attribués au fédéral.

Non satisfaits de faire reposer la création du pays du Canada sur une constitution qui était tout à l'avantage du pouvoir central, siège du colonialisme, les

Canadians intégrèrent également à cette même constitution des pouvoirs qu'ils ont attribués au fédéral et qui devaient purement et exclusivement servir à contrôler les provinces. Il est ici bien sûr question des pouvoirs de réserve et de désaveu qui permettent, d'une part, aux lieutenants-gouverneurs de réserver au gouverneur général la sanction qu'ils doivent accorder à toute loi provinciale pour qu'elle devienne effective et qui permet, dans de tels cas, au gouverneur général de désavouer une loi provinciale jugée comme contraire aux objectifs de développement du Canada. Bien sûr, aujourd'hui ces pouvoirs sont tombés en désuétude. Depuis les années 1960, ils ne furent jamais utilisés pour régler les différends entre les paliers de gouvernement au Canada. Mais il n'en demeure pas moins qu'ils existent toujours et que les représentants du gouvernement de Trudeau ont jugé bon, en 1982, de les conserver dans la nouvelle constitution canadienne fraîchement rapatriée de Londres. Cela laissait encore et toujours l'État du Québec à la merci du fédéral.

D'aucuns ont jugé tout à fait pertinent que ces pouvoirs soient ainsi maintenus artificiellement en vie, car, compte tenu de certaines situations, ils pourraient être invoqués à nouveau pour éviter le pire au Canada. Le 13 septembre 1996, alors qu'il venait tout juste d'être assermenté comme 26e lieutenant-gouverneur du Québec, le comédien Jean-Louis Roux déclarait : « Si jamais cet état de fait se produit (une victoire du Oui à un référendum), il faudra que je consulte, que je réfléchisse et que je prenne une décision. C'est théoriquement possible que le lieutenant-gouverneur refuse de sanctionner une loi[149]». Roux laissait ainsi entendre qu'il serait possible qu'il ait un jour recourt au pouvoir de réserve pour empêcher la loi devant permettre au peuple québécois de proclamer sa souveraineté d'être sanctionnée. Celui qui se vantait alors aux journalistes d'avoir la couenne dure et d'être capable de rendre la vie cauchemardesque aux souverainistes a dû ravaler bien rapidement son fiel. Certains indépendantistes ont alors révélé qu'il avait fièrement arboré la croix gammée alors qu'il était étudiant. Roux dut démissionner bien piteusement de son poste de lieutenant-gouverneur!

Mais en 2006, est-ce que le fédéral pourrait vraiment avoir besoin de tels pouvoirs pour empêcher le Québec de proclamer sa souveraineté? Pas vraiment. Beaucoup plus efficace serait pour le pouvoir central de recourir à son inique loi C-20 pour ce faire. Comme nous l'avons démontré précédemment, cette loi permettrait à Ottawa de décider si la majorité obtenue et la question posée dans le cadre de l'exercice référendaire étaient suffisamment claires pour qu'Ottawa daigne reconnaître la victoire des forces souverainistes et, par conséquent, s'asseoir à une même table que leurs représentants pour négocier la façon de séparer le Québec du Canada. Comme quoi, les pouvoirs de contrôle et de répression du colonialiste changent avec les époques, mais les objectifs demeurent toujours les mêmes : maintenir dans la soumission la plus totale une minorité colonisée.

La loi constitutionnelle de 1867 ne contenait pas seulement des pouvoirs destinés à contrôler efficacement les provinces. On y retrouvait également le pouvoir déclaratoire -lui aussi conservé en 1982- qui devait assurer à Ottawa la possibilité de toujours être en mesure d'exploiter comme bon lui semble les richesses possédées par les paliers inférieurs de gouvernement. Ce pouvoir stipule que le fédéral peut décréter unilatéralement que certaines infrastructures sont désormais de sa compétence s'il en va de l'intérêt général du Canada. Historiquement, le pouvoir déclaratoire a été utilisé pas moins de 470 fois par le fédéral. Il fut utilisé, par exemple, au cours des années 1930 pour déclarer que désormais, tous les silos à grains des prairies relevaient du fédéral. Même chose au cours des années 1950 alors que l'exploitation de l'uranium (qu'on retrouve au Québec) a été déclarée à l'avantage du Canada. Et même dans les années 1970, Ottawa a jonglé avec l'idée de déclarer que tous les puits de pétrole du Canada relevaient maintenant de sa compétence, et ce, afin de faire face à la crise du pétrole que connaissait alors le monde.

Ce pouvoir « quasi impérial » aux dires du politologue Guy Laforest[150] pourrait donc être utilisé par Ottawa pour mettre la main sur Hydro-Québec par exemple. Le fédéral, pour justifier un tel larcin, pourrait argoter que la situation énergétique est telle au Canada que l'on doit mettre cette richesse que la collectivité québécoise a contribué à se donner au fil des ans au profit de tous, voire des *Canadians*. D'ailleurs, la possibilité qu'Ottawa intervienne dans les affaires d'Hydro-Québec a refait surface pas plus tard qu'au printemps 2005 alors que celui qui était ministre fédéral de l'Environnement, Stéphane Dion, jonglait avec l'idée d'imposer la construction d'une ligne de haute-tension entre certains barrages du Québec et l'Ontario. Il espérait ainsi faire baisser les émissions de gaz à effet de serre tel que l'impose le protocole de Kyoto. Il pourrait aussi être invoqué par le gouvernement colonialiste canadien pour mettre la main sur les réserves de gaz naturel que l'on retrouve dans le golfe Saint-Laurent, surtout que les frontières de la province de Québec n'y sont pas clairement définies, ce qui laisse une marge de manœuvre certaines aux impérialistes du fédéral.

Et que dire de la clause dite de la « Paix, l'ordre et le bon gouvernement » qui permet au fédéral de faire presque tout ce qui lui passe par la tête lorsqu'il considère que les intérêts les plus fondamentaux du Canada sont en jeu? Rien à part que c'est un autre ô combien perfide outil que ce colonialiste a entre les mains pour assouvir ses plus vils instincts.

Contrairement à ce que prétend André Pratte dans *Aux pays des merveilles*, la dynamique canadienne ne fut pas la plupart du temps teintée par des politiques de décentralisation des pouvoirs vers les provinces, mais bel et bien par des manœuvres destinées à accroître le pouvoir du colonialiste d'Ottawa aux dépens des provinces en général, et du Québec en particulier. Dans cette mission, le fédéral subit quelques revers, mais le bilan global démontre que sa progression est inexorable. Comme tous les analystes lucides qui se sont penchés sur l'évolution qu'a connue le Canada depuis 1867, André D'Allemagne était conscient du problème de la centralisation : « Ainsi, le colonisateur resserrait son emprise sur le colonisé, s'identifiait au principe même de l'autorité et réduisait de plus en plus le rôle du gouvernement québécois à celui d'une autorité complémentaire et d'un État fantoche[151]».

En 1962, Raymond Barbeau tenta pour sa part d'être le plus précis possible quant au vrai visage de la centralisation au Canada. Pour ce faire, il établit la liste de toutes les législations qui se voulaient autant d'empiètement sur les compétences du Québec ou qui contribuaient carrément à ce que le fédéral prenne la place de l'État québécois dans divers domaines. La démonstration effectuée à l'époque par Barbeau recoupe en bonne partie celle que nous avons présentée dans la deuxième partie de cet essai et qui concernait elle aussi la centralisation dont a été victime le pouvoir québécois au sein du Canada. Depuis, les choses n'ont pas vraiment changé puisque la dynamique centralisatrice n'a fait que prendre toujours plus d'ampleur, et ce, surtout depuis les échecs référendaires de 1980 et de 1995.

À l'été 2005, le premier ministre du Québec, Jean Charest, avait déclaré aux médias, constatant lui aussi que le Québec perdait encore et toujours des plumes dans la fédération canadienne, que « le gouvernement fédéral changeait la Constitution sans y toucher[152]». Le principal instrument développé par les fédéralistes pour contraindre le Québec à devenir à chaque jour davantage une province comme toutes les autres fut le déséquilibre fiscal. Grâce à lui, le fédéral a étranglé le Québec et ses finances. Ce faisant, l'État du Québec perdit progressivement mais sûrement toute marge de manœuvre, permettant ainsi à Ottawa de lui imposer ses choix en matière de développement. Résumant l'évolution forcée que le Québec subit ainsi, Gilles Duceppe et Louise Harel, dans un texte publié à l'été 2005, clamaient :

> Le Canada mise sur le pétrole, le charbon, le nucléaire et le gaz; le Québec mise sur les énergies propres. Le Québec mise sur la réhabilitation des jeunes contrevenants; Ottawa a imposé la répression. Le Québec a choisi de construire un réseau de garderies abordables; Ottawa a imposé une fiscalité taillée sur mesure pour les garderies canadiennes à 25 $ par jour ou plus, privant ainsi le Québec de plus d'un milliard de dollars en six ans. Le Québec mise sur l'accès à l'éducation post-secondaire avec des frais de scolarité abordables, tandis que la fiscalité fédérale va encore dans un sens opposé et prive le Québec de plusieurs centaines de millions de dollars[153].

Plus précisément, on pourrait dire que, depuis 1995, le fédéral a fait des pieds et des mains pour enfermer le Québec dans une logique provinciale (ce sont les mots du directeur de *L'Action nationale*, Robert Laplante) de façon à éliminer enfin les relents de fédéralisme qui coordonnaient toujours le développement du pays, de façon à tendre chaque jour davantage vers le pays unitaire dont rêvait le *Canadian* en chef : John A. MacDonald. Cela a poussé le fédéral à développer toute une série de mesures qui rognaient toujours un peu plus, à chaque jour, les prérogatives du Québec. Alors député du Bloc Québécois, Yves Rocheleau en a fait une liste très complète et a présenté précisément la multiplication de ces initiatives dans tous les domaines. Énumérons-en seulement quelques-unes: la fondation des Bourses du millénaire, la loi sur les jeunes contrevenants, la politique sur la ruralité, la politique sur le secteur bénévole et communautaire, la stratégie nationale de développement agricole, les chaires universitaires, la stratégie nationale sur les soins de fin de vie, la loi sur les renseignements personnels, les normes nationales en matière d'entrée dans la profession médicale, la stratégie nationale d'innovation technologique, les règles fédérales d'évaluation environnementale, la loi sur les espèces menacées, le pouvoir éventuel de dérivation des rivières québécoises branchées sur le Saint-Laurent, le programme de commandites, le programme de subventions multiples dans le domaine de la culture, l'éventuelle commission nationale des valeurs mobilières, l'éventuel système national d'assurance-maladie, l'éventuelle carte d'identité nationale, le programme de financement de la recherche post-secondaire, la stratégie nationale de logement, la stratégie nationale pour les sans-abri, l'aide à la petite enfance, le programme sur les aires marines, l'aide aux municipalités, etc[154].

Afin de se donner les moyens de centraliser toujours davantage les pouvoirs au Canada, tout en violant les champs de compétence des provinces, le fédéral a imposé l'Union sociale au Québec en 1999. Conscient que le Québec subissait une nouvelle fois les assauts centralisateurs du colonialiste *canadian*, le premier ministre Lucien Bouchard refusa d'apposer sa signature au bas dudit document. Tout comme ce fut le cas en 1982, peu importait au fédéral que le Québec soit d'accord ou pas. Le fait était que l'Union sociale s'imposerait à lui quoi qu'il en dise. Concrètement, l'Entente sur l'Union sociale confirma l'existence et le droit qu'a le fédéral d'utiliser comme bon lui semble le pouvoir de dépenser, celui-là même que Robert Bourassa tenta de faire limiter en 1987-1990. L'Union sociale réfutait aussi une conception de la fédération canadienne qui est largement répandue au Québec et qui stipule que les provinces ne devaient pas être considérées comme identiques les unes aux autres. Par cette entente, le fédéral se donna la permission de transiger directement avec des organismes ou des individus sans se préoccuper des compétences provinciales, même si le sujet des négociations relevait directement des compétences du Québec. Noir sur blanc était également inscrit dans ce document que les provinces ne pourraient plus établir de nouveaux programmes dans leurs champs de compétence sans en informer le fédéral qui pourrait alors autoriser la création desdits programmes si ceux-ci respectaient des normes nationales qui ponctueraient dès lors la vie politique au Canada. Plus impérialiste que jamais, le fédéral qui força l'adoption de l'Union sociale jugea bon d'inclure une clause qui stipulait très clairement qu'une province qui déciderait de se retirer d'un programme fédéral conçu à partir de normes nationales n'obtiendrait pas de compensation financière comme ce fut le cas sous le règne de Lester B. Pearson par exemple (*opting out*). Les provinces devaient se plier aux diktats du fédéral ou alors perdre l'argent qu'elles avaient contribué à placer dans les caisses d'Ottawa. Et finalement, comme on pouvait s'en douter à l'aune des précédentes considérations colonialistes, aucune reconnaissance du peuple québécois ne fut consignée dans cette entente des plus impérialistes.

Dans la description du phénomène centralisateur qu'a produite Raymond Barbeau, l'on trouve aussi des passages fort intéressants sur les satellites politiques qui gravitaient autour du gouvernement sans en relever directement et dont se servait Ottawa pour contourner certaines dispositions de la constitution qui lui permettaient ainsi d'accélérer le processus de centralisation des pouvoirs en cours. Ceux qui ont retenu l'attention de Barbeau étaient : le conseil canadien du bien-être, l'Association canadienne des diabétiques, la Société canadienne de la Croix-Rouge, la Fondation canadienne pour la poliomyélite et la réadaptation, l'Ordre des infirmières de Victoria, l'Institut national canadien pour les aveugles, la Ligue canadienne de la Santé, l'Association ambulancière Saint-Jean, l'Association canadienne antituberculeuse, l'Institut national du Cancer du Canada, la *Canadian Hearing Society*, l'Association canadienne d'Hygiène, la Société canadienne du Cancer, *National Heart Foundation of Canada*, l'Association canadienne de paraplégie, le Conseil canadien pour les adultes et les enfants infirmes, la Société canadienne de l'arthrite et du rhumatisme, la Société canadienne de la sclérose en plaques, l'Association canadienne pour les enfants arriérés, l'Association canadienne de dystrophie musculaire, la *Canadian Education Association*, la *Canadian Teacher's Federation*, *L'Industrial Foundation on Education*, la Fondation des universités canadiennes, la *Canadian manufacturer's Association*, l'Association canadienne des dessinateurs industriels, le Conseil des Arts du Canada, le groupe canadien des peintres, la Corporation canadienne des musées, la Société canadienne des Arts graphiques, la Société canadienne des aquafortistes et des graveurs, des aquarellistes, des jardiniers et urbanistes, la *Community Planning Association of Canada*, la Fédération des artistes canadiens, l'Académie royale canadienne des Arts, l'Institut royal d'architecture du Canada, la Société des sculpteurs du Canada, le *Canadian Institute of Public Affairs*, l'Office national du film, etc.

Aujourd'hui, bon nombre de ces associations existent toujours et servent toujours au fédéral pour pénétrer des domaines de compétence du Québec. Mais le fédéral en a depuis créées plusieurs nouvelles. En voici quelques-unes telles que répertoriées sur le site du gouvernement du Canada : Agence de santé publique du Canada, Agriculture et Agroalimentaire Canada, Secrétariat national à l'Alphabétisation, Centre canadien de lutte contre l'alcoolisme et les toxicomanies, Centre canadien d'hygiène et de sécurité au travail du Canada, Centre national des Arts, Commission canadienne du lait, Commission du droit d'auteur du Canada, Condition féminine Canada, Développement économique Canada pour les régions du Québec, Musée des beaux-arts du Canada, Musée virtuel de la

Nouvelle-France, Patrimoine canadien, Programme canadien de Prêts aux étudiants, Ressources naturelles Canada, Santé Canada, et ce, sans compter les organismes qui ne relèvent pas directement du gouvernement du Canada mais qui font œuvre tout de même de propagande canadienne en obtenant des subsides du fédéral.

Dans ce registre, on retrouve aussi Katimavik, le programme canadien de service volontaire pour la jeunesse qu'a fondé le sénateur Jacques Hébert, sous la demande de Pierre Elliott Trudeau, en 1977. Katimavik, qui est aujourd'hui présidé par Justin Trudeau, n'est rien d'autre qu'un camp de rééducation pour les Canadiens et les Québécois. Par l'entremise de stages et de séjours passés dans des familles des quatre coins du Canada, on tente d'insuffler dans la tête des jeunes qui y participent un sentiment national bien canadien. Pour s'assurer que les choses se déroulent ainsi, l'on désigne même un surveillant assigné à chacun des groupes. Les fondations Hnatyshyn ou Historica sont du même acabit. Elles visent elles aussi les jeunes Canadiens de façon à ce que leur soit inculquée une histoire nationale, c'est-à-dire canadienne, ce qui leur permettra, espère-t-on, de les transformer en bons citoyens épris totalement d'une unité nationale sans faille.

La fin du XIXe siècle et le début du XXe constituèrent une époque troublée pour le Québec dans sa nouvelle appartenance à la fédération canadienne. D'une part, Louis Riel venait d'être pendu sur l'autel du *nation building canadian*, mais surtout, le Québec fut contraint de participer à des guerres impériales dont il ne reconnut jamais le bien-fondé. Dans la première partie de cet essai, il fut abondamment question de la guerre des Boers de 1899-1902, de la Première Guerre mondiale ainsi que de la Seconde. L'on tenta alors de démontrer que les Canadiens français devaient, qu'ils le veuillent ou non, s'enrôler dans l'armée de Sa Majesté où ils y étaient discriminés, et ce, afin de participer aux guerres de l'Empire. En 2006, peut-on dire, sans sombrer dans le ridicule, que le Québec est plus libre qu'il ne l'était auparavant à ce chapitre et que s'il décide de s'opposer à toute participation à un conflit armé, le Canada le respectera dans ses choix? Pas le moins du monde.

Depuis les attentats du 11 septembre 2001, le Québec a amplement fait la démonstration qu'il n'endossait nullement l'idée selon laquelle le terrorisme justifiait des guerres préventives, concept imaginé dans les esprits tordus de quelques militaristes d'extrême droite qui contrôlent la Maison-Blanche depuis le début des années 2000. Leurs idées néfastes auront plongé le monde dans un conflit opposant tout d'abord les États-Unis, mais également le Canada et le Québec, aux talibans afghans. Si d'emblée le Canada ne devait que participer à une opération de maintien de la paix dans cette région du monde, il fut depuis prouvé à maintes reprises que les soldats canadiens participent, aux côtés des marines, à une âpre chasse aux militants talibans. Au moment d'écrire ces lignes, le Canada avait perdu 24 soldats en Afghanistan et les soldats du Royal 22^e

Régiment s'apprêtaient à prendre la relève du *Princess Patricia's Canadian Light Infantry*. Pourtant, jamais l'opinion publique du peuple québécois n'a été le moindrement en faveur de telles opérations. Tout comme les Québécois ont de façon spectaculaire démontré qu'ils étaient contre toute guerre menée par l'oncle Sam en Irak pour y déloger Saddam Hussein. En 2003, les Québécois étaient d'ailleurs descendus par centaines de milliers dans les rues de Montréal pour bien marquer leur opposition, une des plus fortes démonstrations qui allaient en ce sens à l'échelle planétaire. Le Canada anglais, lui, ne leva pas le petit doigt. Cela n'a pas empêché depuis le Canada de s'enligner toujours davantage sur la politique américaine au Moyen-Orient. Et ce n'est très certainement pas le gouvernement de Stephen Harper, lui qui multiplie les appuis à Israël qui tente d'écraser une mouche libanaise avec un canon américain, qui modifiera un tant soit peu cette politique. Et qu'y peut le Québec? Rien. À part de dire au revoir à ses fils et ses filles enrôlés dans l'armée du colonialiste canadien, eux qui iront se faire tuer pour de mauvaises raisons. Ou pire, qui tueront sans être d'accord avec la mission poursuivie, et ce, tout simplement parce que le colonialiste les y oblige.

Au début du XXᵉ siècle, le Canada fut contraint de payer pour la construction d'une marine de guerre qui faisait cruellement défaut à la métropole anglaise qui multipliait les conflits. Si les *rednecks* du reste du Canada jubilèrent à la seule idée que leur dominion apporte un véritable soutien à l'Empire britannique, du côté des Québécois la réaction fut beaucoup plus timorée. Les Québécois considéraient que le Canada n'avait pas à financer ainsi l'œuvre guerrière de Londres. Et pourtant, le Québec dut payer sa juste part des dépenses ainsi encourues. Comme le Québec dut au début de l'année 2006 accepter le fait que les nouvelles dépenses militaires de l'ordre de 15 milliards $ annoncées par Stephen Harper seraient, en partie portées à leur compte.

Tout ceci pour dire qu'il n'y a que les fédéralistes à la sauce André Pratte pour ne pas percevoir la véritable personnalité du Canada telle qu'établie en 1867 et telle que conservée en 1982. Une personnalité qui en est une éminemment impérialiste et tournée contre la spécificité québécoise. Au cours de la campagne ayant mené à la création du Canada, John A. MacDonald, principal artisan de cette créature coloniale, affirmait :

> Le vrai principe d'une fédération consiste à donner au gouvernement général tous les pouvoirs de la souveraineté, et à statuer que les États individuels et subordonnés n'auront que les pouvoirs qui leur seront expressément assignés. Nous avons concentré la force dans le gouvernement général. Nous avons déféré à la législature générale toutes les grandes questions de législation. Nous lui avons conféré non seulement en les spécifiant et détaillant, tous les pouvoirs inhérents à la souveraineté et à la nationalité, mais nous avons expressément déclaré que tous les sujets d'intérêt général, non délégués aux législatures locales, seraient du ressort du gouvernement fédéré.[155]

Dans la même veine, mais en plus brutal, le député M.C. Dunkin déclara à la Chambre des communes : « La confédération ne laisse aucune autonomie aux diverses provinces et tend plutôt à la négation de toute autonomie. Malgré la latitude qu'on laisse aux provinces de se donner une constitution, on leur impose, sous certains rapports, un joug de fer ». On peut difficilement être plus clair quant à la vocation réelle que l'on attribua à la loi constitutionnelle de 1867. Même un historien honnête tel que l'anglophone Ramsay Cook a qualifié l'esprit de 1867 comme une tentative pour « faire du Canada un pays très centralisé où Ottawa jouerait le rôle de Londres et les nouvelles provinces, celui des colonies[156]».

Nul doute, Raymond Barbeau avait raison de conclure son livre en affirmant qu'on « ne pourra jamais sauver le Canada français en restant dans la Confédération, car le Québec est une colonie de facto d'Ottawa »[157].

C) Le colonialisme socio-économique au Québec

Toute œuvre coloniale a, pour vocation, d'exploiter économiquement un groupe humain quelconque. Bien que la conquête procure au pays vainqueur un prestige certain aux yeux des autres puissances, il n'en demeure pas moins que l'argent occupe toujours une place prépondérante au cœur des aspirations des impérialistes en herbe. De ce fait, il est clair que la Conquête de 1760 répondait certes d'un besoin de sécurité de la part d'Anglais qui ne pouvaient souffrir davantage la présence de Canadiens qui savaient manier les armes comme à peu près nul autre, mais les ressources d'ici y furent pour bien davantage dans la décision d'éliminer la Nouvelle-France. Bien évidemment, cet objectif mercantile ne s'est nullement atténué avec les décennies, et de conquis sur les plaines d'Abraham, le Canadien français est devenu l'exploité dans un système colonial inventé et conçu par un conquérant désireux de s'enrichir toujours plus.

Comme nous l'avons démontré dans la première partie de cet essai, la Conquête de 1760 fut le début de la fin pour l'économie canadienne qui était alors en plein développement. Dans les années 1960, André D'Allemagne ainsi que les historiens de l'école de Montréal diffusaient déjà ce message. En fait, de dire D'Allemagne :

> Au moment de la Conquête, le tiers de la population vivait dans les villes et s'y livrait à l'industrie et au commerce. Les échanges étaient nombreux avec la France et les Antilles. Le pays comptait une quarantaine de millionnaires.
>
> La Conquête, s'ajoutant au coût de la guerre, entraîna la ruine de la bourgeoisie canadienne. Les marchands anglais s'emparèrent alors du domaine économique dans lequel les Canadiens français ne purent pénétrer par la suite qu'à titre de subalternes et d'intermédiaires[158].

Des nègres blancs en leur pays donc. Du *cheap labor* pour faire fonctionner les industries et les manufactures d'Anglais qui ne vouaient à ce peuple qui l'enrichissait que mépris et haine. « *Speak white* » osaient-ils même dire encore récemment si les porteurs d'eau osaient s'adresser à eux dans la langue de leurs ancêtres!

Évidemment, il serait fort malhabile de prétendre aujourd'hui que les Canadiens français d'hier devenus depuis des Québécois subissent les mêmes mauvais traitements. Il est clair que la Révolution tranquille a redonné une fierté à ce peuple qui en avait bien besoin et que cette fierté lui a permis, avec l'aide déterminante de l'État québécois, de se reprendre en partie en mains. De l'ethnie la plus pauvre qu'ils formaient dans les années 1950, les Québécois sont parvenus à améliorer leurs conditions économiques de façon certaine.

Mais l'écart entre les Anglais du Québec et les Québécois de souche demeure tout de même encore aujourd'hui. De fait, les francophones du Québec avaient des revenus de 33 % inférieurs à ceux des Anglais en 1960. En 1970, l'écart n'était plus que de 25 %, alors que depuis 1980, les revenus des francophones demeurent inférieurs de 10 % à ceux des anglophones, écart qui demeure stable depuis. Il faut toutefois noter que l'écart entre les revenus des francophones et des anglophones à Montréal a été historiquement beaucoup plus faible que dans le reste de la province, ce qui influe considérablement sur cet écart tel que considéré dans sa dimension québécoise. Si tel était le cas et si tel est toujours le cas (en fait, la tendance tend à s'accentuer), ce n'est très certainement pas parce que les francophones et les anglophones, ayant appris à se connaître à force de se côtoyer dans les rues de la métropole, ont fini par s'apprécier davantage donnant un dur coup au système d'exploitation imaginé par des colonialistes anglais d'outre-Outaouais. Non pas! Ce qui explique une telle situation, c'est qu'au Québec, un francophone bilingue (lire qui travaille en anglais pour s'adapter à un marché qui fait très peu de place aux francophones) gagne davantage qu'un francophone unilingue, mais toujours moins qu'un anglophone, bilingue ou pas. Et les francophones bilingues en voie d'assimilation sont beaucoup plus nombreux à Montréal qu'ailleurs en région, ce qui explique que l'écart s'y resserre. « Tout au long du siècle, les francophones unilingues gagnaient des revenus nettement inférieurs », de dire à ce sujet l'historien et professeur de sciences économiques, François Vaillancourt, et Ruth Dupré, professeure d'économie[159]. Ce qui signifie que le rattrapage noté par les démographes entre les francophones et les anglophones à l'échelle du Québec est moindre que ce qu'on serait porté à croire, rattrapage que soulignent à gros traits les fédéralistes qui souhaitent faire croire au bonententisme entre francophones et anglophones au sein du Canada. La réduction de l'écart est principalement due à l'assimilation de francophones à la langue de travail qu'est l'anglais à Montréal, phénomène qui a tendance à empirer depuis les années 1990, les démographes sérieux l'ayant tous observé. Mais ça, ils sont plutôt rares ceux qui osent le confirmer…Enfin, chez Gesca!

Qui plus est, l'écart de revenus entre les Québécois (comprenant les revenus des anglophones du Québec) et les citoyens du reste du Canada se maintient au même niveau depuis des décennies. En 1998, le revenu moyen était de 17 199 $ au Québec et de 19 390 $ dans le reste du Canada, alors qu'en 2004, il était toujours de 21 631 $ au Québec et de 23 918 $ dans le reste du Canada[160]. L'écart devient évidemment encore plus important lorsque l'on fait la comparaison entre le Québec et l'Ontario. De fait, en 1998, le revenu moyen des Ontariens était de 20 363 $ et de 24 618 $ en 2004. Le conseil économique du Canada notait, en 1963, que le revenu personnel était de 1521 $ au Québec, et de 1532 $ pour la moyenne canadienne. C'est donc dire que l'écart des revenus entre le Québec et le reste du Canada s'est maintenu depuis 40 ans et qu'il serait encore plus important si on ne considérait que les francophones du Québec.

Le taux de chômage a été aussi historiquement plus élevé au Québec que dans le reste du Canada. Au début de la Révolution tranquille, il était de 10,13 % au Québec comparativement à 7,18 % au Canada. Les indépendantistes des années 1960 expliquaient cet écart en arguant, à juste titre, que les Canadiens français ne pouvaient pas diriger leur économie, car tous les leviers économiques étaient contrôlés par Ottawa qui ne visait qu'une chose : l'exploitation toujours plus efficace de la « belle province ». Malgré tous les progrès économiques qu'a connus la collectivité québécoise depuis les années 1960, il n'en demeure pas moins que l'écart entre le taux de chômage du Québec et celui du reste du Canada reste sensiblement le même. En juillet 2006, il était de 8,1 % au Québec et de 5,9 % dans le reste du Canada[161].

Évidemment, bien des facteurs économiques sont en mesure d'expliquer que les revenus des Québécois sont historiquement plus faibles que ceux des Anglais du reste du Canada. Nous ne sommes pas économistes et nous ne nous risquerons pas à faire intervenir les technicalités qui sont en mesure de mieux faire comprendre le phénomène. Mais il est quand même indéniable que le colonialisme qui s'est assuré de maintenir des décennies durant les francophones du Québec au bas de la hiérarchie économique y est pour beaucoup, tout comme la spoliation des ressources naturelles perpétrée au Québec sans développer le secteur de la transformation handicapa le développement économique de la province. Et que dire des ententes prises par le fédéral pour favoriser l'Ontario ou le reste du Canada au détriment du Québec? Les cas de la voie maritime du Saint-Laurent dont la construction fut terminée en 1958 ou le transfert des activités portuaires de Gaspé à Halifax, deux cas dont nous avons parlé précédemment, le démontrent amplement.

Quant à eux, les spécialistes de l'économie québécoise que sont Vaillancourt et Dupré expliquent que la réduction de l'écart entre la pauvreté qui sévit au Québec entre les francophones et les anglophones, de même que celui existant entre le Québec et le reste du Canada, fut atteinte par le travail des Québécois et leur travail seulement. Le coup de barre qui fut donné dans les années 1960 par les néonationalistes qui considéraient que le Québec ne pouvait plus se payer le luxe d'avoir un système d'éducation aussi moribond, qui ne permettait qu'à une infime partie de la population de s'instruire, explique en bonne partie la progression de la collectivité québécoise. Grâce à la création du ministère de l'Éducation lors de la Révolution tranquille, ce qui a permis la construction d'un nombre très important de polyvalentes publiques auxquelles tous avaient accès, de même que la fondation du réseau des cégeps et des universités du Québec, ont permis aux francophones du Québec de s'instruire beaucoup plus efficacement. Et avec l'instruction, les Québécois ont amélioré leur sort économique. Un autre outil majeur que se sont donné les Québécois pour se sortir de la misère furent les sociétés publiques et parapubliques comme Hydro-Québec. Grâce à elles, il devenait possible pour les francophones d'obtenir des emplois bien rémunérés dans des entreprises que les leurs contrôlaient, ce qui éliminait les comportements discriminatoires dont ils étaient victimes dans les entreprises des Anglais. Bref, ce n'est en rien grâce au colonialiste *canadian*, bien au contraire, que les Québécois purent améliorer leur situation au Québec depuis les années 1960.

Afin de prouver que les Québécois ne sont plus colonisés, les fédéralistes font régulièrement intervenir l'argument selon lequel les francophones possèdent aujourd'hui de grandes entreprises qui sont à l'image de la réussite économique du Québec. À ce sujet, il importe de dire que, si de la Conquête aux années 1960, les Canadiens français ne possédaient à peu près aucune entreprise d'importance au Québec, force est de constater que depuis les années 1960, on a assisté à un certain rattrapage en ce domaine. Mais à un rattrapage seulement qui ne permet en rien au Québec de se considérer enfin sorti du bois.

Selon les analyses des 500 grandes entreprises du Canada effectuées par le *Financial Post* à la fin des années 1990, il était démontré que la performance ontarienne dans le domaine des grandes entreprises au Canada surpassait celle de toutes les autres provinces, le Québec y compris. En effet, 234 des 500 grandes entreprises canadiennes oeuvraient en Ontario, où elles enregistraient des revenus de l'ordre de 366 milliards $ par année. Elles embauchaient 1,4 million de travailleurs et possédaient des actifs de 629 milliards $. Le Québec, quant à lui, comptait 106 grandes entreprises qui totalisaient des revenus de l'ordre de 163 milliards $. Elles embauchaient 590 369 personnes et possédaient des actifs de 254 milliards $. Ce qui n'est quand même pas rien. Si le déséquilibre entre l'Ontario et le Québec était manifeste, cela était en partie dû aux cinq grandes banques canadiennes qui, toutes installées qu'elles sont à *Bay Street*, Toronto, ont autorisé à la fin des années 1990 des prêts de 525,7 milliards $ à des entreprises ontariennes et de seulement 85,4 milliards $ à des compagnies québécoises. À l'évidence, ce soutien financier a permis un développement plus important des entreprises ontariennes que toute autres entreprises canadiennes. Pour faire face à cette puissance bancaire de *Bay Street* qui contrôle bon an, mal an, 93 % de tout l'actif bancaire au Canada, le Québec ne peut compter, lui, que sur la Banque Nationale et la Banque Laurentienne qui représentent respectivement 5,5 % et 1,3 % de l'actif des huit premières banques du Canada.

Évidemment, lorsqu'il est question de grandes entreprises du Québec, cela ne signifie pas qu'elles sont sous le contrôle du Québec français. Loin s'en faut! Les actifs des entreprises francophones membres du club des 500 (44 sur 106 en 1998) représentaient tout juste 40 % des actifs de toutes les sociétés québécoises membres de ce club sélect. 40 % sous le contrôle d'une frange linguistique qui représente pas moins de 82 % de la population totale du Québec! Une telle situation a fait dire à Rosaire Morin, ex-directeur de *L'Action nationale* :

> Le poids des « Français du Québec » dans l'économie est minime. L'infériorité économique les maintient dans un état de vassalité, d'obédience, de servitude. Un état colonial. La richesse économique des « Français du Québec » n'atteint pas le quart de leur importance numérique[162].

Rosaire Morin a également démontré de façon limpide dans les pages de *L'Action nationale* que les montants d'argent que les Québécois plaçaient dans les institutions financières sous forme d'épargne étaient déportés ailleurs au Canada ou carrément à l'étranger, là où ils servaient à développer l'économie des concurrents du Québec. À la fin des années 1990, ce n'était rien de moins que 300 milliards $ de l'argent des Québécois qui servaient l'économie de nations qui le colonisent depuis des lustres! L'un des fleurons de la Révolution tranquille, la Caisse de dépôt et placement, adoptait le même genre de pratique en 1998. C'est-à-dire qu'elle investissait majoritairement l'argent des caisses de retraite des Québécois à l'étranger ou au Canada, ce qui est pour le moins scandaleux! L'institution qui incarna peut-être mieux que nulle autre la libération partielle du peuple québécois au cours des années 1960 se comportait, en 1998, exactement comme les institutions bancaires des Anglais, elles qui avaient contribué de façon formidable à l'asservissement économique du peuple québécois. Mais l'on peut se consoler en se disant que la Caisse de dépôt n'était point la seule à agir de la sorte. En fait, pas moins de 200 milliards $ que les Québécois avaient placés dans le Régime des rentes du Québec, dans les régimes enregistrés de pension et les régimes enregistrés d'épargne-retraite étaient exportés à l'étranger pour développer des économies qui concurrençaient leur État et leurs entreprises. Très précisément, les caisses de retraite des Québécois investissaient 79,24 % de leurs avoirs dans d'autres provinces ou pays à la fin des années 1990, situation qui n'a pas évolué depuis…[163] Même situation du côté des placements faits par les Québécois dans des institutions comme *Investors*, *Trimark*, *Royal*, *Scotia*, *CIBC*, etc. Elles aussi utilisent l'argent des Québécois à leurs dépens! C'est d'une véritable saignée dont il est question. Des centaines de milliards $ qui échappent chaque année aux Québécois, et pourtant, c'est de leur argent dont il est question. C'est surréaliste! Et après ça, des fédéralistes tels qu'André Pratte viennent nous dire que nos ennemis en face n'ont nullement nui au développement du Québec français… Mieux vaut entendre ça que d'être sourd!

Historiquement, le colonialiste canadien a trouvé deux grands avantages à asservir le Québec. Il pouvait d'une part jouir d'une main-d'œuvre à bon marché tel qu'on vient tout juste de le démontrer. Mais il pouvait en plus voler les ressources naturelles qui se trouvaient au cœur même de ce combien riche territoire. Nous avons démontré antérieurement comment les Anglais se sont emparés des fourrures, des pêcheries, de la forêt et du sous-sol du Québec au XVIIIe et XIXe siècles. Ces derniers se sont comportés ici comme tout bon colonialiste le fait en mettant le pied sur un nouveau territoire conquis : il spolie les populations locales de leurs sources de richesse. En Amérique latine, les Espagnols et les Portugais se sont rapidement lancés à la chasse à l'or et à l'argent, tuant tout sur leur passage. Les mines qu'ils ont ainsi développées diffusèrent massivement du mercure dans l'environnement, empoisonnant et les travailleurs et les résidants des alentours. La vie dans les mines des Européens était si misérable que les Indiens se suicidaient pour ne pas être obligés d'y mettre les pieds. Lorsque les réserves en or, en argent et en cuivre furent épuisées, les Européens imposèrent la culture de la canne à sucre, du café ou de la banane aux rares autochtones qui avaient survécu aux premiers carnages. Des forêts furent détruites presque totalement pour faire place aux seules monocultures qui sont lucratives, alors que plus personne ne produisit de denrées alimentaires (agriculture et élevage), ce qui créa un problème de malnutrition parmi les populations locales. Les sols furent appauvris à un point tel qu'ils ne rapportèrent presque plus rien. Lorsque des capitalistes européens et américains firent chuter le marché du café, du sucre ou de la banane, de façon à se procurer ces produits à un prix ridicule auprès des Indiens, produits qu'ils revendaient par contre toujours à prix d'or dans leurs propres marchés, les Indiens se retrouvèrent fort pris au dépourvu. Ils n'avaient plus rien à manger et leur environnement dévasté ne pouvait plus produire suffisamment pour corriger la situation. Malnutrition, maladies et mortalité infantile s'en suivirent[164].

On pourrait difficilement dire que la situation des ressources naturelles fut aussi dramatique au Québec qu'en Amérique latine. Mais elle fut tout de même assez violente pour que l'on puisse l'associer pleinement à un système colonial. Les forêts furent ici aussi dévastées par un étranger qui ne pensait qu'aux profits et nullement aux générations futures. Seulement 3,4 % de tout le territoire québécois, qui est trois fois grand comme la France, est à l'abri de toute exploitation forestière et industrielle. Une partie importante du territoire appartient donc à des compagnies anglo-américaines, à des gestionnaires de CAFF (contrats d'approvisionnement et d'aménagement forestiers), à la couronne, etc., mais pas au peuple québécois. Le rapport Coulombe déposé à la fin de 2004 démontrait que les forêts du Québec étaient surexploitées. Lorsque la forêt, sous l'effet des coupes à blancs, n'est plus assez forte pour supporter pareille exploitation, les compagnies étrangères abandonnent des régions au complet à la pauvreté. Parce que tout ce bois était transformé à l'étranger, l'économie de ces régions ne se diversifia pas et ne put jamais vraiment faire face aux conséquences de la diminution de l'exploitation forestière. L'appauvrissement les frappa alors de plein fouet.

Ceux qui sont engagés comme travailleurs forestiers se retrouvent, dans une proportion de plus de 85 %, sur l'assurance-emploi à un moment ou l'autre de l'année. Même la caisse de l'assurance-emploi qui est si importante pour les travailleurs québécois se mettant au service des Anglais ne leur appartient pas. C'est le fédéral qui la gère à sa guise, détournant les fonds qui s'y trouvent, bien souvent pour financer des opérations destinées à violer les compétences du Québec. Le colonialisme n'est jamais autre chose qu'un infernal cercle vicieux!

Tout comme les Européens avaient brisé les reins de l'industrie du café ou du sucre en Amérique latine au XIXᵉ siècle, les Américains, en surtaxant le bois d'œuvre canadien, ont causé un tort considérable à cette industrie au Québec. Pourtant, le Canada et les Américains ont signé un traité de libre-échange qui devrait empêcher pareille pratique. Mais les Américains, les plus grands colonialistes de l'histoire de l'humanité, ne respectent que les traités qui les favorisent. Les conditions n'étaient pas vraiment plus faciles pour les francophones dans les manufactures des villes du Québec que dans les régions. Là aussi les salaires suffisaient à peine à nourrir les familles nombreuses. Par conséquent, le Québec se retrouva avec des problèmes liés à la malnutrition. Il eut d'ailleurs longtemps le triste record de la plus importante mortalité infantile en Amérique du Nord. L'espérance de vie au Québec était également inférieure à celle que l'on retrouvait dans le Québec anglophone, au Canada anglais et aux États-Unis.

Dans les mines, la vie des Canadiens français était tout sauf facile. Des conditions de travail de misère pour des salaires de misère. Nombreux furent les mineurs qui perdirent leur santé au fond des trous, lorsque ce n'était pas leur vie carrément. Après le départ des compagnies étrangères qui exploitaient son sous-sol, l'Abitibi s'est retrouvée plus polluée que nul autre endroit au Québec. Des trous béants en guise de paysage où croupissait une eau empoisonnée par les métaux lourds. Jamais les compagnies n'ont proposé de réparer les dégâts, ni ne furent contraintes à le faire par les gouvernements. À ce sujet, le Dr Slikoff disait : « Nous pouvons juger de la distance entre l'usine Noranda et les maisons où habitent les enfants par la quantité de cadmium que nous trouvons dans leur urine[165]».

Au Québec, à chaque année, il y a en moyenne 150 décès qui surviennent au travail. Il y a aussi de 300 000 à 325 000 accidents du travail ou cas de maladies professionnelles qui sont diagnostiquées. De ce nombre, seulement 130 000 travailleurs sont indemnisés. Les pires milieux de travail sont évidemment industriels, là où oeuvrent les compagnies anglo-américaines. Pour éviter de dédommager les Québécois dont ils brisent les vies, les directions de ces compagnies ont recours à des médecins mercenaires qui sont devenus experts pour dissimuler les maladies professionnelles. Ces médecins sont Québécois et participent, comme les politiciens fédéralistes, à entretenir un régime qui exploite et les gens et le pays du Québec.

Si, hier, les Québécois devaient assister impuissants au saccage de leurs ressources naturelles, étant même contraints de contribuer au carnage qui enrichissait celui qui les colonisait (car ils devaient bien trouver, eux aussi, le moyen de survivre), il est clair qu'aujourd'hui encore, les Québécois ne contrôlent à peu près pas l'exploitation de leurs ressources naturelles. Celle-ci enrichit toujours des compagnies étrangères qui ne font à peu près pas de transformation ici.

On compte pas moins de 200 mines au Québec en 2006 d'où les compagnies extraient pour plus de 3,5 milliards $ de minéraux par an. Selon l'enquête de l'Institut Fraser, le Québec se classe depuis quatre ans au premier rang au Canada pour l'attrait qu'il suscite auprès des investisseurs étrangers en terme d'exploration minière.. Le Québec a obtenu le 1er rang mondial en 2001-2002, le 2e rang en 2002-2003, le 4e rang en 2003-2004 et le 3e rang en 2004-2005 pour son climat d'investissement en exploration. Il faut dire que l'État québécois donne des avantages considérables aux investisseurs. En effet, il offre l'un des plus bas taux d'imposition au Canada et un crédit de droits remboursable pour perte de 12 % pour les activités d'exploration, de mise en valeur et d'aménagement minier aux compagnies qui décident de venir exploiter les ressources minières du Québec. De plus, le Québec accorde aux entreprises qui ont des établissements au Québec et qui y exploitent une entreprise un crédit d'impôt remboursable pour les activités d'exploration minière. Ce crédit permet de rembourser jusqu'à 45 % des dépenses d'exploration. Le Québec apporte également son soutien au développement de l'industrie minière à chacune des étapes de son développement, de la découverte jusqu'à la transformation. En fait, l'État québécois paie abondamment pour que des compagnies minières s'enrichissent au Québec…

Les compagnies qui exploitent présentement les minéraux du sous-sol québécois sont *Gambior inc.*, une compagnie contrôlée par des intérêts japonais, américains et canadiens-anglais; *Cliffs mining Company*, dont le siège social est au Delaware; *Québec Cartier mining*, qui appartient à des intérêts canadiens-anglais; la Corporation minière *Inmet*, qui appartient à un groupe de Los Angeles; *Falconbridge limited*, qui est contrôlée par des Américains de New York et des *Canadians* de Toronto; les Mines *Agnico-Eagle limited*, aussi possédées par des New-Yorkais et des Torontois; les Mines *Richmont*, également possédées par des New-Yorkais et des Torontois; QIT-fer et titane, qui appartient à un groupe canadien-anglais; les Ressources *Campbell*, dont les principaux actionnaires sont canadiens-anglais et américains, mais dont le troisième actionnaire est Investissement Québec; Ressources *Meston*, qui est la propriété de Ressources *Campbell*, donc très majoritairement américano-*canadian* elle aussi. Les produits miniers provenant du Québec ont rapporté 10,6 milliards $ en 2002 à des compagnies qui sont toutes aux mains d'intérêts anglo-saxons. Assurément, la dépossession économique que subit un peuple n'est pas que seulement théorique. Il est possible d'en connaître très concrètement les responsables et d'en étudier les effets. Mais étrangement, nul ne se livre à de telles analyses au Québec. On se demande bien pourquoi!

On retrouve à peu près le même phénomène de dépossession économique du côté des compagnies forestières. Les trois principales compagnies qui exploitent la forêt québécoise sont *Abitibi-Consolidated*, qui possède rien de moins que 13 millions d'hectares de forêt. Cette compagnie se permet en plus de hausser les frais comme bon lui semble aux chasseurs et pêcheurs qui se rendent sur « ses » territoires pour pratiquer leurs activités. Au cours des dernières années, les clubs de chasse et pêche implantés sur les terres québécoises concédées à cette compagnie ont eu à subir des hausses tarifaires de l'ordre de 400 %. Ce qui nous pousse à dire que les Québécois, à cause de ces grandes compagnies étrangères qui leur volent leurs ressources au jour le jour, n'ont même plus le droit de se rendre où bon leur semble dans leur propre pays sans que ces mêmes compagnies leur demandent toujours plus d'argent! Au Québec, il y a aussi la *Domtar Forest Products*, qui possède 5,8 millions d'hectares de territoire et Tembec, qui n'en possède, elle, « que » 3,9 millions d'hectares. *Abitibi-Consolidated* appartient à des intérêts américains et canadiens-anglais; Domtar vient d'être vendue à des Américains. L'actionnaire principal de Tembec est le clan Saputo qui a fait fortune, au Québec, dans le fromage, les autres intérêts étant américains et canadiens-anglais. Mais il y a aussi au Québec toute une série de compagnies d'exploitation forestière de moindre importance, mais qui contribuent elles aussi à déposséder le peuple québécois de son économie et de ses richesses naturelles. Il est ici question de Nexfor que possèdent des Canadiens anglais, d'Alliance, qui est la propriété de *Bowater* et donc de Canadiens anglais, de *Bowater* qui appartient, comme on vient de le dire, à des intérêts de Toronto, de Daïshowa qui appartenait à des Américains et des Canadiens anglais avant qu'elle ne sombre à cause du scandale Enron, et de Kruger qui est contrôlée par des Canadiens anglais. Encore une fois, on retrouve très peu de Québécois parmi les possesseurs de ces compagnies qui exploitent les ressources naturelles du Québec. En fait, il n'y a que Cascade, qui appartient aux frères Lemaire, qui est vraiment québécoise. En 2002, le secteur forestier a rapporté 9,9 milliards $ au Québec grâce aux exportations. En comparaison, le Québec n'a exporté que 832 millions $ en électricité.

Du côté de l'aluminium, rien ne change. La dépossession demeure. Le premier lingot fut ici coulé en 1901 par la *Pittsburgh Reduction Company*, une compagnie bien évidemment américaine. Aujourd'hui, c'est 2,5 millions de tonnes métriques d'aluminium qui sont produites annuellement au Québec par les 10 usines qu'on y trouve (il n'y en a qu'une seule au Canada anglais). Avec 15 % des exportations mondiales d'aluminium, le Canada (mais devrait-on dire le Québec, puisqu'il représente 90 % de la capacité de production canadienne) est le deuxième pays producteur au monde derrière la Russie. Trois compagnies se partagent le marché québécois de l'aluminium : Alcan, Alcoa et Aluminerie Alouette. Alcan appartient à des intérêts de New York et de Toronto. Alcoa, quant à elle, est la propriété d'Américains de Virginie et de Pennsylvanie. Et finalement, le premier actionnaire d'Aluminerie Alouette est l'Alcan, le second est Marubeni métaux & minéraux, un groupe de Tokyo, et, finalement, le troisième actionnaire est Hydro aluminium Canada, une société en commandite qui appartient à des Allemands et à des Canadiens anglais. Comme si ce n'était suffisant que ce secteur d'activité échappe complètement aux Québécois, il faut en plus qu'Hydro-Québec « donne » l'électricité à ces compagnies et que l'État québécois leur accorde d'importants crédits d'impôt! Plus une compagnie est proche du grand capital et du colonialiste, et moins elle paie d'impôts au Québec…

Peut-être sera-t-il possible de trouver davantage de Québécois parmi les propriétaires des compagnies qui embouteillent l'eau du Québec, l'une des plus grandes richesses de ce territoire et qui est appelée à être de plus en plus convoitée dans le monde de demain, lui qui se caractérisera par un manque de plus en plus chronique de cette ressource vitale? Absolument pas. Le marché de l'eau embouteillée, qui ne crée jamais beaucoup d'emplois en plus, et ce, contrairement aux mines et à la forêt, est sous le contrôle quasi total de Danone, compagnie française, de Parmalat, compagnie italienne reconnue pour ses pratiques douteuses dont une partie des actions sont possédées par des Canadiens anglais, et de la Suisse Nestlé, dont le troisième actionnaire est américain.

Bref, les Québécois ne possèdent aucune des compagnies qui exploitent son sous-sol, sa forêt et l'eau qui les abreuve! Les fédéralistes se réconforteront en se disant qu'au moins des Québécois ont un emploi grâce à ces compagnies étrangères, mais il n'en demeure pas moins que ceux qui s'enrichissent et mènent la belle vie grâce aux richesses du Québec, ce sont presque tous de dignes représentants du colonialisme dont a été victime historiquement le Québec, eux qui ne contribuent presque pas à la caisse de l'État québécois. En cela, la situation n'a absolument pas évolué depuis 50 ans. La seule différence qu'il y a, c'est que les syndicats sont parvenus à améliorer les conditions de travail et les conditions salariales de ceux qui se font ouvriers dans de telles compagnies!

Et qui plus est, presque tout ce qui entoure le Québécois, hier comme aujourd'hui est produit à l'étranger. En 1837, le consul anglais à La Plata, Woodbine Parish, se faisait une gloire de dire à propos des autochtones :

> Prenez toutes les pièces de son habillement, examinez tout ce qui l'entoure et, à l'exception des objets de cuir, qu'y aura-t-il qui ne soit anglais? Si la femme porte une jupe, il y a quatre-vingt dix-neuf chances sur cent qu'elle ait été fabriquée à Manchester. Le chaudron ou la marmite dans lesquels elle cuisine, l'assiette en faïence dans laquelle il mange, son couteau, ses éperons, le mors de son cheval, le poncho qui le couvre, tout vient d'Angleterre.

Dans les années 1960, Michel Chartrand disait exactement la même chose, mais cette fois à propos du Québécois moyen. Il n'y a à peu près que le nom des compagnies étrangères qui ont changé depuis:

> Mais les Québécois ont toujours été pris pour se faire organiser par du monde différents d'eux autres. Après la conquête, c'est les Anglais qui ont pris le commerce. Les Français commerçants pis les autres sont partis. Alors, aujourd'hui, tu regardes la vie d'un Québécois, il se réveille dans des draps de la *Dominion Textile*, des matelas *Simmons* réputés où les gars étaient obligés de faire des grèves pour se faire respecter. Là, il met un pied sur le plancher, c'est *Dominion Tile & Linoleum*, le cartel international des couvre-planchers que les coopératives suédoises ont brisé comme elles avaient brisé le cartel des ampoules. Là, le gars il s'en va au lavabo, c'est *American Brass* ou *Crane*, c'est aussi pourri les uns que les autres, ça rouille aussi vite! Après ça, tu prends du savon, c'est *Lever*, *Brother* ou *Proctor & Gamble* ou *Life Buoy* ou n'importe quelle marque de savon. Puis après, tu prends des œufs de *Canada Packer*. Puis quand tu prends des p'tites boîtes de jus *Canadian Canners*, c'est comme *Stock Canning* des États-Unis. Puis le lait, c'est *Borden* de New-York généralement. Puis le sucre, c'est *Acadia Sugar* ou une autre compagnie de sucre qui te vole à la petite cuillère. Les augmentations de prix : 92 fois dans la même année. Les prix pendant les périodes d'inflation, ça monte en ascenseur. Puis les salaires, ça monte en escalier, puis des fois c'est rien qu'une échelle. Là, t'allumes une cigarette, c'est *l'American Tobacco*. Puis tu vas prendre le téléphone, c'est *l'American Telephone & Telegraph*. Tu prends la poignée de la porte, c'est *General Steel Ware* puis tu la fermes pas trop fort parce que ça va casser la *Dominion Glass*. T'arrives sur le *Canada Cement*, t'embarques dans un char de la *General Motor*…Ça, c'est notre vie ça, vois-tu, parce qu'on n'a pas organisé l'économie. Y'a pas de planification économique. Y'a pas d'ordre! Le capitalisme c'est…-faut pas dire ça trop fort, au cas où le patron nous entendrait- le capitalisme, c'est le désordre. Le capitalisme, y'a ses propres lois à lui. C'est la maximisation des profits dans un minimum de temps. Alors, t'as pas de nationalité, t'as pas ci, t'as pas ça. C'est payant, j'te vends pis ça finit là.

En fait, le seul secteur d'activité qui dépende des ressources naturelles et qui est entièrement contrôlé par le Québec est l'hydro-électricité. Mais il faut bien voir les gestes qui ont dû être posés pour qu'il en soit ainsi. En 1962, le ministre René Lévesque a dû, envers et contre tous, nationaliser les compagnies d'hydro-électricité. Peut-être que le temps est venu d'imiter ce qu'a fait Hugo Chavez au Venezuela en nationalisant en partie les compagnies étrangères qui exploitaient la richesse de son pays : le pétrole. Si une telle mesure est bonne pour le peuple vénézuélien, pourquoi est-ce que ça ne conviendrait pas aux Québécois?

Mais même Hydro-Québec commence à plier sous les pressiosn économiques du colonialiste. De fait, la production d'énergie éolienne, qui est de plus en plus à la mode par les temps qui courent, est au Québec confiée à des compagnies privées qui la revendent par la suite à Hydro-Québec, société d'État qui est la seule qui ait le droit de vendre de l'énergie aux citoyens et entreprises. Selon les chiffres du ministère des Ressources naturelles, le Québec compte quelque 100 000 mégawatts (MW) de potentiel éolien économiquement exploitable. L'inventaire global des forces éoliennes du Québec indique qu'elles dépassent les 500 000 MW, ce qui est énorme. Évidemment, le simple fait que ce soit le privé qui produise cette énergie fait en sorte qu'Hydro-Québec doive la payer plus cher. Quelque 30 % de plus que si elle l'avait produite elle-même. Au bout du compte, ce sont les Québécois qui financent ainsi la différence. Du côté d'Hydro-Québec, on justifie la chose en expliquant qu'on n'a pas l'expertise pour se lancer dans une telle aventure. Pourtant, le Manitoba, quant à lui, a confié la responsabilité d'exploiter le vent à la société d'État qui se charge déjà du secteur hydro-électrique. Si René Lévesque avait eu une telle attitude en 1962, il ne serait jamais parvenu à nationaliser l'hydro-électricité et jamais les Québécois n'auraient osé se lancer dans les chantiers de la Manic ou de la Baie-James s'ils s'étaient alors crus incompétents!

Mais pour procéder à des nationalisations, les Québécois auront besoin d'un État fort. Et l'évidence est que le colonialiste a compris depuis belle lurette que celui-ci est le seul outil que possède sa minorité colonisée qui pourrait lui permettre de se libérer un tant soit peu de l'exploitation dont elle fut jusqu'alors victime. Parce qu'il est « le plus grand parmi nous » (dixit René Lévesque), l'État québécois est devenu depuis quelques décennies la cible privilégiée de l'État fédéral, arme ultime du colonialiste *canadian* qui désire plus que tout empêcher que le colonisé québécois n'aille jusqu'au bout de ses ambitions de libération nationale. Une âpre guerre entre deux systèmes politiques a ainsi pris le relais des conflits directs opposant francophones et anglophones. Et pour casser les reins du Québec, le fédéral était et est toujours en fort bonne position.

Bien que le Québec de Maurice Duplessis ait tenté de régler l'ancêtre du déséquilibre fiscal qui faisait en sorte que les taxes et les impôts des Québécois étaient complètement récoltés par le fédéral depuis la Deuxième Guerre mondiale en créant, le 24 février 1954, un impôt provincial sur le revenu des particuliers de 15%, il n'en demeurait pas moins que la majeure partie de l'argent que les Québécois donnaient à un État quelconque allait à Ottawa. Ce qui signifie que, dans les années 1960, ce dernier palier de gouvernement était dans une position confortable pour commencer l'étranglement fiscal du Québec. En effet, au début de la Révolution tranquille, le fédéral prélevait en taxes directes 3,2 milliards $, alors que le Québec n'en récoltait que pour un montant de 260 millions $. Au Québec seulement, 80 % des taxes directes allaient dans les coffres d'Ottawa et seulement 20 % dans les coffres du Québec. Sensiblement la même situation prévalait du côté des taxes indirectes. La compétition qui s'engageait alors entre l'État colonialiste et l'État colonisé donnait, c'est l'évidence même, un net avantage au premier au détriment du second.

En 2006, il est clair que la situation des finances publiques du fédéral s'est améliorée considérablement. Dans les années 1960, il traînait un déficit de l'ordre de 700 millions $ alors qu'aujourd'hui, ses énormes surplus lui permettent de violer plus efficacement que jamais les compétences du Québec, lui qui parvient pour sa part à maintenir de peine et de misère son déficit zéro. Pour donner un aperçu de l'écart qui existe entre les capacités financières du Québec et d'Ottawa, mentionnons simplement que pour les années 2006-2007, les surplus du fédéral devraient friser les 13 milliards $[166], alors que du côté du gouvernement québécois, on risque fort de renouer avec les déficits. Si ces surplus peuvent être de cette ampleur, c'est tout simplement parce que le fédéral a réduit ses transferts aux provinces au fil des ans tout en continuant de les ponctionner de leur argent. Ce faisant, les provinces arrivent difficilement à rencontrer leurs obligations, ce qui donne toute la latitude voulue au fédéral pour s'accaparer leurs champs de compétence.

En fait, le fédéral est si vorace qu'Yves Séguin, alors qu'il était mandaté par le gouvernement de Bernard Landry pour réaliser une étude sur le phénomène du déséquilibre fiscal, a démontré qu'Ottawa prenait une portion plus importante que l'État du Québec de l'argent des Québécois. En 2001, les Québécois ont payé 93,7 milliards $ en taxes et impôts aux trois ordres de gouvernement : fédéral, Québec et municipalités, ce qui représentait 42,4 % du produit intérieur brut du Québec. De ce 93 milliards $, 30,8 milliards $ étaient prélevés sous forme d'impôt sur les revenus des particuliers. Or, le Québec en conservait seulement 51,6 % alors que le fédéral en obtenait 48,4 %. C'est donc dire que 14,5 milliards $ récoltés directement dans les poches des Québécois servaient finalement au fédéral à imposer son hégémonie au Canada. Parmi les 60 quelque milliards $ restant, une part non négligeable allait malgré tout au fédéral. On pense en particulier aux revenus liés à la taxe sur les produits et services (TPS) qui représentent environ 18 milliards $. Selon Michel Girard de *La Presse*, le fédéral occuperait environ 60 % du champ de l'impôt et des taxes au Québec[167].

Ce déséquilibre fiscal privait en 2001, à l'issue de la commission Séguin, le Québec d'un montant avoisinant les 2,2 milliards $ par année. Depuis, la situation ne s'est nullement améliorée, quoiqu'en dise André Pratte qui vante les mérites du fédéral qui a accepté de corriger en partie la situation en augmentant sensiblement ses transferts vers Québec. Or, il s'avère que le déséquilibre fiscal avoisinerait, en 2006, les 3,9 milliards $, évaluation qui ne fut point réfutée par le gouvernement très fédéraliste de Jean Charest. Concrètement, cela signifie que le Québec n'est plus privé de seulement 50 millions $ par semaine comme cela était le cas au début des années 2000, mais bel et bien de 75 millions $ par semaine.

Étant donné que Pratte ne peut adhérer à la nouvelle évaluation du déséquilibre fiscal telle que produite par le PQ d'André Boisclair, nous établirons ce que le Québec a perdu en argent depuis le début des années 2000 à cause du fédéralisme canadien en considérant seulement une perte de 50 millions $ par semaine, évaluation que Pratte reconnaît comme exacte. Ce faisant, les Québécois furent privés, par Ottawa, de 16,5 milliards $ depuis 2000. Et si l'on se fie à l'échec retentissant qu'a connu le gouvernement Charest à l'été 2006 alors qu'il espérait trouver une solution au déséquilibre fiscal, on peut se dire que ce n'est pas demain la veille que le Québec cessera de se faire voler ainsi par Ottawa.

Afin de démontrer que l'attachement du Québec au Canada est malgré tout profitable aux Québécois, les fédéralistes serviles soutiennent que le fédéralisme canadien procure des montants substantiels aux Québécois, et ce, annuellement, sous forme de péréquation; cet indigeste chèque de B.S. destiné aux provinces qui fut lancé en 1957 pour redistribuer la richesse entre celles-ci, les plus riches donnant de l'argent aux plus pauvres. Ces dernières années, le Québec recevait environ 4 milliards $ par année en péréquation. Mais même à ce chapitre, le Québec se trouve lésé. C'est la conclusion à laquelle en arrive un comité d'experts mandaté par le fédéral (!) pour réviser le programme de péréquation :

> Avec notre formule, toutes les provinces seront traitées de la même manière. Il y a eu une dérive ces dernières années concernant la péréquation. Le cadre temporaire établi en 2005 s'éloignait des principes d'équité souhaitable. La formule est inadéquate et défavorable au Québec[168].

Et c'est alors que le piège peut se refermer violemment sur un Québec quasi exsangue. Chrétien a commencé les grandes manœuvres de ce type au début des années 1990. Il a rendu le fédéral indispensable aux universités après avoir durement coupé les transferts au Québec, qui n'avait dès lors plus les moyens de les soutenir aussi efficacement qu'auparavant. Résultat : le fédéral a payé pour la création de plus de 1200 chaires d'études universitaires au Canada et prévoyait rendre l'argent nécessaire pour la création de 800 autres[169]. Après ça, on s'étonne que les intellectuels québécois soient mièvres dans leurs études quant à la question nationale du Québec, et ce, lorsqu'ils osent en parler. Le fédéral lorgne également du côté du niveau secondaire. Il s'y est fait pourvoyeur d'ordinateurs et de connexions à Internet. Il paie aussi pour des stages au Canada ou dans d'autres pays. Il veut financer les centres hospitaliers universitaires, lancer un programme national d'assurance-médicaments, s'est impliqué dans le système de garde au Canada, les congés parentaux, le financement des affaires municipales, etc. En reprenant les mots de Jean-François Lisée, nous pourrions dire : « Pierre Trudeau n'a pu réaliser seul son grand dessein de donner au gouvernement central canadien la prépondérance du pouvoir au sein du Canada. Jean Chrétien et son ministre Paul Martin sont en train de le parachever[170] ». Et de la façon dont est rejetée toute possibilité d'entente entre Ottawa et les provinces en ce qui concerne le déséquilibre fiscal, nous devrions ajouter le nom de Stephen Harper à cette liste de centralisateurs et de destructeurs de l'État québécois.

En résumé, l'on pourrait dire que si les fédéralistes aiment souvent rappeler qu'il y a un prix rattaché à l'indépendance, l'évidence est maintenant qu'il y en a un aussi d'associé à la dépendance et que celui-ci est beaucoup plus élevé. Si l'on considère seulement ce que coûtent annuellement au Québec le déséquilibre fiscal, la déportation de l'épargne québécoise et l'exploitation de ressources naturelles qui s'effectue au profit de compagnies étrangères, on se rend vite compte que l'économie québécoise est privée de plusieurs dizaines, voire de centaines, de milliards $ par année. C'est un scandale sans nom! Cela prouve que ce n'est pas parce que les Québécois ne sont plus violentés physiquement aujourd'hui qu'ils ne sont pas victimes d'un dur régime colonial…

Le chemin de la libération sera long et dur. Mais combien nécessaire est-il que le Québec le parcoure jusqu'au bout!

D) Le colonialisme culturel au Québec

Bien que le nationalisme québécois s'abreuve à bien des sources afin de formuler un discours qui se veut le plus efficace possible, il n'en demeure pas moins que l'essence principale de ce courant idéologique repose sur la culture du peuple québécois. Sans la volonté inexpugnable de faire vivre une culture française en Amérique du Nord, le nationalisme d'ici ne serait jamais parvenu à donner naissance à un vaste mouvement. Sans notre langue particulière, il y a déjà belle lurette que nous serions des Américains comme les autres.

Mais qu'est-ce précisément qu'une culture? Bien évidemment, un tel concept ratisse beaucoup plus large que les seuls arts. Il est ici question d'une façon d'être et de voir le monde à partir de valeurs qui sont propres à un groupe humain bien défini dans le temps et dans le présent. D'ailleurs, D'Allemagne affirmait dans les années 1960 que « toute culture, produit d'une histoire, ne peut vivre que dans la mesure où le peuple, dont elle est l'expression, continue de faire son histoire[171] ». Au Québec, les principaux pans de la culture nationale furent la religion catholique, la langue française et son code civil particulier. On conviendra qu'un code civil n'a jamais vraiment soulevé l'enthousiasme des foules. Et la religion catholique, aujourd'hui, ne suscite guère plus les passions. Il reste donc aux Québécois leur langue particulière. Quoi qu'en disent les adeptes de la conception par trop civique de la nation, il n'en demeure pas moins que cette langue est l'outil – et le seul – via lequel il est possible d'intégrer des individus à la nation québécoise. Un Anglais ne maîtrisant pas la langue de Molière et refusant de vivre sa vie publique en français ne pourra jamais prétendre faire partie du peuple québécois. Le nationalisme québécois est par conséquent éminemment culturel. Une culture qui permet d'entretenir la fierté de tout un peuple, elle qui ne peut qu'être déterminante pour la réussite du mouvement indépendantiste.

Cela, l'historien Gérard Bouchard l'a bien compris. Au printemps 2006, il écrivait dans les pages du *Devoir* :

> Pour y arriver, il est nécessaire de revenir à l'essentiel. Il faut d'abord se réimprégner de la dignité et de la nécessité pour un peuple de se gouverner lui-même, de ne pas faire écrire son histoire par un autre, en particulier quand on est une minorité culturelle. Ce principe est plus actuel que jamais justement à cause de la mondialisation, où il presse de se donner une voix. Dans le régime politique canadien, le Québec est exclu des grandes décisions, notamment sur le plan international. Cela en fait une société à la fois empêchée et entretenue. Les Québécois souffrent (si on me permet le mot) d'irresponsabilisation collective: ils sont contraints à s'échiner sur des affaires d'intendance, laissant à d'autres la gestion des grands dossiers qui les concernent[172].

En partant de ce constat, il est plus qu'évident que si la culture se porte mal au Québec, si les gens sont peu fiers de celle-ci et très peu décidés à la défendre et à la faire rayonner, le nationalisme connaîtra lui aussi de très sérieux problèmes. C'est pourquoi la langue française a été si régulièrement dans le collimateur du colonialiste au Canada, mais aussi au Québec. La miner revient à affaiblir le Québec!

Dans les années 1960, André D'Allemagne déplorait la piètre qualité du parler français des Québécois. Linguiste de formation, il parvint à traduire mieux que ses compatriotes les dangers qui pesaient alors sur cette langue au Québec. Avec la démocratisation de l'enseignement survenue dans les années 1960 et l'adoption de la loi 101 en 1977, bon nombre de Québécois se sont alors convaincus que le combat linguistique était terminé, qu'on ne pouvait faire plus. André Pratte, bien sûr, est de cette école : « Il reste que, sur le plan linguistique, la situation s'est considérablement améliorée. Aujourd'hui, 81% des Québécois ont le français comme langue maternelle et 83% parlent le plus souvent français à la maison[173]». Pratte se livre par la suite à la décortication de résultats démontrant que les immigrants s'intègrent davantage aujourd'hui au Québec français qu'ils ne le faisaient avant que la loi 101 ne soit adoptée. À ses dires, ils seraient près de 70 % à adopter cette langue en 2006[174]. Ce qui est faux. Les dernières études ont démontré que loin de s'améliorer, la situation, en fait, régresse et de façon importante. Ces dernières années, les immigrants s'intègrent à l'anglais dans une proportion d'au moins 55 % (ce que concède André Pratte), ce qui laisse présager le pire pour le français à Montréal, et au Québec par le fait même.

En 1990, 27,1 % des enfants issus de l'immigration et ayant effectué leurs études primaires et secondaires en français choisissaient de fréquenter un cégep anglophone. En 1996, ce taux était de 41,3 %, ce qui illustre bien les problèmes que connaît actuellement le français à Montréal. Ceux qui avaient fréquentés des écoles privées anglophones au primaire et au secondaire refusaient tous en bloc d'aller dans un cégep francophone. L'une des pistes de solution importantes à ce problème fondamental serait donc de contraindre les jeunes immigrants à fréquenter le cégep en français.

Lors du congrès de juin 2005, les péquistes ont rejeté cette possibilité, ce qui permet de croire que le *statu quo* qui se caractérise par un déclin du fait français durera encore bon nombre d'années. Car, l'on ne peut très certainement pas compter sur le gouvernement de Jean Charest pour corriger la situation. Ayant eu l'idée géniale d'imposer l'enseignement de l'anglais dès la première année du primaire, Charest agit plutôt en tant qu'assimilateur de peuple qu'en tant que redresseur de tort. D'ailleurs, l'éminent linguiste Claude Hagège a durement critiqué l'introduction de l'enseignement de l'anglais à un âge si bas au Québec, déclarant que cela était pratiquement en contradiction avec la loi 101 et que cette mesure devait permettre l'accélération de l'assimilation des Québécois au bloc anglo-saxon[175].

Dès les années 1950 et 1960, Jean-Paul Desbiens, alias le frère Untel, déplorait aussi la qualité du français au Québec. Dans les années 1990, Georges Dor a pris le relais en critiquant la profusion d'anglicismes qui ponctuaient le parler des Québécois et l'utilisation exagérée du joual qui éloignait par trop la langue du Québec du français international. Il était rejoint dans cette analyse par Pierre Bourgault, qui a toujours plaidé en faveur d'un français québécois qui puisse être compris dans la francophonie. Et ces dernières années, un professeur de littérature de l'Université de Sherbrooke lui a emboîté le pas. Dans un livre d'une lucidité exemplaire, Jean Forest dénonce le laxisme dont font preuve les Québécois eu égard à la langue, et ce laxisme, au premier plan, se retrouve dans le monde scolaire, lui qui n'enseigne pas correctement le français aux jeunes d'ici :

> Le comble de l'inconscience pour la minorité menacée que nous représentons n'est-il pas non seulement de ne tenir aucun compte de la langue que nous parlons tout de travers, mais encore d'autoriser nos adolescents, sous prétexte d'apprendre l'anglais, à fréquenter les cégeps anglophones à partir de dix-sept ans? […] N'a-t-on jamais constaté la facilité déconcertante avec laquelle un Français se joue des mots, là où un Québécois, même instruit, bute sans cesse sur les petites cases vides qui l'obligent à multiplier les euh…euh…euh…, ces éminents témoins des mots pour le dire qui lui font défaut[176]

Afin d'expliquer en partie cette déliquescence linguistique, il est également obligatoire de se pencher sur la présence en grand nombre d'éléments anglophones au Québec. À ce sujet, D'Allemagne affirmait : « s'il est évident que le français au Québec est dans un état de détérioration alarmant, il est tout aussi évident que cet état est entièrement attribuable à l'influence d'une autre langue : l'anglais[177]». Cela coule de source. De fait, la Conquête et toutes les conséquences que ce triste événement a entraînées dans son sillon eurent un impact déterminant sur la langue de chez nous. Avant 1759, des Français affirmaient que les Canadiens étaient plus lettrés que les gens de la métropole parisienne. Au temps du rapport Durham cette réalité n'était plus. Le degré d'alphabétisation n'atteignait que 27 % dans la colonie. 12 % des francophones savaient alors lire et écrire, tandis que 60 % des anglophones le pouvaient. En 1891, le taux d'alphabétisation du Québec était de 59 % alors qu'il était de 82 % en Ontario. Cet écart perdura jusqu'aux années 1960 où le Québec se dota d'un État digne de ce nom pour sortir sa population de la misère où l'avait plongée les *Canadians* pour ainsi mieux les exploiter. Aujourd'hui, bien que l'écart se soit encore rétréci entre le Québec et le reste du Canada, il n'en demeure pas moins qu'environ la moitié des adultes francophones du Québec lisent avec de grandes difficultés[178] et les taux de décrochage sont ici plus importants qu'ailleurs au Canada.

Pendant ce temps, les différents gouvernements du Québec ne trouvent rien de plus intelligent à faire qu'à consentir à de grosses subventions aux universités anglophones du Québec. Préférable serait de financer adéquatement le réseau scolaire francophone. Concrètement, ce sont 25% des subventions que Québec alloue aux universités qui vont aux institutions anglophones, là où une majorité de jeunes, à la fin de leurs études, décideront d'aller travailler aux États-Unis ou au Canada anglais, alimentant ainsi le phénomène dit de l'exode des cerveaux. Or, il en coûte entre 15 000 et 20 000 $ par année aux contribuables québécois pour former des étudiants universitaires? Avons-nous les moyens de financer des institutions qui forment la main-d'œuvre des économies qui nous concurrencent? Poser la question, c'est y répondre! Quant à lui, le gouvernement fédéral alloue 40 % des subventions accordées aux universités anglophones du Québec, un champ de compétence exclusif des provinces doit-on le préciser[179]. Ainsi, une portion de la population qui ne représente plus que 8 % des citoyens du Québec parvient à soutirer des montants d'argent astronomiques pour ses universités! Ça aussi, ça fait partie de la dépossession économique dont le peuple québécois est victime!

Le fédéral n'a bien sûr rien fait pour favoriser la pérennité du français au Canada, on l'a vu amplement dans le présent essai, mais il en fut de même au Québec aussi. Grâce à certaines de ses institutions, principalement la Cour suprême, il s'en est pris durement à la loi 101, la principale arme utilisée par les nationalistes du Québec pour protéger la langue française. Dès 1982, la clause Québec fut remplacée par la clause Canada, ce qui signifiait que, dès lors, les enfants dont l'un des deux parents ayant fait ses études en anglais n'importe où au Canada – et non plus au Québec – pouvaient aller à l'école anglaise au Québec. À la fin des années 1980, la Cour suprême récidiva et déclara inconstitutionnelles, en considération de la charte des droits et libertés de 1982, les dispositions contenues dans la loi 101 qui concernaient la langue d'affichage. Les juges estimèrent qu'on ne pouvait empêcher les gens d'afficher dans les deux langues. Le gouvernement Bourassa dut avoir recours à la clause nonobstant pour empêcher ce jugement de s'appliquer au Québec. Les libéraux présentèrent quelque temps après la loi 178 qui permettait l'affichage bilingue à l'intérieur des commerces seulement, en autant que le français soit prépondérant. Autre jugement lourd de conséquences : en 2005, la Cour suprême estima que le gouvernement du Québec devait faire preuve de jugement en ce qui concerne le droit des parents d'envoyer leurs enfants à l'école anglaise. Sans ramener carrément la liberté de choix de la langue d'enseignement telle qu'elle avait prévalu avant 1977, la Cour suprême, sur demande de lobbies anglophones, ouvrait une brèche importante dans la loi 101 en affirmant que certaines dispositions particulières justifiaient très certainement que Québec consente à faire des exceptions et permette à des enfants qui n'y auraient pas droit légalement de fréquenter l'école anglaise. D'ailleurs, Gérald Larose affirme régulièrement que l'entreprise de démolition de la loi 101 s'est entamée dès 1977 et qu'elle n'aura de répit que le jour où le *statu quo ante* sera ramené. D'ici là, il s'agit de détruire progressivement la loi 101. Ce qui démontre bien que le colonialiste ne peut jamais admettre que le colonisé modernise sa culture. Les Français se sont opposés de toutes leurs forces, en 1907, au mouvement culturel Dong kinh nghia thuc au Vietnam. Ils ne pouvaient admettre que la culture vietnamienne ne soit autre chose que purement folklorisée. Au Québec, on assiste au même phénomène. La langue française ne doit pas se redresser, car cela contribuerait à renforcer le Québec. Et un colonisé qui reprend du poil de la bête représente toujours une menace. André Pratte fait état de ces attaques perpétrées par le colonialiste contre la langue de la minorité québécoise, de façon à accomplir le plan identifié par Wolfgang et qui est propre à tout colonialisme : l'assimilation de la minorité résistante. Mais Pratte le fait pour dire simplement que cela n'a pas eu grand impact sur la situation du français au Québec. Ce qui est pour le moins particulier, puisque chaque coup corrosif porté contre le français au Québec est un pas de plus vers sa disparition à plus ou moins brève échéance en Amérique. Et lorsqu'on en voit les effets sur une période aussi courte que 15 ou 20 ans, c'est tout simplement parce qu'il est question d'un phénomène très rapide. On peut imaginer quels seront les effets sur 50 ans par exemple.

Même Pratte concède que le français est en situation précaire sur ce continent-ci. Par conséquent, il faudrait assister à des améliorations dans nos lois et nos institutions et non à des reculs pour que ceux qui tiennent vraiment à ce parler s'encouragent vraiment. Mais cela importe peu à Pratte. En fait, il se dit bien content que le fédéral s'en prenne régulièrement aux législations linguistiques du Québec à l'aide de sa Cour suprême, et ce, parce que cela améliore la situation des francophones dans le reste du Canada… On croit vraiment rêver! Pratte préfère porter son attention sur les derniers ghettos francophones qui subsistent de peine et de misère au sein de communautés anglophones plutôt que de constater les dommages subis par la langue française au Québec. Le sort des francophones hors Québec lui sert ainsi à faire oublier que le colonialiste attaque à charge répétée le cœur même de l'Amérique française. Au cours de la décennie qui a précédé la décolonisation partielle des années 1960, les minorités franco-phones hors Québec avaient stagné, alors que le fait français avait légèrement décliné au Québec comme le démontre le tableau qui suit :

Population d'origine française au Canada

	Population totale	Population d'origine française	Pourcentage d'origine française	
			1961	1951
Terre-Neuve	457 853	17 171	3,7	2,7
Île-du-P.-É.	104 629	17 418	16,6	15,7
Nouvelle-Écosse	737 007	87 883	11,8	11,5
N.-Brunswick	597 936	232 127	38,8	38,3
Québec	5 259 211	4 241 354	80,6	82,1
Ontario	6 236 092	647 941	10,4	10,4
Manitoba	921 686	83 936	9,1	8,5
Saskatchewan	925 181	59 824	6,4	6,2
Alberta	1 331 944	83 936	6,2	6,0
Colombie-Britannique	1 629 082	66 970	4,1	3,6
Yukon	14 628	991	6,8	6,4
Territoires du N.-O.	22 998	1 412	6,1	-
Canada	18 238 247	5 540 346	30,3	30,8
Canada sans Québec	12 979 036	1 298 992	10,0	-

En 2001, le recensement effectué par Statistiques Canada démontrait que la situation s'était encore empirée :

Langue maternelle

	Anglais	Français	Bilingue	Autre	Total
Terre-Neuve et Labrador	500 065	2 180	335	5 495	**508 075**
Île-du-P.-É.	125 215	5 670	440	2 065	**133 385**
N.-Écosse	834 315	34 155	2 590	26 510	**897 570**
N.-Brunswick	465 720	236 775	5 290	11 935	**719 710**
Québec	572 085	5 788 655	55 420	709 425	**7 125 580**
Ontario	8 079 500	493 630	40 340	2 672 080	**11 285 550**
Manitoba	836 980	44 775	2 780	219 160	**1 103 700**
Saskatchewan	825 865	18 035	1 490	117 765	**963 150**
Alberta	2 405 935	59 735	6 260	469 225	**2 941 150**
Colombie-Britannique	2 865 300	56 100	7 525	939 945	**3 868 875**
Yukon	24 840	890	85	2 700	**28 525**
Territoires du N.-O.	28 985	965	90	7 065	**37 105**
Nunavut	7 370	400	20	18 875	**26 665**
Canada	17 572 170	6 741 955	122 660	5 202 240	**29 639 035**

Les taux concernant la présence de francophones dans le reste du Canada sont maintenant, pour la très grande majorité, trop faibles pour qu'il soit encore possible d'y sauver la francophonie. Celle-ci est engagée dans ces provinces dans une lente mais inexorable progression vers l'assimilation totale. Il n'y a peut-être que l'Acadie et les régions ontariennes limitrophes du Québec qui puissent espérer un meilleur sort, et encore. Dans de telles circonstances, à quoi servirait-il aux nationalistes du Québec de se rasséréner en se disant que les reculs linguistiques du Québec permettent au moins à des condamnés en sursis d'améliorer leur sort? À rien! Pour reprendre les mots de Nicolas-René Berryer, ministre de la Marine française au temps de la Guerre de sept ans et courtisan de la Pompadour, « quand le feu est à la maison, on ne sauve pas les écuries ».

Et feu à la maison, il y a, quoiqu'en dise messire Pratte. Tous les démographes s'entendent pour dire que la situation du français au Québec éprouve de sérieux ratés depuis quelques années. Et ce pourrait être encore bien pire s'il fallait en croire les pronostics de Jean-François Lisée. En 2000, ce dernier évaluait que la proportion de francophones sur l'île de Montréal, qui était de 57,3 % en 1991, ne serait plus que de 45,4 % en 2041. La situation serait sensiblement la même pour la région métropolitaine alors que le fait français représentait 69,2 % en 1991 et qu'il ne serait plus que de 63,7% en 2041. Évidemment, si le français décline à Montréal, cela signifie obligatoirement qu'il périclite aussi dans l'ensemble du Québec. De 82,9 % qu'il était en 1991, il ne serait plus que de 78,3 % en 2041[180]. Ce qu'il faut bien comprendre de ces chiffres, c'est qu'au-delà de la perte progressive d'une langue unique comme le français en terre d'Amérique, c'est tout le pouvoir du Québec qui se trouve à s'éroder face à l'ennemi qu'est Ottawa. Et plus les capacités de résistance de l'État québécois diminuent, et plus le colonialiste *canadian* s'approche de la victoire finale. Ce que nul patriote qui se respecte ne saura jamais accepter!

Évidemment, l'immigration qui fut historiquement utilisée par les *Canadians* pour noyer les éléments francophones n'est pas davantage un gage de survie pour la langue française au Québec en 2006. Depuis le début des années 2000, le Québec a accueilli environ 38 000 immigrants par année. Cela représente une ville de l'importance de Rimouski à peu près qui s'ajoute au Québec à chaque nouvel an qui passe. Le problème est que ces immigrants parlent français, à leur arrivée, dans une proportion de seulement quelque 10%. Ils seront à peu près favorables au projet indépendantiste du Québec dans une même proportion. Jacques Parizeau avait coutume de dire qu'il connaissait plusieurs Haïtiens indépendantistes, mais aucun Jamaïcain indépendantiste (ils sont de langue anglaise). C'est une pression importante qui s'exerce sur le fait français au Québec et sur les chances que ce dernier se libère un jour du colonialisme *canadian*. Plus le temps passe, et plus il sera difficile aux Québécois d'obtenir suffisamment de votes lors d'un référendum pour que le Oui l'emporte. En 1995, 63% des francophones ont voté Oui et le Non a tout de même été couronné « grand » vainqueur, par une mince marge toutefois. Lorsque le PQ organisera un nouveau référendum, quelque 15 ou 20 ans après celui de 1995, les francophones devront se dire Oui dans quelle proportion pour que le camp souverainiste puisse l'emporter? 70%? 75%?

De par ce système d'immigration qui fait en sorte que le Québec ne choisit pas plus de 35% de ses nouveaux arrivants, le colonialiste tient son colonisé francophone en otage. Ne pouvant plus se libérer politiquement, il ne peut qu'assister impuissant à sa propre disparition causée en bonne partie par des immigrants qui sont Canadiens et qui ne désirent nullement ressembler à la minorité colonisée que forment les Québécois. On peut les comprendre… Dans de telles circonstances, peut-on dire que la survie culturelle des Québécois puisse s'envisager aujourd'hui plus positivement qu'en 1960? Pas le moins du monde. Ce qui revient à dire que ceux qui parlent de colonialisme pour la période de la Révolution tranquille devraient adopter sensiblement les mêmes arguments dans leurs analyses de la situation actuelle.

Colonisé et colonialiste en 2006

La doctrine coloniale n'est rien d'autre qu'une distributrice à chimères. Chimères sur le régime qui est ainsi toujours présenté comme positif, de façon à nier que les Québécois puissent posséder le bien le plus précieux pour un humain : la liberté.

Aux dires des continuateurs d'exploitation, le fédéralisme serait la forme politique la mieux conçue pour répondre aux défis que pose le monde d'aujourd'hui. Main dans la main, Québécois et *Canadians* pourraient faire l'envie du monde. L'union fait la force quoi!, formule utilisée abondamment puisque le colonialiste ne craint jamais de sombrer dans le cliché lorsque vient le temps de justifier ses crimes. Main dans la main, voyez-vous cela! Plutôt main à la gorge et l'autre dans la poche. Le colonialisme ne peut jamais être une saine relation entre deux groupes qu'on s'entête à présenter comme égaux.

Le Canada ne faisait pas exception à cette règle dans les années 1960 et il ne le fait pas davantage en 2006. Tout ce qui a changé, c'est l'image du colonialisme canadien. De très peu subtil, il est devenu plus hypocrite que jamais et a abandonné la ratonnade dont il se servit abondamment dans les manifestations des années 1960, pour faire plutôt des lois qui facilitent encore et toujours l'exploitation et l'assimilation du peuple québécois. Cette nouvelle stratégie, c'est l'évidence même, lui procure désormais une factice aura de respectabilité qu'il promène pompeusement sur toutes les scènes du monde. Lui, le Canada si respectueux des différences!

Si le fédéralisme canadien, colonial dans son essence même, est présenté comme la solution d'avenir, l'indépendance, elle, est condamnée par les asservisseurs de peuple parce que supposément dépassée. Elle ne serait plus que bonne à faire rêver les nostalgiques qui sont par trop déconnectés de la réalité pour devenir des guides pour leurs compatriotes. Au Québec, combien de fois avons-nous entendu que le prisme de la mondialisation à travers lequel on se doit aujourd'hui d'analyser l'activité humaine rendait caduc tout projet national? Des milliers de fois! À l'instar de l'historien Eric Hobsbawm, le colonialiste canadien crie au loup, jurant avoir aperçu la chouette de minerve survoler la permanence du PQ. « *Separatism is dead* », encore une fois! Décidément, les séparatistes ont plus de vies que les chats eux-mêmes! Pourtant, il faut être idiot pour ne pas comprendre que le monde d'aujourd'hui compte à chaque année de nouveaux pays et que cela justifie encore davantage les quêtes de liberté. Depuis 1990 seulement, près de 40 pays sont nés. Il est sûrement question de peuples imbus d'eux-mêmes et incapables de voir les bienfaits du modèle fédéral que le Canada, sous les bons auspices des Stéphane Dion, vante comme étant un régime magnifique et en mesure d'assurer la paix à tous! André Pratte, lui, en donne encore plus que le client en demande en écrivant : « Cependant j'ai compris seulement récemment sa conviction (Claude Ryan) selon laquelle un système fédéral était mieux à même de sauvegarder les droits des individus qu'un régime unitaire » (p. 9). Comment? On ne le saura jamais à la lecture d'*Aux pays des merveilles*. Sur cette planète, donc, il n'y aurait que les *Canadians* qui ont raison? Il est vrai qu'ils sont si intelligents, si beaux et si bien rasés!

Mais les beaux discours ne suffisent pas lorsque vient le temps d'assurer la pérennité du système colonial canadien. Ils sont conscients de l'autre côté de l'Outaouais que le simple fait de dire que le fédéralisme est bon ne convaincra jamais personne d'autre que ceux qui forment un groupe politiquement attardé au Québec. Si cela est indubitablement une bonne base à partir de laquelle travailler, après tout il y a toujours 35 % ou 40 % de fédéralistes francophones au Québec, cela demeure tout de même fragile. Fragile parce que le mouvement indépendantiste, depuis 40 ans, éveille les consciences malgré les bâtons qu'on ne cesse de lui placer dans les roues.

Pour tuer la liberté en terre Québec, les fédéralistes ont donc aussi besoin d'inventer toutes sortes de cadenas. Tout doit être fait pour empêcher l'émancipation du colonisé. Albert Memmi l'a bien démontré : on ne se libère pas du colonialisme! On le brise! En Algérie comme au Canada… Pour protéger la prison, tout est bon et acceptable : des lois retorses, perfides et malhonnêtes; de la propagande qui prend la forme plus souvent qu'autrement du révisionnisme historique; de la diffamation dirigée contre des partis ou des individus comme on en retrouve à tous les jours dans les journaux du Québec; la manipulation des esprits; le vol des ressources du colonisé afin de le maintenir dans une pauvreté qui ne lui laisse que très peu le loisir de penser à autre chose qu'à sa propre survie et celle des siens; et (comme cerise sur le gâteau) la formulation de discours destinés à démontrer qu'un peuple qui n'existe pas ne peut très certainement pas prétendre à l'indépendance, formule ô combien usée. Tous ces crimes intellectuels ou relevant du banditisme d'État, André Pratte les a commis à un moment ou un autre, ou les a justifiés d'une façon ou d'une autre. Mercenaire il est coûte que coûte!

André D'Allemagne disait que le principal ennemi du colonialisme, c'est l'instruction. Cela, le colonialiste canadien l'a bien compris. Et c'est pour ça qu'il contrôle toujours avec la même main de fer l'information au Québec. Au jour le jour, les citoyens d'ici sont alimentés par des informations qui ont été conçues par les valets du régime et dans une optique qui ne doit surtout pas lui nuire. Les médias et l'information sont la clé de voûte de la libération de tout colonisé. Partout à travers le monde, les peuples colonisés qui ont pris la décision de se libérer du joug de l'ennemi ont mis des tonnes d'énergies à développer des moyens de communication qui se voulaient les plus efficaces possibles. Plusieurs ont été arrêtés, emprisonnés arbitrairement, voire tués, et ce, pour avoir créé des journaux ou distribué de simples feuillets.

À ce chapitre, le Québec fait décidément bande à part. S'il désire remporter la victoire un jour, il devra, plus tôt que tard, se décider à changer de stratégie. Car, il est plus que contre-productif de s'en remettre encore et toujours aux canaux de l'ennemi pour transmettre ses messages à la population. Comment, en guise de simple exemple, faire confiance à un éditorialiste en chef de la trempe d'André Pratte, lui qui vient de faire don d'un livre aux Québécois qui suinte de malhonnêteté intellectuelle, lorsque vient le moment d'accorder la parole aux indépendantistes? Il faut être d'une naïveté déconcertante pour croire que cet être retors puisse être ne serait-ce que correct dans la gestion de la section éditoriale de *La Presse*. Il est payé par les Desmarais, ces grands pourvoyeurs des libéraux, pour faire tous les crocs-en-jambe au mouvement indépendantiste qu'il est possible d'imaginer. Et il remplit son mandat avec brio! Il n'y a que le PQ et le BQ pour refuser encore et toujours de voir clair dans ce jeu…

Et en cela, le PQ et le BQ ne sont pas différents de tous les colonisés du monde qui ont appris à craindre leur colonialiste. D'Allemagne appelait ce phénomène le dialoguisme. Il faudra pourtant bien que les indépendantistes, les premiers, comprennent que le paternalisme colonial ne pourra jamais être brisé qu'en dialoguant, tout simplement. Une lutte de libération nationale de ce type, lorsqu'elle s'engage, impose à ceux qui veulent la mener à terme de faire preuve de pugnacité et de s'admettre à eux mêmes d'abord, avant de le dire à leurs compatriotes, qu'ils sont en guerre. Ces prises de conscience exigent toutefois bien du courage…

En résumé, l'on pourrait dire qu'il n'y a que deux issues pour un colonisé dans un tel régime : l'assimilation ou la pétrification. Qui pourrait nier le plus sérieusement du monde que l'on assiste présentement au Canada, terre du bilinguisme colonial, à une pétrification des pouvoirs du Québec et à une lente assimilation de la culture canadienne-française d'un océan à l'autre? Personne, à part ceux qui servent le colonialiste.

Mais les chimères ne concernent pas que le régime. Elles ont aussi trait à la nature même du colonisé. Afin d'endormir toujours plus profondément le colonisé qu'il viole impunément une fois la noirceur canadienne tombée ou retombée, le colonialiste qui, pour ce faire, possède tous les outils dont il a besoin, s'évertue à lui faire croire qu'il est libre. Libre de tout faire et d'évoluer à sa guise pour ainsi mieux progresser dans la vie. Il agit en cela comme le pire des abuseurs sexuels qui n'a jamais assez de mots pour convaincre ses proies qu'elles aiment le traitement qui leur est réservé et que rien n'est grave dans les « jeux » auxquels il se livre derrière des portes closes. Dans les deux cas, les séquelles sont importantes.

Avant de faire le saut en politique, Camille Laurin, le père de la loi 101, était psychiatre. Au jour le jour, les Québécois qu'il rencontrait dans son cabinet semblaient atteints d'un mal plus grand qu'à ce qui ne paraissait aux premiers abords. Le mal de vivre de ces Québécois, et tel qu'identifié par Laurin, n'était pas tant propre à l'individu qu'à la collectivité québécoise, et ce, parce qu'elle ne pouvait ni respirer ni s'épanouir dans un Canada qui n'était rien d'autre qu'une geôle aux barreaux dorés. C'était donc à une échelle plus globale, en brisant les fers de la nation québécoise, qu'il fallait s'attaquer si on désirait enfin libérer l'individu québécois. Comprenant l'ampleur du drame qui se développait sous ses yeux, Laurin ne fit ni une ni deux et arbora avec un enthousiasme plus que certain les couleurs du seul parti indépendantiste du Québec, le PQ.

Malheureusement, Laurin et les siens ne parvinrent jamais à réaliser l'indépendance du Québec. Le mal de vivre des Québécois demeure donc pleinement aujourd'hui, et ce, même s'il a bien évolué depuis les années 1960. La forme qu'il a prise depuis est très particulière. Elle a transformé ces mêmes Québécois en parfaits menteurs. Des menteurs qui tentent de se faire croire qu'à chaque nouveau jour qui se lève, ils sont toujours aussi libres que ne peut l'être l'air, qu'ils ne subissent pas le joug d'un exploiteur *canadian,* lui qu'ils tentent par tous les moyens de se présenter comme un honnête compatriote.

Isaiah Berlin présente la liberté comme « l'absence d'obstacles à la satisfaction de ses désirs ». Il y a donc deux façons de perdre sa liberté. Soit qu'un colonialiste empêche un peuple soumis, par la force des armes ou de ses lois, d'assouvir ses désirs qui peuvent être divers, ou soit que le colonisé cesse tout simplement d'avoir des désirs pour ne plus les voir réprimés par celui qui le domine durement. Au Québec, en 2006, nous assistons à un mélange de ces deux tendances. C'est-à-dire que le colonialiste veille plus que jamais au grain et développe bon nombre d'outils lui permettant de briser les rêves de la minorité éveillée que l'on retrouve au sein du peuple colonisé. L'indépendance à laquelle cette dernière songe ne doit pouvoir se faire. Tous les obstacles pour y parvenir sont développés avec toujours plus d'entrain. Approche efficace s'il en est une, mais qui ne parvient jamais à briser les reins de tout un peuple en marche. Simultanément, le colonialiste doit donc abreuver en chimères ses colonisés, de façon à ce qu'une forte majorité parmi eux ne prenne jamais conscience du vrai visage du régime qui les exploite et qu'elle ne décide jamais, faisant enfin preuve de courage, d'y mettre un terme. Plus le colonialiste ment, et plus le colonisé le croit; plus le colonisé se ment à lui-même, et plus le régime tourne rondement. Le colonialisme tranforme ainsi des humains en parfaits zombies, incapables qu'ils deviennent ainsi de départager le vrai du faux.

Au Québec, les mensonges schizoïdiques des colonisés qui refusent de voir la réalité pour ce qu'elle est les amènent à se replier sur le privé au détriment du collectif. En tant qu'individu, ces Québécois colonisés se développent un monde où ils se croient libres de faire tout ce qui leur passe par la tête, ou peu s'en faut, mirage alimenté par la télévision et toute l'industrie du divertissement facile. Pendant qu'ils se demandent, bien confortablement installés dans la chaleur de leur demeure, qui de monsieur x ou de madame y sera éliminé cette semaine à *Star Académie*, ou qui de vicieux A ou de cochonne B couchera avec un tel à *Occupation double*, ils ne réfléchissent pas à leur situation collective. Le divertissement facile leur sert fort bien à engourdir leur mal de vivre collectif qui est alimenté par une série de revers politiques. Ainsi croît complexe d'infériorité de la collectivité québécoise.

Si les nouvelles télévisées nuisent à ce « confort et à cette indifférence », tant pis! Les colonisés qui fuient la réalité cesseront tout simplement de suivre l'actualité et ne tenteront jamais de comprendre par eux-mêmes le drame qui est celui du Québec dans le Canada. De telles attitudes consistent à transformer ces citoyens aveuglés par la peur en véritables nuisances dans tout système démocratique digne de ce nom. Car, ce seront ces mêmes tristes individus qui, lors de campagnes électorales, resteront chez eux à se divertir en contemplant l'écran cathodique ou pire, en allant voter pas pour l'ordre et la sécurité (dixit Renaud), mais bien pour du « changement ». Le foutu discours du changement qui leur sert de paravent à réflexions politiques. Après tout, il n'y a rien de plus simple que de faire alterner au pouvoir deux partis à qui on accorde toujours deux mandats, pas un de plus et pas un de moins, quoi qu'ils aient fait de bien ou de mal…

Pour ne rien entreprendre pour se libérer collectivement, d'autres Québécois un peu plus conscients de la situation sombreront dans ce que D'Allemagne appelait le nationalisme d'attente. Ce faisant, ils se vautreront eux aussi dans l'oisiveté citoyenne en se disant que rien ne peut être fait de toute façon pour briser le carcan canadien avant que n'apparaisse un messie qui viendra les sauver et régler tous les problèmes de la minorité colonisée qu'ils forment. Ils justifieront ainsi leur inaction combien stérilisante. Le problème est que la peur est tenace et la crainte du colonialiste toujours exacerbée. Par conséquent, tous ceux qui se présenteront devant eux pour monter au front seront perçus par ces colonisés comme trop petits, pas assez forts, trop laids, pas assez intelligents, bref, nullement de taille à se mesurer au colonialiste *canadian*. Les Québécois ont ainsi brûlé une pléthore de « libérateurs de peuple ». De René Lévesque à Jacques Parizeau, sans oublier les Lucien Bouchard, Bernard Landry et André Boisclair, tous les chefs du PQ ont eu à essuyer de telles critiques émanant de Québécois qui vivent avec la peur au ventre depuis trop longtemps pour croire la libération possible.

Le fédéral alimente ces mouvements de critique à l'égard des libérateurs de peuple, c'est l'évidence même. Reprenant cette fois encore leur stratégie destinée à dépeindre le régime canadien comme admirable, ils parviennent ainsi plus efficacement à donner l'image de ceux qui s'y opposent comme des fous furieux, des envieux et des opportunistes desquels tous devraient -et doivent- se détourner. Nombreux sont ceux qui, désinformés par le système colonial qui contrôle les médias et qui tente toujours de mettre plus fermement la main sur l'école, autre sphère via laquelle s'articule l'instruction libératrice, adhèrent sans conteste à pareil discours fallacieux. Le contexte québécois devient ainsi un milieu où la libération ne devient possible qu'en découvrant la formule permettant de résoudre le problème de la quadrature du cercle. Car, comment libérer un peuple si l'on ne contrôle pas ses moyens de communication? Comment libérer le Québec si les indépendantistes ne parviennent jamais qu'inefficacement à présenter ses idées au peuple? Comment vaincre le colonialiste si, sous l'effet de la désinformation, ces mêmes Québécois ne prêtent qu'une confiance toute relative aux porte-parole de la liberté? Mission quasi impossible! Serait-ce à dire que l'ennemi d'en face a déjà remporté la guerre et que le mouvement indépendantiste ne représente aujourd'hui que les derniers soubresauts du pendu?

Peut-être. Mais combattre vaudra toujours mieux que de devenir semblable aux zombies que l'on retrouvait dans *Récits de la maison des morts* de Dostoïevski, eux qui en vinrent à apprécier la dureté et l'inhumanité du cloaque que constituait la prison où les confinait le régime tsariste. Tout comme les Québécois, ces prisonniers s'étaient créé d'efficaces chimères qui leur permettaient d'apprécier le milieu de vie où on les obligeait à vivre, et ce, parce qu'ils craignaient plus que toute autre chose le monde de dehors qu'on leur avait appris à oublier. L'humain de partout sur la planète a plus peur de ce qu'il ignore que des chaînes qui lui empoisonnent la vie. C'est tout le drame de l'humanité!

Pire. Plus souvent qu'autrement, le colonisé s'en prend tout d'abord à lui-même avant de s'en prendre à son tortionnaire. Lorsque des esclaves africains parvenaient à s'échapper en Amérique du Sud et qu'ils étaient repris, très régulièrement, ils cherchaient davantage à se mutiler, à s'étrangler ou à se suicider que de s'en prendre à leur nouveau maître. Toute situation coloniale provoque divers comportements auto-destructeurs chez le colonisé (le suicide, la toxicomanie, le jeu, la dénatalité, etc.). Le Québec y a droit comme les autres colonies.

Conséquemment, il faudra toujours respecter ceux qui osent s'attaquer à l'inconnu, même si tous les astres semblent les donner pour perdants. Il est parfois impressionnant de voir ce qu'un groupe d'humains décidés peut accomplir. Les Québécois en sont tout aussi capables que ne le furent les Algériens, les Vietnamiens, les Sud-Africains, les Indiens, les Timorais, les Monténégrins, les Irlandais, les Tibétains, les Aborigènes ou les Sud-Américains… Nous ne sommes pas plus bêtes que les autres peuples! Et le courage que nous parviendrons un jour à dénicher dans le fond de nos entrailles fera que ce ne sera pas toujours qu'un rêve!

En guise de conclusion générale
Pourquoi l'indépendance?

Pourquoi l'indépendance du Québec? Pourquoi investir autant d'efforts, individuellement et collectivement, dans un projet devant donner au monde un nouveau pays parlant français? Pourquoi briser la fédération canadienne telle que nous la connaissons aujourd'hui alors qu'elle est admirée de par le monde? Pourquoi des Québécois sacrifieraient aujourd'hui maints aspects d'une vie normale pour cette cause indépendantiste qui fut chérie et défendue énergiquement par Marcel Chaput, André D'Allemagne, André Ferretti, Pierre Bourgault ou Jacques Parizeau? Ne serait-il pas plus simple pour les militants de faire comme tous les autres Québécois et de regarder le train passer pendant qu'ils vaquent tranquillement à leurs occupations routinières? Bien sûr que ce serait plus facile de se dire, à l'instar de René Lévesque, que le « Canada, après tout, ce n'est pas le goulag »! Se dorer le nombril en prétendant qu'on mène la belle vie est toujours plus doux que de se sacrifier sur l'autel des droits de tous. Mais cela ne serait que recul par dessus recul dans ce petit coin du monde qui peut, mieux que les autres, prouver que ça peu changer, et pas toujours pour le pire. Pour le mieux aussi parfois...Il n'en tient qu'à nous!

S'il y a toujours – et heureusement – des humains qui ne peuvent se résoudre à l'abdication sans condition, c'est parce qu'ils savent que le monde a toujours évolué par l'effort conjugué des rêveurs enthousiastes et non des banquiers à la petite semaine qui compilent savamment les inconvénients qu'il y a à faire la révolution. Même si cette révolution pourrait être une amélioration extraordinaire des conditions de vie de leurs voisins, les banquiers comptent tout le temps et prêchent les vertus du maintien du monde intact, lui qui permet leur enrichissement. Les banquiers ne sont qu'autant d'empêcheurs de nouveaux mondes, des individus à l'esprit par trop conditionné pour imaginer quoi que ce soit. Des égoïstes parmi les hommes! Des *j'pense-à-moi-first* qui ont, c'est le pire, les moyens d'imposer leurs vues réductrices à tous, à ceux qui souffrent comme à ceux qui s'en foutent. Et le monde d'évoluer ainsi lentement, combien lentement, trop lentement... toujours au détriment de la majorité et au profit de pucerons qui se nourrissent de la sève des autres!

Au Québec, nous retrouvons ces mêmes adeptes de la calculatrice liberticide. On les connaît. Pas besoin de les nommer. De tristes individus qui se targuent d'être devenus riches grâce au Canada et qui prônent que rien ne devrait mettre un terme à un régime si lucratif... Enfin, il l'est pour eux. Car très rares sont ceux, ici, qui profitent des sources d'enrichissement des *Canadians*. Ceux qui s'y gargarisent sont autant de collabos prêts à accepter tout et son contraire, tant que cela leur est le moindrement profitable. Des parasites du Canada qui ont fait leur nid au cœur d'une nation malade de colonialisme. Cette geôle dorée qu'est le Canada, ils s'en accommodent fort bien. Même si de tels barreaux pensés et conçus par des *Canadians* désireux d'assurer la relève du colonialiste britannique ont brisé les rêves et les vies d'individus qui avaient pourtant tout pour aspirer à autre chose! L'irréussite chronique de la collectivité québécoise n'est en rien pathologique. D'autres ont décidé pour nous, en nous braquant une arme entre les yeux, que nous serions pauvres parce qu'eux devaient être riches. Toujours plus riches. Trop peu, trop faibles, nous dûmes consentir à pareil régime famélique des décennies durant, en attendant patiemment le renversement salvateur des exploiteurs.

À chaque nouveau jour qui se lève, le règne des inutiles en terre Québec achève toujours plus. Parce qu'hier comme aujourd'hui, des patriotes à tuque, à cravate, ou à *t-shirt* ont fait courageusement le choix de briser l'ordre *canadian* qui ne saurait être normal ici. Comme nulle part d'ailleurs. Venger les plaines d'Abraham, bien sûr. Mais venger aussi Monsieur Allard qui s'est époumoné dans les mines de l'Anglais qui ne brisaient pas que de la pierre, mais bien des vies aussi. Venger Madame Asselin également, elle qui s'est échinée de trop nombreuses heures dans les manufactures de l'Est de l'Île qui tournaient, par son sacrifice, à plein régime, enrichissant à chaque nouveau piqué de l'aiguille dans le tissu celui qui n'y était pourtant pour rien. Venger enfin tous ces Québécois qui furent collectivement appauvris parce que leurs richesses nombreuses furent spoliées, ce qui ne manqua pas de s'accompagner de séquelles psychologiques certaines. Ce n'est pas pour rien que, collectivement, les Québécois se croient incapables de relever les plus grands défis. Briser le carcan asservissant de la petitesse, Camille Laurin avait compris que là résidait la solution pour faire changer les Québécois de perception à leur propre égard et à l'égard de leurs voisins.

Mais l'indépendance ne sera pas que vengeance non plus. De la tête à Papineau, à la clope de Ti-Poil, à la fougue narcissique de Bourgault, au complet trois-pièces de Parizeau, le rêve du pays a été porté par des « libérateurs de peuple » qui entretenaient des espoirs combien positifs pour un peuple qui commençait enfin à se relever de l'exploitation fomentée par le colonialiste d'en face. Des patriotes qui ont perçu dans les yeux de ceux qu'ils croisaient dans les rues de Montréal, de Québec ou de Gaspé qu'ils étaient prêts à vivre autre chose de combien plus grand que de jouer les seconds violons dans un Canada qui a été conçu pour d'autres. En emboîtant le pas aux créateurs de liberté, les Québécois pourraient enfin dire au monde, de leur propre voix, qu'ils existent pleinement, qu'ils sont différents et que, dans ce monde qui prend des allures toujours plus folles, ils ont une opinion unique à exprimer, et ce, en français. Profondément humanistes, les Québécois ne sauront jamais accepter qu'un char d'assaut écrase un village quel qu'il soit, et les enfants qui y vivent, au nom de l'ordre et la sécurité telle qu'imaginée dans les officines de Washington et Tel-Aviv. Qui d'autre en Amérique du Nord que les Québécois peuvent articuler un tel discours? Personne. Et il ne serait que normal que ce continent-ci ne soit pas l'apanage des va-t-en-guerre en puissance, ces violeurs de liberté pour des intérêts pétroliers!

L'indépendance aussi pour assurer mieux que jamais depuis l'arrivée des troupes de Wolfe la survivance, certes, de la langue française, mais aussi son développement dans le cadre national que se seront ainsi donné les Québécois. Ce sera bien sûr toujours un défi que de permettre au français de rayonner en Amérique du Nord, au milieu de centaines de millions d'anglophones. Mais grâce au pays du Québec, nous aurons enfin les moyens de nos ambitions. Nul ne pourra plus jamais nous dire, chez nous, qu'il est intolérant de protéger la richesse inouïe que nos mères et nos pères ont su nous transmettre, ce parler de France qui a su traverser les époques malgré les obstacles qui ont jonché son parcours. Dans le pays du Québec, plus jamais les *Canadians* ne pourront user de leurs institutions coloniales pour nous empêcher, un jour, de parler différemment. Et surtout, il nous y sera enfin permis de choisir tous ceux, dans le monde, qui aiment vraiment le Québec et la langue qu'il parle et qui souhaitent s'installer en son sein. Plus jamais de ghettos linguistiques et ethniques au pays concrétisé. Tous seront Québécois et les immigrants s'adapteront à nos us et coutumes, car telle sera désormais la norme.

Indépendance bien sûr pour mettre fin à un système qui donne toujours le dernier mot à ceux d'Ottawa au détriment des nôtres, que l'un ou l'autre ait tort ou raison dans un dossier qui n'est que quelconque ou qui est d'une importance capitale. Arrive un temps dans la vie d'un individu comme dans celui d'un peuple ou la peur de la prise en main doit céder le pas à la nécessité de faire ses propres bons coups, comme ses erreurs les plus retentissantes. Devenir grand consiste à ne plus dépendre, à ne plus se cacher derrière un adulte ou une structure pour ainsi mieux fuir ses responsabilités.

L'indépendance enfin et surtout pour ne plus jamais avoir besoin d'en parler. Une fois réalisée, il ne s'agira plus que de la vivre, de devenir des citoyens normaux d'un pays normal comme il y en a tout près de 200 au monde. La génération montante de Québécois a la chance d'être celle qui pourra faire culminer et aboutir le rêve qu'ont entretenu historiquement des Québécois qui furent privés de la liberté. Saura-t-elle prendre à bras-le-corps cette chance et donner naissance à un nouveau pays? Saura-t-elle surtout se redonner cette fierté nationale qui a cruellement fait défaut à des milliers de Québécois au fil des ans?

Moi, je crois que oui. Et j'y croirai toujours puisque ne plus y croire, c'est accepter la défaite. Et vivre avec la défaite au coeur, c'est mourir à petit feu...

Patrick Bourgeois

NOTES

1. André Pratte, « L'esprit libre », *La Presse*, 14 mai 2001, p. A14.

2. Les francophones, en 2006, sont toujours à environ 60% en faveur du projet d'indépendance du Québec.

3. Pratte, op.cit., p. 14.

4. Dans un texte intitulé *Le «nation building» canadien, le Bloc québécois et l'avenir du Québec* et publié dans Le Devoir le 3 octobre 2003, Yves Rocheleau synthétisait ainsi la portée de l'Union sociale : reconnaissance de la légitimité du pouvoir fédéral de dépenser; égalité des provinces entre elles, le Québec étant considéré comme une province comme les autres; autorisation donnée au gouvernement fédéral de transiger directement avec des organismes ou des individus sans se préoccuper des compétences provinciales, même en traitant de matières relevant exclusivement de celles-ci; obligation pour les provinces de s'entendre avec Ottawa pour établir de nouveaux programmes dans leurs propres champs de compétence et de répondre bientôt à des normes nationales canadiennes élaborées par Ottawa; obligation pour les provinces de rendre compte de leur gestion de certains programmes (imputabilité) au gouvernement fédéral, le contraire ne s'appliquant cependant pas. Qui plus est, les provinces ont le fardeau de la preuve de démontrer leur bonne gestion; aucun droit de retrait avec compensation financière n'est accordé à une province qui refuserait un programme fédéral et qui voudrait l'implanter elle-même; enfin, aucune reconnaissance de l'existence du peuple québécois.

5. André Binette, *L'Union sociale canadienne sans le Québec*, Montréal, Éditions St-Martin, 2000.

6. Jean-Marc Léger, « Paul Martin et le Québec – vers une supercentralisation », *Le Devoir*, 19 janvier 2004, p. A8

7. André Pratte, « Dix quêteux », *La Presse*, 31 juillet 2001, p. A9

8. André Pratte, « Drôle de prédateur », *La Presse*, 7 février 2003, p. A8

9. André Pratte, « Drôlement intéressant », *La Presse*, 10 novembre 2003, p. A10

10. André Pratte, « What does Québec want », *La Presse*, 19 juin 2004, p. A25

11. André Pratte, « Le mythe du vol », *La Presse*, 20 août 2004, p. A12

12. André Pratte, « La pédagogie du fédéralisme », *La Presse*, 9 novembre 2004, p. A18

13. André Pratte, « Le courant », *La Presse*, 4 décembre 2005, p. A16

14. André Pratte, « Le pari du PQ », *La Presse*, 16 novembre 2005, p. A28

15. André Pratte, « Tout est pourri », *La Presse*, 11 février 1994, p. A5

16. Robert Dutrisac, « Les journalistes de La Presse dénoncent un cas patent de censure », *Le Devoir*, 17 février 1994, p. A3

17. André Pratte, « Les Québécois l'ont peut-être échappé belle », *La Presse*, 1er novembre 1995, p. B7

18. André Pratte, *Aux Pays des merveilles*, Montréal, VLB, 2006, p. 15

19. *Ibid.*, p. 17

20. Desmond Morton, *Une histoire militaire du Canada. 1608-1991*, Québec, Septentrion, 1992, p. 55

21. Dans la *Maryland Gazette*, 4 septembre 1755

22. Guy Frégault, *La guerre de la conquête*, Montréal et Paris, Fides, 1955, p. 26

23. Philippe Jaquin, *Les indiens blancs. Français et Indiens en Amérique du Nord (XVIe-XVIIIe siècle)*, Montréal, Libre Expression, 1996, p. 140

24. Michel Brunet, *Québec Canada anglais, deux itinéraires, un affrontement, Montréal*, Les Éditions HMH, 1968, p. 112

25. Mordecai Richler, *Oh Canada! Oh Quebec! Requiem for a divided country*, Candiac, Éditions Balzac, 1992, p. 75

26. Denis Monière, *Le développement des idéologies au Québec. Des origines à nos jours*, Montréal, Éditions Québec/Amérique, 1977, p. 93

27. Gilles Bourque, *Classes sociales et question nationale au Québec, 1760-1840*, Montréal, Parti Pris, p. 44-45

28. Morton, op.cit., p. 73

29. Gérald Bernier et Daniel Salée, *Entre l'ordre et la liberté. Colonialisme, pouvoir et transition vers le capitalisme dans le Québec du XIXe siècle*, Montréal, Boréal, 1995, p. 87

30. La tenure dite de franc et commun soccage, où l'occupant de la terre pouvait en devenir propriétaire en l'achetant, devait remplacer le régime seigneurial où l'habitant n'était que « locataire » de sa terre. Mais tel ne fut jamais le cas, et les deux systèmes coexistèrent des décennies durant.

31. Filteau, p. 53

32. Bernier et Salée, op.cit., p. 75

33. Amherst, furieux, avait déclaré : « Vous ferez bien, ainsi que d'user de tous autres procédés capables d'exterminer cette race abominable. Je serais très heureux si votre plan de les chasser avec des chiens était mis en oeuvre! », autorisant ainsi la première guerre bactériologique de l'histoire.

34. Cecil Woodham-Smith, *The Great Hunger: Ireland 1845-1849*, Londres, Penguin Books, 1991, p. 411

35. Robert O'Driscoll et Lorna Reynolds, *The Untold Story. The Irish in Canada*, Toronto, Celtic Arts of Canada, 1988, p. 94

36. La British American Land Company a été créée à Londres en 1832. Cette compagnie s'occupait de gérer des terres au Bas-Canada. Elle se porta acquéreur de plus de 800 000 acres de terre dans les Cantons de l'Est. La compagnie voulait favoriser l'immigration de sujets britanniques dans cette région, de façon à accroître considérablement la population anglophone au Bas-Canada. Cette tentative assimilationniste fut vertement dénoncée par le Parti patriote et était au nombre des 92 résolutions adoptées par la Chambre d'assemblée du Bas-Canada. De 1844 à 1855, A. T. Galt fut le commissaire de la British American Land Company, dont les bureaux étaient installés à Sherbrooke.

37. *Ibid.*, p. 108

38. Pratte, op.cit., p. 101

39. Les 92 résolutions constituaient le programme politique du Parti patriote. On y réclamait entre autres l'électivité du conseil législatif et le gouvernement responsable.

40. Yvan Lamonde, *Histoire sociale des idées au Québec. 1760-1896*, Montréal, Fides, 2000, p. 271

41. Jacques Ellul, *Propagandes*, Paris, Armand-Colin, 1962, p. 69

42. Monière, op.cit., p.139-140

43. Organisation paramilitaire de jeunes Anglais de Montréal.

44. Richler, op.cit., p. 89

45. Stanley Bréhaut-Ryerson, *Unequal Union*, Toronto, Progress Booksm 1968, p. 51

46. Jean-Paul Bernard, *Assemblées publiques, résolutions et déclarations de 1837-1838*, Montréal, VLB, 1988, p. 70

47. Il ne faudrait quand même pas en conclure que les relations étaient parfaites entre Canadiens et Irlandais. Loin s'en faut. En fait, ces deux ethnies se disputaient les miettes qui tombaient de la table du maître anglais, entre autres, au port de Québec et dans les chantiers les plus importants. La guerre des Shiners de 1835 en est très certainement l'illustration la plus parfaite. Pour chasses les Canadiens d'Outaouais, les Irlandais formèrent une organisation appelée les Shiners et dirigée par Peter Aylen. Les Shiners brûlaient les propriétés des Canadiens, battaient et tuaient leurs occupants. Malgré qu'ils étaient pacifiques, les Canadiens réagirent et se mirent dans la tête de se défendre face à ces Irlandais. La figure emblématique de cette résistance fut Jos Montferrand, lui qui multipliait les corrections qu'il réservait aux Shiners.

48. Louis-P. Turcotte, *Le Canada sous l'union, 1841-1867*, Québec, Presses mécaniques du Canadien, 1871, p. 28

49. John A. Dickinson et Brian Young, *Brève histoire socio-économique du Québec*, Québec, Septentrion, 1992, p. 76

50. Lamonde, op.cit., p. 284

51. Mason Wade, Les Canadiens français, de 1760 à nos jours, Montréal, Le cercle du livre de France, 1963, p. 297

52. Thomas R. Berger, *Liberté fragile. Droits de la personne et dissidence au Canada, Montréal*, Hurtubise HMH, 1985, p. 71-72

53. Berger, op.cit. p. 76

54. Wade, op.cit., p. 175

55. Pierre Louis Lapointe, *Les Québécois de la bonne entente. Un siècle de relations ethniques et religieuses dans le région de Buckingham*, 1850-1950, Québec, Septentrion, 1998, p.246-249

56. Berger, op.cit., p.71.

57. Morton, op.cit., p. 183-186

58. Réal Bélanger, *Wilfrid Laurier, quand la politique devient passion, Québec*, Les Presses de l'Université Laval / Les entreprises Radio-Canada, 1986, p. 238-248

59. Russie, Royaume-Uni, France, États-Unis, Canada, Australie, Grèce, Italie, Japon, Serbie, Nouvelle-Zélande, Afrique du Sud, Brésil, Chine, Indes, Roumanie, Belgique, Luxembourg, Pays-Bas, Portugal, Monténégro, Égypte, Cuba, Guatemala, Nicaragua, El Salvador, Haïti, Honduras, Siam, Libéria, Rhodésie, Soudan britannico-égyptien, Kenya, Aden, Oman, Birmanie, Singapour, Nigéria, Hong Kong.

60. Allemagne, Autriche-Hongrie, Bulgarie, Empire turc-ottoman.

61. Il en est question, avec plus de détail, dans la deuxième partie de cet essai.

62. François Moreau, *Le Québec, une nation opprimée*, Montréal, Vents d'Ouest, 1993.

63. Michel Brunet, *Québec - Canada anglais, deux itinéraires, un affrontement*, Montréal, Éditions HMH, 1968, p. 244

64. Marcel Rioux, *La question du Québec*, Montréal, Typo, 1987, p. 131.

65. Galeano, op.cit., p. 101

66. Marc Ferro, *Le livre noir du colonialisme. XVIe-XXIe siècle : de l'extermination à la repentance*, Paris, Hachette littératures, 2003, p. 180

67. Jean-Marie Fallu, *Une histoire d'appartenance : la Gaspésie*, Québec, les Éditions GID, 2004, p.190-191

68. Albert Memmi, *Portrait du colonisé. Portrait du colonisateur*, Paris, Gallimard, 1985, p. 34

69. Ibid., p. 100

70. Galeano, op.cit., p. 145

71. André Laurendeau, *Journal tenu durant la Commission royale d'enquête sur le bilinguisme et le bicultura-lisme*, 2 mai 1964, p. 174.

72. Rappelons que les Anglais avaient refusé énergiquement toute tenue de référendum sur la question en 1867 et qu'en conséquence, plus de 50 000 Canadiens français étaient descendus dans les rues de Montréal à cette époque pour dénoncer le projet de Confédération. Or, la population de Montréal n'était que de 250 000 personnes en 1867, dont une forte proportion d'Anglais. C'est donc dire qu'une très forte majorité de Canadiens français était contre le projet promu par les pères de la Confédération.

73. Ce sont des immigrants qui ne viennent pas rejoindre au Canada des membres de leur famille et qui ne fuient pas un contexte difficile. Ce ne sont donc pas des réfugiés politiques.

74. Galeano, op.cit., 106

75. René Lévesque, *Option Québec*, Montréal, Les Éditions de l'Homme, 1968, p. 26

76. Mario Fortin, « La question de l'emploi au Québec : la photo et le film », Études Corbo, 2000.

77. René Lévesque, *Option Québec*, Montréal, Les Éditions de l'Homme, 1968, pp.23-24

78. François Berger, « Les enfants d'immigrés choisissent l'anglais », *La Presse*, 2 avril 2006, p.A1

79. Pratte, op.cit., p. 33

80. Pratte, op.cit., p. 48

81. Pratte, op.cit., p. 16

82. Eugénie Brouillet, *La négation de la nation. L'identité culturelle québécoise et le fédéralisme canadien*, Québec, Septentrion, 2005, p. 381

83. De ce fait, les parents ayant été à l'école anglaise non plus seulement au Québec, mais n'importe où au Canada pouvaient envoyer leurs enfants à l'école anglaise au Québec. Or, les statistiques démontraient dans les années 1970-1980 que ce contingent de parents provenant du reste du Canada était suffisamment important pour miner les chances de survie du français au Québec.

84. Bruno Bouchard, *Trente ans d'imposture. Le Parti libéral du Québec et le débat constitutionnel*, Montréal, VLB, 1999, p. 107

85. Vincent Marissal, « Un monument au Canada anglais », *La Presse*, 29 septembre 2000, p. A8

86. William Johnson, « Rights for All are yielding to Rights for some », *The Montreal Gazette*, 11 septembre 1987, p. 7.

87. Cité dans Normand Lester, *Le livre noir du Canada anglais, tome 2*, Montréal, Les Intouchables, 2002, p. 110

88. Recension de textes publiés par *Le Soleil* le 9 mars 1990, p. B1, et cité dans Lester, op.cit., p. 120-121

89. Un article de Peter Stockland, *Toronto Sun*, 30 novembre 1989 et cité dans Lester, op.cit., p. 118

90. Josée Legault, *L'invention d'une minorité. Les Anglo-Québécois*, Montréal, Boréal, 1992, p. 243

91. Lucien Bouchard, *À visage découvert*, Montréal, Boréal, 2001, p. 304

92. Lester, op.cit., p. 146

93. Ibid., p. 31

94. Michel Venne, « L'égalité des provinces prédomine sur le caractère unique du Québec, selon un constitutionnaliste », *Le Devoir*, 4 juin 1998, p. A8.

95. Michel Venne, « La déclaration de Calgary menacerait la Loi 101 », *Le Devoir*, 10 juin 1998, p. 8.

96. Antoine Robitaille, « Harper dit non à la nation québécoise », *Le Devoir*, 24 juin 2006, p. A1

97. André Pratte, « M. Harper et la nation », *La Presse*, 4 juillet 2006, p. A14

98. Pierre Dubuc, *Le vrai visage de Stephen Harper*, Trois-Pistoles, Éditions Trois-Pistoles, 2006, p. 114-115

99. Ibid., p. 18

100. Ibid.

101. D. Smiley, *Constitutionnal Adaptation and Canadian Federalism since 1945*, Ottawa, Information Canada, 1970, p.33

102. Manon Tremblay et Marcel R. Pelletier, *Le système parlementaire canadien*, Québec, Les Presses de l'Université Laval, 1996, pp. 30-35

103. Eugénie Brouillet, *La négation de la nation*, Québec, Septentrion, 2005,

104. Robert Dutrisac, «Quand la machine s'en mêle » , *Le Devoir*, 1er juillet 2006, p. B3.

105. Pratte, op.cit., p. 22

106. Edmond Orban, « Centralisation politique – décentralisation administrative : Allemagne, Etats-Unis, Union européenne. Réflexion sur la relation Canada-Québec », Études afférentes à l'accession du Québec à la souveraineté, p. 87

107. Normand Lester et Robin Philpot, *Les secrets d'Option Canada*, Montréal, Les Intouchables, 2006, p. 58

108. Ibid., p. 147

109. Pierre Vallières, *L'exécution de Pierre Laporte : les dessous de l'opération*, Montréal, Québec/Amérique, 1977, 223 p.

110. Manon Leroux, *Les silences d'Octobre. Le discours des acteurs de la crise de 1970*, Montréal, VLB, 2002, p. 28.

111. Fernand Dumont, *La vigile du Québec. Octobre 1970 : l'impasse?*, Montréal, Hurtubise HMH, 1971, p. 193.

112. Serge Mongeau, *Kidnappé par la police*, Montréal, Écosociété, 2001, p. 32

113. Kenneth McRoberts, *Un pays à refaire. L'échec des politiques constitutionnelles canadiennes*, Montréal, Boréal, 1999, p 216.

114. Ibid.

115. Ibid.

116. McRoberts, op.cit., p.215

117. Jean Dion, « Aucun moyen n'est exclu pour assurer le changement, dit Chrétien », *Le Devoir*, 25 octobre 1995, p. A1

118. Pierre O'Neil, « Le référendum a rendu les Québécois plus revendicateurs que jamais », *Le Devoir*, 12 novembre 1995, p. A3

119. Robert Perreault, « souveraineté : un débat décisif », *Le Devoir*, 17 octobre 2005, p. A7

120. Marc Ferro, *Le livre noir du colonialisme*. XVIe-XXIe siècle : de l'extermination à la repentance, Paris, Hachette littératures, 2003, p. 72

121. Ces statistiques proviennent de l'Institut de la statistique du Québec : http://www.stat.gouv.qc.ca/donstat/societe/demographie/migrt_poplt_imigr/601.htm

122. « Dion juge Corbeil peu crédible », *Presse Canadienne*, 23 avril 2005

123. Op.cit., p. 37

124. Jean Chartier, « L'affaire des certificats de citoyenneté - 2: La procédure accélérée a scandalisé des citoyens français », *Le Devoir*, 25 mai 1996, p. A4

125. Ibid.

126. Jean Chartier, « L'affaire des certificats de citoyenneté: Comme une usine », *Le Devoir*, 23 mai 1996, p. A1

127. Jean Dion, « Ottawa trouve inacceptable que des immigrants prônent la souveraineté », *Le Devoir*, 29 mai 1996, p. A1

128. Pierre Foglia, « Non, c'est pas normal », *La Presse*, 16 février 1999, p. A5

129. Pratte, op.cit., p. 12

130. Robert Dutrisac, « Dérapages racistes au Canada anglais », *Le Devoir*, 24 novembre 2001, p. A1

131. André Pratte, « Juste pour rire? », *La Presse*, 4 octobre 2005, p. A18

132. Pratte, op.cit., p. 74

133. À titre de précision, on se doit de dire que la fonction publique du Québec est passée de 53 635 personnes en 1996 à 49 269 personnes en 2000.

134. Raymond Giroux, « Sur le plan économique, le Québec pourrait devenir indépendant, affirment deux chercheurs de Harvard », *Le Soleil*, 13 novembre 2004, p. A17

135. Pratte, op.cit., p. 76

136. Ibid, p. 77

137. Vély Leroy, « Les options monétaires d'un Québec souverain », Études afférentes à l'accession du Québec à la souveraineté, p. 205

138. Jean Campeau, « La raison prévaudra », *La Presse*, 25 mai 2005, p. A23

139. Reinhard Wolfgang, *Petite histoire du colonialisme*, Paris, Belin, 1997, p. 9

140. Ibid., p. 10

141. Eduardo Galeano, *Les veines ouvertes de l'Amérique latine. L'histoire implacable du pillage d'un continent*, Paris, Plon, 1981, p. 28

142. Frégault, op.cit., p. 334

143. Pratte, op.cit., p. 44

144. François Maspero et al. (Préface de Jacques Berque), *Les Québécois*, Paris et Montréal Éditions Parti pris, 1967, p. 11.

145. Albert Memmi, « Les Canadiens français sont-ils des colonisés? », dans Albert Memmi, *Portrait du colonisé*, Montréal, L'Étincelle, 1972, p. 135-146.

146. André D'Allemagne, *Le colonialisme au Québec*, Montréal, Agone Comeau et Nadeau, 2000, p. 31

147. Tremblay et Pelletier, op.cit., p. 148

148. Presse Canadienne, « Briser les solitudes », *La Presse*, 10 février 2006, p. A11

149. Katia Gagnon, « J'ai la couenne dure », *La Presse*, 13 septembre 1996, p.A1

150. Guy Laforest, "Réforme constitutionnelle: Fédéralisme et contrepoids", *Le Devoir*, 2 octobre 2000, p. A2

151. D'Allemagne, op.cit., p. 34

152. Gilles Duceppe et Louise Harel, « Le Québec n'est plus libre de ses choix », *Le Devoir*, 18 août 2005, p. A7

153. Ibid.

154. Yves Rocheleau, « Le nation building canadien, le Bloc québécois et l'avenir du Québec », *Le Devoir*, 4 octobre 2003, p. B5

155. Joseph Pope, *Memoirs of the right Honorable Sir John A. MacDonald: Prime Minister of the Dominion of Canada*, Toronto, Oxford University Press, 1930, p. 228

156. Stéphane Paquin, *L'invention d'un mythe : le pacte entre deux peuples fondateurs*, Montréal, VLB, 1999, p. 172.

157. Raymond Barbeau, *Le Québec est-il une colonie?*, Montréal, Les Éditions de l'Homme, 1962, p. 78.

158. D'Allemagne, op.cit., p. 43.

159. François Vaillancourt et Ruth Dupré, « Les francophones au pouvoir », *Commerce*, vol. 102, no.4, avril 2001, p. 46.

160. Institut de la statistique du Québec :
http://www.stat.gouv.qc.ca/donstat/econm_finnc/conjn_econm/TSC/pdf/chap5.pdf

161. Ibid. : http://www.stat.gouv.qc.ca/donstat/econm_finnc/conjn_econm/TSC/pdf/portraits.pdf

162. Rosaire Morin, « Les 500 grandes entreprises », *L'Action nationale*, vol. LXXXVIII, no.10, décembre 1998, p. 41.

163. Rosaire Morin, « Les caisses québécoises de retraite », *L'Action nationale*, volume LXXXVIII, no.7, septembre 1998, p. 25.

164. Galeano, op.cit.

165. Roch Banville, *La peau des autres. Non au travail qui estropie, empoisonne et tue*, Montréal, Lanctôt Éditeur, 1999, p. 20.

166. Presse canadienne, « Ottawa tente de baisser les impôts sans s'étrangler », *Le Devoir*, 20 avril 2006, p. B3

167. Michel Girard, « Les Québécois pressés comme des citrons », *La Presse*, 14 juillet 2001, p. C1

168. Alec Castonguay, « Péréquation : des experts proposent de couper la poire en deux », *Le Devoir*, 6 juin 2006, p. A3

169. Jean-François Lisée, *Sortie de secours*, Montréal, Boréal, 2000, p. 112

170. Ibid., p. 114

171. D'Allemagne, op.cit., p. 79

172. Gérard Bouchard, « Sortir de l'impasse en revenant aux idées fondatrices », *Le Devoir*, 17 juin 2006, p. B5

173. Pratte, op.cit. p, 59

174. Ibid., p. 60

175. Elias Lévy, « Exporter la loi 101 », *Voir*, 13 juillet 2006, p. 16

176. Jean Forest, *Les anglicismes de la vie quotidienne des Québécois*, Montréal, Triptyque, 2006, p. 149.

177. Pratte, op.cit., p. 82

178. Bernard Normand, « La moitié du Québec lit avec difficulté », *Le Quotidien*, 15 mai 2006, p. 10

179. Rodrigue Larose, « Ottawa, McGill et le financement des universités », *Le Devoir*, 22 août 2000, p. A7

180. Lisée, op.cit., p. 173

TABLE DES MATIÈRES

MEMBRE DU GROUPE SCABRINI

Québec, Canada
2006